HAREMVROUW

Janet Wallach

Haremvrouw

Van Holkema & Warendorf

Oorspronkelijke titel: *Seraglio*
Oorspronkelijke uitgave: Nan A. Talese, an imprint of Doubleday,
a division of Random House, Inc.
First published by Nan A. Talese Books/Doubleday Books, New York,
N.Y. All Rights Reserved.
Published by arrangement with Linda Michaels Limited, International
Literary Agents.
© 2003 Janet Wallach

© 2004 Nederlandstalige uitgave:
Uitgeverij Unieboek bv,
Postbus 97, 3990 DB Houten

www.unieboek.nl

Vertaling: Jan Smit
Omslagontwerp: Wil Immink
Omslagfoto: Bridgeman Art Library, London
Opmaak: ZetSpiegel, Best

ISBN 90 269 8350 6 / NUR 340

Voor John,
voor altijd

Woord van de schrijfster

Dit boek is gebaseerd op het leven van Aimée du Buc de Rivery, een achttiende-eeuws meisje uit Martinique, nicht van keizerin Josephine, die door zeerovers werd ontvoerd en naar de harem van de sultan in Istanbul werd overgebracht. Daar, in het Topkapi-paleis, werd ze gunstelinge van de ene sultan en moeder van een andere. Haar opkomst van eenvoudige slavin tot *sultane walidé*, en haar invloed op haar zoon, sultan Mahmoed II, een van de grote hervormers van het Ottomaanse rijk en een vorst die de Turkse samenleving op het Westen oriënteerde, heeft generaties schrijvers en wetenschappers geïntrigeerd.

Het is altijd een controversieel verhaal geweest. Was Aimée nu echt dezelfde als de haremvrouw Nakshidil? Als dat zo is, wat was dan haar relatie met Selim toen ze in Istanbul aankwam, en was ze werkelijk de moeder van Mahmoed? Na enkele jaren van onderzoek, bezoeken aan het Topkapi en de indrukwekkende *turbe* waar ze begraven ligt, geholpen door deskundigen die de archieven van het paleis hebben uitgekamd, moest ik tot de slotsom komen dat er maar weinig specifieke informatie bestaat over Aimée/Nakshidil – evenmin als over de andere vrouwen uit de harem van de Ottomaanse sultan. Er mochten geen dagboeken of journaals worden bijgehouden binnen de keizerlijke harem, er was geen contact met de buitenwereld, het verleden van de vrouwen werd opzettelijk uitgewist en hun toekomst werd uitsluitend bepaald door het paleis.

7

Het was pater Chrysostome, een jezuïet, die verslag deed over de bediening van Nakshidil op haar sterfbed. Dat de moeder van de sultan christelijk was, is niet zo vreemd. Ongebruikelijker was haar wens om ook als christen te mogen sterven, en het feit dat haar zoon dit accepteerde. Het valt veel moeilijker te bewijzen dat ze werkelijk de vermiste dochter uit de plantersfamilie Du Buc de Rivery van Martinique was, hoewel veel kenners van de Turkse geschiedenis daarvan uitgaan. En toen sultan Abdul Aziz in 1867 naar Frankrijk reisde, werd hij bijzonder hartelijk ontvangen door Napoleon III, die de pers meedeelde dat hun grootmoeders familie van elkaar waren. Sterker nog, de sultan had een beeldje van Nakshidil bij zich dat sterk leek op een ouder portret van Aimée, terwijl Abdul Aziz tijdens zijn verblijf in Frankrijk ook bekendmaakte dat hij leden van Aimées familie zocht.

Ik ben dit boek begonnen als een biografie, maar het is een historische roman geworden. Het zal geen eind maken aan de discussie over de ware achtergrond van sultane walidé Nakshidil. Toch hoop ik dat het een indruk kan geven van haar mysterieuze leven in het serail van twee eeuwen geleden. Misschien kan het ook enig licht werpen op de moslimwereld van vandaag – op de beweegredenen van een handvol heersers die zijn verwikkeld in complotten om opvolging en macht, maar ook op het leven van de miljoenen vrouwen die nog altijd in afzondering leven achter de sluier van de harem.

Haremvrouw

Uit de
JOURNAL DE FRANCE,
10 juli 1867

Sultan Abdul Aziz is deze week in Parijs aangekomen voor een staatsbezoek. Als eerste Ottomaanse keizer die ooit Frankrijk bezocht, kreeg hij een warme ontvangst van de regering, die hem een grote suite in het Elysée-paleis ter beschikking stelde, met een staf om zijn eigen uitgebreide gevolg van dienst te zijn. De sultan vroeg onder meer om hardgekookte eieren bij het ontbijt, gebak bij het middagmaal, chocola in de avond en privé-voorstellingen in zijn suite door de meisjes van de Folies Bergères. Gevraagd naar de reden waarom hij sultan Abdul Aziz in Parijs had uitgenodigd, antwoordde keizer Lodewijk Napoleon dat hij bijzonder benieuwd was om sultan Abdul Aziz te ontmoeten omdat 'wij via onze grootmoeders aan elkaar verwant zijn'.

Proloog

Pater Chrysostome zat geknield voor het crucifix in zijn cel toen hij werd gestoord door een klop op de deur. 'Eén moment,' riep de jezuïet, terwijl hij afstand probeerde te nemen van het visioen van de vrouw van wie hij een glimp had opgevangen in het park: die zwoele ogen, die dunne polsen, een vleugje muskus in de lucht. Ze behoorde tot de harem van de sultan, maar had hij niet iets van een flirt bespeurd toen ze zijn blik ving? En had hij niet op dezelfde manier gereageerd, zoals hij nu moest toegeven?

Hij nam zich voor het ter sprake te brengen bij de ochtendbiecht, zei een haastig gebed en vroeg zich af wie deze vroege bezoeker zou kunnen zijn. Hij hees zich van de vloer, streek zijn bruine soutane glad en opende de deur. In de gang stond een verbaasde pater George. De goede man was in het gezelschap van twee grote janitsaren met hoge tulbanden, waardoor de kleine mollige priester nog nietiger leek.

'Ze willen je spreken,' zei pater George zenuwachtig. Hij draaide zijn ogen naar de soldaten van de sultan. 'Ze komen van het paleis, met een bericht. Het is dringend.' De priester voelde zijn hart in zijn keel bonzen. Had de eunuch die de haremvrouwen begeleidde misschien zijn blik gezien, die ochtend? Geen enkele man, ook geen priester, mocht naar de slavinnen van de sultan kijken. Waren ze gekomen om hem in de gevangenis te gooien, of erger nog?

Een van de speciale soldaten drukte pater Chrysostome een envelop in zijn hand. Haastig maakte hij hem open en las de korte boodschap: *Het is belangrijk dat u de janitsaren gehoorzaamt en onmiddellijk met hen meegaat.* Hij zocht een ondertekening, maar het briefje was anoniem. 'Eén moment, alstublieft,' zei hij met een ongeruste blik naar de soldaten. 'Ik ben uw meest nederige dienaar, maar ik moet mijn mantel nog pakken.'

Zodra de jezuïet zijn wollen cape over zijn schouders had gegooid en de kaars in zijn kamer had uitgeblazen, volgde hij de janitsaren naar buiten. Een zomerse regenbui had een dichte nevel veroorzaakt en het was stil op straat. Snel daalden ze de heuvel af van Pera naar de kade van Galata, waar een sloep op de golven dobberde. De priester telde tien paar roeiers en wist dat de boot aan een hoge paleisfunctionaris moest toebehoren.

Pater Chrysostome installeerde zich op de kussens en probeerde erachter te komen wie hem had ontboden, maar steeds als hij zijn mond opendeed keken de soldaten van de sultan hem vermanend aan en legden hem het zwijgen op. 'U zult het gauw genoeg weten,' zei een van de janitsaren, draaiend aan de punten van zijn hangsnor. De roeiers hielden een flink tempo aan in het donker en algauw zag de priester de Europese oever van de Bosporus opdoemen, met het paleis van Beshiktash. De boot had nauwelijks aangelegd toen de janitsaren op de oever sprongen en de priester met zich meenamen.

In het paleis aangekomen zou pater Chrysostome graag de tijd hebben genomen om te genieten van de weelderige vertrekken, het ene nog luxueuzer dan het andere, maar de soldaten sleepten hem haastig mee langs al het verguldsel dat er blonk. Eindelijk kwamen ze bij een zware, geschilderde deur waar een zwarte eunuch de wacht hield. 'We zijn zo snel mogelijk gekomen,' fluisterde de oudste van de twee janitsaren. De vlezige eunuch stak een vinger op als teken dat ze moesten wachten, terwijl hij naar binnen verdween. Bijna onmiddellijk kwam hij weer terug en wuifde de jezuïtische priester naar binnen. Was dit de kamer waar hij ter verantwoording zou worden geroepen? Voorzichtig stapte pater Chrysostome over de drempel. Een doordringende geur van sandelhout en wierook zweefde hem tegemoet, bedoeld om de lucht van ziekte te onderdrukken. Hij keek om zich heen naar de zijden wandtapijten aan de muren en liep over fraaie vloerkleden naar het bed, waar een Griekse geneesheer hem wenkte. Onder de klamboe lag een roerloze vrouw. De priester keek naar haar gezicht en zag meteen hoe dodelijk bleek ze was. Hij schatte haar ouder dan veertig, maar zelfs op die gevorderde leeftijd en ondanks haar slopende ziekte had ze nog de tere trekken en de verschrompelde perzikwangen van een vrouw die in haar jeugd een grote schoonheid moest zijn geweest. Zij kon toch niet de reden zijn voor zijn komst?

Terwijl hij door het witte gaas tuurde, hoorde hij een onderdrukte kuch. Toen pas ontdekte hij de schim van een jongeman met een baard. Het duurde maar één moment voordat hij begreep wie hem hier had ontboden. Hij probeerde zijn angst te onderdrukken, terwijl hij het koord van zijn soutane strak om zijn vingers wikkelde. De priester had wel vaker in het gezelschap van hoge figuren verkeerd, maar nog nooit in het gezelschap van iemand die zo machtig was als deze man.

'U bent hier op mijn bevel,' sprak de sultan. Pater Chrysostome boog diep, half uit angst, half uit eerbied. Toen, alsof de priester enige keus had gehad, legde de vorst zijn hand over zijn hart en zei: 'Dank u voor uw komst. Ik heb mijn moeder beloofd dat ik haar wensen voor haar eigen dood zou respecteren. Alstublieft,' fluisterde hij, met een knikje naar het bed, 'dient u haar de laatste sacramenten toe.' Met die woorden verliet de sultan de kamer en gaf de anderen een teken hem te volgen.

Pater Chrysostome slaakte een zucht van verlichting, trok zijn mantel uit en hing die zorgvuldig over een stoel. Nu pas zag hij de zwarte eunuch, die nog in de hoek van de kamer stond. De priester wierp een behoedzame blik naar de man met het vrouwelijke gezicht, de dikke nek en de ronde buik, maar zei geen woord. Zwijgend trok hij een stoel bij het bed en ging naast de koningin-moeder zitten. De afgelopen acht jaar was deze dodelijk zieke dame de machtigste vrouw in het rijk geweest, als adviseur en vertrouwelinge van haar zoon, sultan Mahmoed II. Ze was bekend geworden als het publieke gezicht van de teruggetrokken vorst. De Ottomanen noemden haar sultane walidé Nakshidil. Haar zoon was hun padisjah, Gods schaduw op aarde, de kalief, leider van alle moslims. En nu had ze hém, een jezuïtische priester, aan haar sterfbed gevraagd.

'Sultane walidé Nakshidil,' fluisterde hij op geruststellende toon. 'Ik ben hier voor u, en ik zal hier blijven zo lang u dat wilt. Laten we alstublieft beginnen met een gebed.'

'O, eerwaarde, ik heb nog zoveel te zeggen,' antwoordde ze zwak. 'U moet weten dat ik geen goede katholiek ben geweest. Zodra ik in de harem kwam, werd ik gedwongen moslim te worden. Ik heb gedaan wat ik kon... heimelijke gebeden... mijn Christus...' Haar stem ebde weg.

De priester pakte haar magere hand en hield die vast terwijl ze haar krachten verzamelde. Toen hij zag dat ze weer kon spreken, knikte hij bemoedigend.

'De harem kan een verschrikkelijke plek zijn,' vertrouwde ze hem toe. 'Al die intriges... Er was een vrouw met rood haar, die...' Haar stem weigerde dienst. De eunuch maakte zich van de muur los en kwam tussenbeide. 'Mijn lieve,' zei hij met de hoge stem van een castraat, 'je bent zwak en er zijn dingen waarover je beter niet kunt spreken. Zelfs niet met een priester.'

14

Een tijdje later haalde pater Chrysostome een klein buisje uit zijn soutane en zalfde de vrouw met de olie. Toen knielde hij bij haar bed en sprak: 'Moge de Heer u door deze heilige zalving en Zijn liefhebbende genade ter zijde staan bij de gratie van de Heilige Geest, zodat hij u, bevrijd van zonden, kan verlossen en in Zijn goedheid kan verheffen.'

Kort nadat hij haar had bediend, haar alle aardse zonden had vergeven en haar schuld had weggenomen voor alle niet opgebiechte doodzonden, zag hij dat de vrouw niet meer bewoog. Hij voelde haar pols, maar alle tekenen van leven waren geweken. Hij legde haar armen over haar borst en drukte haar oogleden dicht. Toen liep hij de kamer door om zijn mantel te pakken, maar de eunuch klemde die tegen zijn borst alsof het zijn levenslijn met de walidé was. Zachtjes legde de priester een hand op de arm van de man, trok de mantel aan en volgde de merkwaardige figuur toen hij de kamer uit hinkte. Pater Chrysostome zocht de janitsaren, maar die waren verdwenen. 'Ik zal u naar uw klooster terugbrengen,' zei de eunuch, die zijn aarzeling bespeurde. 'De sloep ligt te wachten.'

Ze voeren in stilte met de boot mee. Toen ze in Pera hadden aangelegd en bij de deur van het jezuïetenklooster stonden, nodigde pater Chrysostome de man uit om binnen te komen. 'Alstublieft,' drong hij aan. 'Dit is een zware nacht geweest. Drink een glas goede, sterke nectar met mij. Dat zal ons allebei goeddoen.' De trotse eunuch, die ondanks zijn bescheiden lengte en zijn te korte been een vorstelijke uitstraling had, antwoordde dat hij zelden alcohol dronk, niet omdat zijn geloof hem dat verbood, zei hij, maar omdat hij er slecht tegen kon. Maar het was inderdaad een zware nacht geweest en daarom nam hij het aanbod van de jezuïet graag aan.

Terwijl de twee mannen van hun wijn dronken, werd het gesprek, dat aanvankelijk nogal stroef verliep, steeds vriendschappelijker van toon. Pater Chrysostome vertelde anekdoten over zijn leven in Pera met de Fransen en de bezoeker glimlachte om die amusante verhalen over de Europeanen. Zelf was hij zwijgzaam van aard en liet weinig los over zijn leven in het paleis. De priester had graag willen weten wat de koningin-moeder niet had mogen zeggen van de eunuch, en hij ging prat op zijn talent om mensen bekentenissen te ontlokken, maar hij wist dat hij heel voorzichtig te werk moest gaan. Hij begon met de gebruikelijke vragen: hoe de man heette, hoe lang hij al in het paleis werkte en welke functies hij had bekleed. Zo ging de priester steeds een stapje verder. Ten slotte vroeg hij zijn zwarte bezoeker hoe hij was opgeklommen tot de machtige positie van opperbewaarder van de harem.

'Dat heb ik te danken aan sultane walidé Nakshidil,' antwoordde de eunuch, die de bijnaam Tulp droeg.

Pater Chrysostome drong aan en vertelde verhalen over zijn eigen familie, zijn zusters en broers, en vooral zijn moeder. Vandaar was het een kleine stap naar de koningin-moeder. 'Kende u haar goed?'

'Dat is een moeilijke vraag, eerwaarde. Niemand van ons is wat hij of zij lijkt. We zijn allemaal meer dan we anderen willen laten weten en minder dan we zelf graag denken.'

'En toch?'

'In de loop der jaren is er een hechte band ontstaan.'

'U moet een bijzonder mens zijn om zo dicht bij zo'n vrouw te hebben gestaan,' zei de geestelijke, in de hoop dat het compliment tot nieuwe ontboezemingen zou leiden.

De eunuch nam nog een slok wijn en zette het lege glas op tafel. 'Zij heeft ooit mijn leven gered, en ik het hare.'

Pater Chrysostome boog zich naar voren en schonk hun glazen nog eens vol. 'Ze was een goede vrouw,' vervolgde Tulp, 'en ze vocht voor waar ze in geloofde.' Zijn ogen werden vochtig. 'Ik zal haar vreselijk missen als ze er niet meer zal zijn.' Hij zweeg, slikte moeizaam en verbeterde zichzelf. 'Nu ze er niet meer is.'

De jezuïtische priester hoorde het verdriet in zijn stem. 'Ach, mijn vriend,' zei hij zacht, 'ik zie hoe bedroefd je bent. Soms is het beter om te praten. Vertel me over de sultane walidé. Ik weet dat paleisslaven zich tot de islam moeten bekeren. Hoe heeft de sultan haar dan kunnen toestaan om als christen te sterven? Wie was ze en waar kwam ze vandaan?'

Het was al lang geleden dat de bezoeker over sultane walidé Nakshidil had gesproken. Hoewel ze elkaar na stonden en hij in de loop der jaren veel van haar te weten was gekomen, had hij haar vertrouwen nooit beschaamd. 'Het zou me meer dan één nacht kosten om haar hele geschiedenis te vertellen,' zei hij.

'Je bent van harte welkom, wanneer je maar wilt,' antwoordde de priester. 'Ik verheug me op onze avonden samen.'

De eunuch nam nog een slok van de sterke wijn, maakte zijn riem wat losser en begon met zijn bedroefde sopraan aan zijn merkwaardige relaas.

Een

1

Ik ontmoette Nakshidil voor het eerst op de dag dat ze in het Topkapi aankwam, in de zomer van 1788, nu bijna dertig jaar geleden. We hadden met een groepje bevel gekregen om naar de steiger van het serail te gaan. Er had een schip aangelegd van de bei van Algiers, dat een geschenk zou hebben meegebracht voor sultan Abdül-Hamid. We hoorden dat Algerijnse piraten drie weken eerder een schip hadden overvallen en de buit aan de bei hadden overgedragen. Naast goud, zilver en andere goederen waren er ook een stuk of tien christenen aan boord geweest, en een meisje – een jeugdig ding. De bei nam het goud en het zilver, verkocht de goederen en maakte de mannen tot slaven. Maar toen de Algerijn de jonge bloem zag, weerstond hij de verleiding om haar zelf te houden en gaf opdracht haar naar Istanbul te brengen. De sluwe bei kende de voorliefde van de sultan voor jonge meisjes. Hij zou haar aan de vorst schenken om de betrekkingen te verstevigen. De wellustige oude Turk kon met haar doen wat hij wilde.

We namen haar graag van hem over. Ze had een etherische uitstraling, als een pluisje dat danste in de wind, of misschien een tere lelie, hoewel ik toen al vermoedde dat ze een ijzeren wil had. De andere harembewaarders namen haar keurend op en kwamen met hun voorspelbare commentaar. 'Ze is te mager om van nut te zijn,' zei er een. 'Waarom heeft God míj geen blond haar en blauwe ogen gegeven?' vroeg een ander. 'Misschien kan ze leren mij plezier te verschaffen,' mompelde een derde.

Je kijkt verbaasd, mijn vriend. Natuurlijk missen wij als eunuchen de geslachtsdelen van een man, maar we zijn niet allemaal zoals jullie denken. Sommigen van ons hebben normale mannelijke behoeften; anderen verkiezen het contact met
mannen. Zelf spreek ik liever niet over mijn seksuele verlangens. Ik probeerde slechts te overleven in het paleis.

Hoe dan ook, ik wilde eerst zien hoe het meisje zich zou gedragen voordat ik me een oordeel zou vormen over haar behandeling. Je moet altijd voorzichtig zijn in een paleis. Iedereen daar is een bondgenoot of een vijand; bondgenoten heb
je niet veel, vijanden des te meer.

Ik zag wel dat ze een zware tijd achter de rug had en dat de
zeerovers haar slecht hadden behandeld. Ze was te versuft en
verward om iets te kunnen zeggen, maar ze had een trotse
houding en weigerde te gehoorzamen. We moesten haar letterlijk naar de zwarte oppereunuch sleuren.

De *kislar aghasi* stond ons al fronsend op te wachten bij de
ingang van de harem, het heilige domein van de vrouwen,
verboden voor alle mannen behalve de sultan en zijn zwarte
eunuchen. Hij had zich ingesmeerd met rozenolie en zijn
reusachtige gestalte ging schuil onder een mantel van groene
zijde en dik marterbont. Met zijn kegelvormige tulband toren-
de hij boven iedereen uit. Hij was niet snel tevreden en wij,
de eunuchen, waren altijd bang voor zijn afkeuring en zijn
slechte humeur. Hoewel stilte van groot belang is in het serail,
zag ik aan de glinstering in zijn zwarte ogen en het scheve
lachje om zijn mond dat hij blij was met het geschenk van de
bei. Een blonde toevoeging aan de harem zou hem in een
goed blaadje kunnen brengen bij de sultan. Maar zoals altijd
bij een nieuwe odalisk, moest hij haar eerst persoonlijk inspecteren.

Hij zwaaide met zijn leren zweep. We volgden zijn orders op
en ontdeden haar van haar gescheurde jurk en onderrokken,

die nog de gehavende merktekens van een Frans kledinghuis droegen. Ze hield haar hoofd fier omhoog, maar ze had een wazige blik in haar ogen, geschokt door de aanblik van de machtige eunuch en haar eigen naaktheid.

De kislar aghasi nam haar aandachtig op. Zijn blik gleed langzaam naar beneden vanaf haar warrige haar over haar hoge voorhoofd, haar blauwe ogen, haar puntige wipneus en haar gewelfde lippen. Hij gaf mij een teken om haar mond open te trekken, zodat hij haar gebit kon controleren. Eerst was ik bang dat ze zou bijten, totdat ik besefte dat ze veel te bang was om zich te verroeren of een kik te geven. Hij gleed met een vinger door haar mond en inspecteerde haar tandvlees zoals je bij een kameel of een paard zou doen. Toen hij zich had vergewist van de toestand van haar mond richtte hij zijn aandacht op haar huid.

Hij gaf een andere bewaarder opdracht om haar haar op te tillen, zodat hij haar nek kon zien. Hij aarzelde even toen hij meende een vlekje te ontdekken, maar het was slechts een kleine spin en hij vervolgde zijn inspectie. Zijn blik bleef rusten op haar melkwitte borsten. Hij trok aan haar tepels om zeker te weten dat ze geen vocht produceerden. Het meisje kromp ineen, maar hij negeerde haar en betastte haar borsten met zijn geringde vingers. Toen bekeek hij haar navel en daalde af naar haar onderbuik. Een glimlach speelde om zijn mond toen hij zag dat ze niet behaard was; haar puberteit moest nog beginnen.

Tevreden liet hij zijn blik over haar fraai gevormde benen en enkels glijden. Ten slotte controleerde hij haar tenen om te zien of ze recht waren. Toen sloeg hij weer met zijn zweep en maakte een cirkel met zijn vinger in de lucht, als teken dat ze haar moesten omdraaien. De hele procedure begon van voren af aan. Hij bekeek haar lange nek nog eens en vond een moedervlek op haar rug. Een van ons kreeg opdracht het vlekje te inspecteren; het bleek slechts een vuiltje te zijn. Hij keek naar de rest van haar rug en volgde haar figuur naar beneden, tot hij bij haar billen kwam. Hij nam haar ronde achterste in zijn ene hand, streek met zijn andere vingers over de gladde roze huid en kneep er even in. Hij beoordeelde haar dijen, haar benen en haar goedgevormde kuiten. Bij haar voeten gekomen knikte hij. Ik wist wat er ging komen.

We draaiden het meisje weer rond, met haar gezicht naar hem toe. Hij kromde zijn hand om haar knie en bewoog hem langzaam omhoog tegen de binnenkant van haar dijbeen, totdat hij haar opening bereikte en twee vingers naar binnen stak. Het geschrokken meisje slaakte een kreet en ik dacht dat hij haar zou slaan, maar dat deed hij niet. In plaats daarvan draaide hij zijn vingers in haar rond, haalde ze er weer uit en likte ze af. Ik zag dat ze huiverde en haar hoofd liet hangen. Ze klemde haar armen om zich heen om haar schaamte te bedekken. In de wetenschap dat ze waardeloos zou zijn als ze geen maagd meer was, wachtten wij of de kislar aghasi ons het teken zou geven om haar te houden. Langzaam bewoog hij zijn hoofd op en neer en knikte goedkeurend.

'Tulp, ontferm je over haar,' beval de zwarte oppereunuch. Blij dat hij vertrouwen in me had, maar angstig voor het geval het mis zou gaan, wikkelde ik haar jurk om haar heen, legde een vinger tegen haar lippen om haar duidelijk te maken dat ze niet mocht spreken, en bracht haar naar de baden, waar ik bij haar bleef in de vochtige hitte tot ze schoon was. Ze had zich al weken niet kunnen wassen en ze onderwierp zich gewillig toen de slaven haar op een marmeren plaat zetten, water over haar heen goten uit een zilveren lampetkan, en haar haren en haar hoofdhuid wasten. Ik zag de jaloerse blikken van de andere meisjes. Ze waren niet blij met Nakshidils blonde haar, haar blauwe ogen en de manier waarop ze zich gedroeg. Ze was geen boerenmeid uit Rusland of de Kaukasus, zoals de meesten, en als vreemdelinge werd ze bepaald niet met open armen ontvangen.

Toen ze een beetje gewend was aan de zwaveldampen keek ze droevig om zich heen. Een stuk of vijf jonge vrouwen lagen loom door de ruimte verspreid, met lang zwart haar tot op hun middel en gitzwarte ogen tegen een glanzend witte huid. Achter hen stonden nog anderen, blank of zwart, met blote borsten en schaars gekleed onder de gordel. Zij verzorgden de meisjes zoals liefhebbende katten hun kittens vertroetelen. In een hoek lagen twee wulpse meisjes in een omstrengeling. De nieuwelinge zei geen woord, maar later vertrouwde ze me toe: 'Ik voelde me angstig en vernederd. Alles leek zo vreemd. Ik wist niet waar ik was, of wat voor dag het was. Nadat ons schip door de piraten was overvallen, had ik alle besef van tijd verloren. Klokken en kalenders zijn van geen nut meer als je geen aanknopingspunten hebt. En wat die plek betreft... toen ik de vrouwen met elkaar bezig zag in de nevel van het stoombad dacht ik dat ik op Lesbos terecht was gekomen, of in het voorgeborchte van de lust.'

Na het bad vroeg ze om haar oude jurk en haalde iets uit de voering, maar ze mocht hem niet meer aantrekken. In plaats daarvan wikkelden ze haar in een linnen handdoek en trokken haar muiltjes aan met een schildpadmotief. Wij gebruiken die houten muiltjes om niet uit te glijden op het natte marmer en ons te beschermen tegen de hitte die van de vloer opstijgt, maar hoewel ze zich elegant bewoog had ze moeite met de hoge hakken en moesten de anderen haar naar de afkoelruimte brengen, waar ze dankbaar een koude sorbet accepteerde. Gulzig werkte ze het sinaasappelijs naar binnen, bijna zonder adem te halen.

In de kleedkamer ernaast kreeg ze nieuwe kleren. Ze stapte in een dunne *shalwar* en keek aarzelend hoe de harembroek bij haar enkels werd dichtgeknoopt. Eroverheen kreeg ze een doorschijnende bloes waarin haar borsten mooi uitkwamen. Maar ze leek blij dat ze zich weer kon bedekken. Ten slotte trokken ze haar een *entari* aan, een lange zijden jurk, alleen dichtgeknoopt om haar middel, met strakke mouwen en een voorgevormd lijfje om haar borsten meer vorm te geven. Het geheel werd gecompleteerd door een eenvoudige linnen ceintuur, zonder sieraden, die ze schuin om haar heupen knoopte. Ze slaakte een zucht van verlichting toen bleek dat ze de houten muiltjes niet buiten het stoombad hoefde te dragen. Uiteindelijk nam ik haar mee de gang door naar de opperkamenierster.

Normaalgesproken staat de harem onder het gezag van de koningin-moeder, maar sultan Abdül-Hamid had al lang geleden afscheid moeten nemen van zijn moeder, waarna de leiding was overgegaan op de *kahya kadin*, een oude maagd, aangesteld door de sultan zelf, die haar nu 'moeder' noemde. De kamenierster mocht een zilveren scepter dragen en het keizerlijke zegel gebruiken, een voorrecht dat verder slechts was voorbehouden aan de sultan en de grootvizier.

Belast met de opleiding van honderden slavinnen was het haar taak om het leven binnen de harem zo goed mogelijk te organiseren. Er was een staf van veertig leden, alleen al voor de padisjah, die zorgden voor zijn kleren, zijn sieraden, zijn rituele bad, zijn persoonlijke hygiëne, zijn siroop, zijn koffie, zijn tafel en zijn wasgoed. Ook zagen ze erop toe dat er altijd muzikanten en verhalenvertellers voor hem klaarstonden. Dan was er een aparte staf voor de zwarte oppereunuch, voor ieder van de echtgenotes, de gunstelingen (de concubines) en de meesteressen zelf.

De kamenierster had verscheidene meesteressen onder zich, lang voorbij de leeftijd waarop ze nog mannelijke aandacht trokken: een meesteres voor de koran, de koffie, de schatkamer, de sorbets, de keuken, de kruiken, de schrijvers, de wasserij, de garderobe, de sieraden, het borduurwerk, de kapsels, de ceremonies, de muziek en de zieken. Op hun beurt onderwezen deze meesteressen de jongere vrouwen. Uitverkoren waren de knappe meisjes die bij de staf van de sultan werden ingedeeld. Anders dan de meesteressen, die nooit met een man hadden geslapen, hadden deze meisjes een redelijke kans om door de sultan te worden ontboden voor een intiem samenzijn. Zo niet, dan konden ze nog worden gekozen als echtgenotes voor belangrijke functionarissen buiten het paleis, zoals een provinciaal gouverneur, een pasja of een hoge militair. En als de plicht riep, werden ze ooit zelf als meesteres in het paleis aangesteld, een positie waarin het hun aan niets ontbrak, behalve misschien aan liefde en genegenheid.

Ik gaf het meisje een teken om te blijven staan terwijl ik naar de zilveren stoel toe liep. Daar maakte ik een diepe buiging en kuste de mouw van de kahya kadin. Toen ik opkeek, zag ik een zweem van een glimlach op haar gezicht. Ik wist dat ze blij was met deze blonde maagd. Het meisje was nog jong, maar toch al geschoold in sociale vaardigheden en twee keer zoveel waard als de boerenmeiden die we meestal kregen.

Omdat ze wist dat ik mijn talen kende, vroeg ze mij als tolk op te treden. Op grond van het merkteken op haar jurk veronderstelde ik dat het meisje Frans moest spreken.

'Wat is je naam, hoe oud ben je en waar kom je vandaan?' vroeg ik.

'Mijn naam is Aimée du Buc de Rivery,' antwoordde ze, zo zacht dat ik moeite had haar te verstaan. 'Ik ben dertien en ik ben een Française van Martinique.'

'Hoe ben je hier terechtgekomen?'

'Mijn vader is eigenaar van een grote suikerplantage. Hij heeft me naar school gestuurd in Nantes. Daar ben ik drie jaar gebleven, tot hij me weer naar huis ontbood. Maar ik ben nooit aangekomen, want ons schip werd overvallen door piraten. Ik ben naar Algiers gebracht en later hiernaartoe.' Haar stem klonk nu wat krachtiger en ik herkende het melodieuze ritme van de creool. 'Mijn vader is een rijk man. Hij zal u betalen wat u vraagt om mij terug te krijgen.' De kamenierster negeerde dat aanbod.

'Heb je bepaalde talenten? Kun je dansen of handwerken? Alle meisjes hier moeten kunnen handwerken,' voegde ik eraan toe.

Ze glimlachte even en haalde een geborduurd lapje uit haar entari. 'Hier is iets dat ik heb verborgen toen de piraten aan boord kwamen van ons schip.' Ze keek op en ik zag de uitdagende blik in haar ogen. 'Het is mijn lievelingszakdoek en hij brengt me geluk. Ik heb hem zelf geborduurd op school.'

Ze stak hem de kamenierster toe, maar die pakte hem niet aan. Ik kwam een stap dichterbij om de steekjes te bekijken en zag dat het meisje talent had. 'En muziek? Speel je een instrument?'

'Natuurlijk,' antwoordde ze. Ze bracht haar slanke handen naar haar schouder alsof ze een viool en een strijkstok had, en deed alsof ze speelde. 'Bach, Mozart,' zei ze.

Na nog een paar woorden stuurde de kamenierster het meisje weg, met een korzelig handgebaar alsof ze een vlieg wegsloeg. Ik nam haar weer onder mijn hoede. We liepen een gang door en een smalle trap af naar de bedompte kelder waar de nieuwelingen sliepen. Ik opende de deur van de kamer, die geen ramen had. Het meisje keek verlangend naar de divans tegen de muren, alsof ze graag wilde uitrusten, maar ik keek haar streng aan, trok mijn wenkbrauwen op en klakte met mijn tong. Nee.

Ze greep mijn arm en haar stem klonk zoet als het zingen van een nachtegaal: 'Ik was zo blij om te horen dat u mijn taal spreekt,' zei ze. 'Het is al zo lang geleden dat ik met iemand heb kunnen praten. Mijn hart doet pijn bij die gedachte.'

'Maar je mag geen Frans meer spreken,' wees ik haar terecht. 'Je moet je familie, je geboorteland en zelfs je eigen naam vergeten. Je woont nu in de harem. Je zult Arabisch en Turks leren, de islam bestuderen en een moslim worden.' De kamenierster had me een strookje perkament gegeven, dat ik nu op haar borst speldde. 'Dit is je nieuwe naam,' zei ik. 'Nakshidil.' Ze keek me aan alsof ik gek geworden was. 'Nakshidil,' herhaalde ik. 'Zeg het me na.' Ze stond als aan de grond genageld, en hoewel ik het een paar keer herhaalde, weigerde ze iets te zeggen.

De schemering viel en de ijzeren deuren van de harem zouden spoedig dichtgaan om de meisjes in te sluiten als parels in een oesterschelp. Een zwarte eunuch die na het donker nog in de harem werd aangetroffen, wist dat zijn laatste uur geslagen had. Ik vertrok, in de wetenschap dat de honderd meisjes nu dicht opeen lagen in dat langwerpige, smalle slaapvertrek, als glinsterende sterren in de kille, donkere nacht, slechts verwarmd door de kooltjes van een brander, onder het wakend oog van een slaapzaalmeesteres – één op iedere tien meisjes. Ach, de dromen van die vrouwen met hun droevige ogen! Al die vergeefse verwachtingen. Jaren later vertelde een van hen me dat haar hart steeds zwaarder werd als ze die onschuldige meisjes de harem zag binnenkomen, met dromerige ogen die haar eigen verwachtingen weerspiegelden, en volle lippen met de hoop op een kus die ze nooit zouden smaken. 'Ik sprak met geen woord over mijn wanhoop, het jarenlange wachten, zonder een teken van de sultan, zonder enig bewijs van liefde,' zei ze tegen me.

'Is er nooit iemand geweest?' vroeg ik haar.

Ik zag hoe ze haar geheugen pijnigde. Ten slotte maakte ze een grimas. 'Ik herinner me hoe Besmi me voor het eerst be-

29

naderde en hoe ik me gewillig aan haar gaf en toestond dat ze mijn lichaam verkende in ruil voor haar affectie. Later was er nog Sesame, de eunuch, die me zijn dikke lippen bood en me bevredigde met zijn vreemde hulpmiddelen.'

De meesteres keek naar de meisjes, schoonheden allemaal, in het besef dat de meesten in slaap waren gewiegd met kinderliedjes over de schitterende weg naar het paleis. Steeds opnieuw hoorde ik hun verhalen. Er waren geen Turksen bij, omdat het zondig is voor een moslim om een andere moslim als slaaf te nemen. Ze kwamen uit de landen van de ongelovigen – de Kaukasus, de Griekse eilanden, de Balkan – en ze waren gekomen op verzoek van hun ouders, soms nog zo jong als acht of negen. Sommigen waren hier zelfs op eigen initiatief, na een tocht over de bergen en met de boot naar Istanbul, omdat ze liever het bezit waren van een rijke man dan de wettige echtgenote van een armoedzaaier.

En misschien hadden ze gelijk. Vrijheid betekent weinig in de schaduw van honger en kou. Een slavin in de harem had meer kans op een warm bed en een goede maaltijd dan een ongelukkige boerin die aan de grillen van moeder Natuur was overgeleverd. Er was een zekere veiligheid in het gekluisterde bestaan van de slavin, waarin de sultan en zijn zwarte eunuchen de enige mannen waren. En anders dan een boerin, veroordeeld tot armoede en ellende, had de odalisk nog een kans zich te verbeteren. De slavenmarkt leek misschien wreed en losbandig voor wie getuige was van de veilingen, maar de meisjes die in hun schaarse kledij zo intiem werden geïnspecteerd gingen in elk geval een toekomst van goud en zilver tegemoet als ze met hun schoonheid en talent de aandacht van de sultan trokken.

Voor Nakshidil lag dat natuurlijk anders. Zij hád een goede toekomst gehad, rijk aan mogelijkheden, terwijl ze zich nu eenzaam moest zien te handhaven in een harde wereld van vreemde klanken en onbekende gewoonten. Die eerste avond volgde ze de anderen, haalde kussens en dekens uit een muurkast, legde ze op een smalle divan en trok de gestikte deken als een lijkwade over zich heen.

Het duurde een week voordat ik haar weer zag. Ik kreeg mijn opdrachten van de kahya kadin en er waren zoveel meisjes en zoveel dingen te doen, dat ik Nakshidil alweer bijna vergeten was, totdat ik bevel kreeg om onmiddellijk naar de kamer van de nieuwelingen te komen. De meesteres van de slaapzaal was woedend.

'Die nieuwe,' zei ze, 'weigert iets te doen. Ze komt haar bed niet meer uit. Een van de meisjes heeft haar eten gebracht, anders zou ze van honger zijn omgekomen. Ze proberen met haar te praten, maar niemand kan haar verstaan. Jij bent de enige die haar taal spreekt. Praat met haar.'

Het was stil in de slaapkamers, zoals in het hele paleis, en áls de meisjes al iets zeiden was dat in het Turks. Zo niet, dan waren ze ongehoorzaam en kregen ze straf. Ondanks het gevaar om in de cel te worden opgesloten, fluisterden ze toch vaak met elkaar in hun eigen taal. Soms hoorde je het gekerm van een meisje dat als straf op haar oren werd geslagen. Nakshidil had die straf geriskeerd en geprobeerd met iemand te praten, maar de anderen keken haar niet-begrijpend aan en haalden zwijgend hun schouders op. De harem was een ware toren van Babel. De meisjes spraken een mengelmoes van Russisch, Armeens, Georgisch, Tsjetsjeens, Circassisch, Roemeens, Bulgaars, Sloveens, Servo-Kroatisch en Grieks.

Heimelijk was ik wel blij met nog een kans om mijn Frans te oefenen, maar ik trok een ontstemd gezicht toen ik naar Nakshidil toe liep. 'Je moet doen wat je gezegd wordt. Hier is geen plaats voor verwende kinderen,' berispte ik haar. 'Iedereen werkt hard en jij bent niet beter dan de rest. Sterker nog, je bent een odalisk, de laagste rang onder de slaven. Je hebt dan wel in Frankrijk op school gezeten, maar je hebt geen ervaring in de harem. Hier ben je een rups tussen de vlinders. Wees voorzichtig,' waarschuwde ik haar. 'Ze kunnen je straffen voor dit gedrag.'

Ze staarde me aan met een vage blik. Toen druppelde de eerste traan over haar wang, en binnen een minuut zat ze te huilen. Hou toch op met dat theater, dacht ik.

'Ik wil geen straf,' snikte het meisje. 'Ik wil alleen naar huis.'

'Je kunt niet naar huis,' zei ik, nog steeds met een strenge frons op mijn gezicht, hoewel iets in haar stem me herinnerde aan de tijd toen ik hier zelf was aangekomen, als een klein gecastreerd jongetje, doodsbang en vol heimwee, verward door die ingrijpende operatie en verbijsterd door de vreemde omgeving.

'Mijn ouders zullen me zeker vinden,' hield ze vol. 'Ze wisten dat er iets gebeurd moest zijn toen ons schip niet aankwam. Ik moet hun bericht sturen dat ik hier zit.'

'Daar komt niets van in,' snauwde ik. 'Dit is het serail, het koninklijk paleis van de sultan, zijn eigen wereld. Wie we ook zijn, man of vrouw, blanke of zwarte eunuch, page of soldaat, vizier of imam, echtgenote of concubine, zuster of moeder, we bestaan hier slechts om de Ottomaanse vorst te dienen.'

'Dat kan niet,' protesteerde ze. 'Ik ken die nieuwe opera van Mozart, *Die Entführung aus dem Serail.* Iemand zal me komen redden, net als in dat libretto.'

'De enige die jou kan redden ben je zelf,' wees ik haar terecht. 'Als je niet meewerkt, krijg je straf en blijf je een onbetekenende slavin. Maar als je studeert om een moslim te worden en leert hoe je een man kunt plezieren, heb je de kans om het tot gunstelinge of zelfs tot echtgenote te brengen.' Ik veegde een lok haar uit haar gezicht en draaide me om.

De volgende morgen kwam ik weer bij haar kijken en zag

dat ze samen met de anderen aan het ontbijt zat, gehurkt op de grond rond een groot koperen blad. Zwijgend nam ze een slok sterke Russische thee, bitter en zoet, en spuwde hem bijna weer uit voordat ze in het kruimige brood beet, boos om het sesamdeeg. Ze probeerde de feta en de marmelade op het brood te schuiven, maar omdat ze alleen haar duim en de eerste twee vingers van haar rechterhand gebruikte, viel het beleg er telkens af. Gefrustreerd stond ze op en liep weg, met haar hoofd in haar nek en een uitdagende blik in haar ogen.

Ik nam haar apart. 'Wat mankeert je?' vroeg ik. 'Je moet eten.'

'Dat gaat niet,' zei ze. 'Dit eten is niet geschikt voor mij. Ik wil alleen een kop warme chocola en wat knapperig brood.'

'Dat zul je hier niet vinden.'

Ze zuchtte. 'Ik herinner me nog mijn laatste ontbijt in het klooster. Al mijn vriendinnen omhelsden me en zeiden hoe ze me zouden missen en dat ze zelf ook graag naar huis zouden willen. Nu heb ik niemand meer om te omhelzen, niemand om tegen te praten en zelfs geen warme chocola meer.'

Ik neem aan dat het de eenzaamheid was die ze niet kon verdragen. Na een paar dagen kreeg ze nog zo'n driftbui en begon in het Frans te schreeuwen tegen de meisjes en de meesteres, voordat ze kwaad naar haar bed verdween. Weer werd ik opgetrommeld om met haar te praten. Ik kwam de bedompte kamer binnen, liet mijn blik over de verlaten sofa's glijden en ontdekte haar onder de dekens.

'Wat is dit voor waanzin? Wat doe je?' vroeg ik boos.

'Ik wil naar huis,' snikte ze.

'Wat jij wilt is van geen enkel belang. Je doet gewoon wat je gezegd wordt.'

'Ze zeggen dat ik zo weinig mogelijk moet praten. Het is hier zo griezelig stil. Die stilte voel ik diep tot in mijn zenuwen, zoals kou tot in je botten doordringt. Als ze me iets vragen, moet ik antwoord geven in die lelijke taal. Dat kan ik niet.

Waarom spreken ze geen Frans? Weten ze niet dat Frans de enige taal is die ertoe doet, de taal van diplomaten? En ik moet van die akelige kleren dragen. Waarom kleden ze zich zo? God, dat ziet er toch niet uit!'

Ik keek naar mijn eigen tuniek en mijn plooibroek en herinnerde me hoe dom ik me had gevoeld toen ik al die lagen kleren moest gaan dragen in plaats van de simpele dingen die ik thuis gewend was. Maar na een tijdje was ik me toch gaan verheugen op het vooruitzicht van een paar meter zijde voor een kleurige nieuwe kaftan of een wijde broek.

Eerlijk gezegd vond ik de kleren best flatteus voor de jonge slavinnen, maar vergeleken bij Nakshidil waren de andere meisjes alledaags, dat moest ik toegeven. Dat zat niet alleen in haar gracieuze figuur, maar ook in wat ze deed met die paar kledingstukken die ze had gekregen: de manier waarop ze haar ceintuur vastbond of haar tuniek schikte, waardoor ze veel stijlvoller leek. Ik zweeg en liet haar nog even razen, in de hoop dat ze wat meegaander zou zijn als ze haar hart had gelucht.

'Waar is de wijn? Wat zijn dat voor mensen die geen wijn drinken?' vroeg ze. 'Stel je voor, ze drinken water! Bah! En ik moet met mijn handen eten. Dat is barbaars. Ik ben toch geen wilde? En dan die bedden. Het zijn niet eens bedden, want ze hebben geen matras. Zakken met wol, dat zijn het. Ik kom uit Frankrijk, de belangrijkste beschaving ter wereld. Ik hoor hier niet en ze hebben het recht niet me hier te houden. Ik ga hier weg. Nu meteen.'

Onwillekeurig moest ik grinniken. 'Dat is onmogelijk, zoals ik je heb gezegd,' zei ik. 'Dit is het paleis van de sultan.'

'Paleis!' riep ze uit. 'Dit is helemaal geen paleis, wat ik ervan gezien heb. Vier binnenplaatsen en wat paviljoens.'

'Noem het wat je wilt, maar je zult hier de rest van je leven moeten doorbrengen.' Ik wachtte een moment en voegde eraan toe: 'Net als ik.'

34

Ze keek me nijdig aan. 'Ik ben niet zoals jij. Hoe durf je mij te vergelijken met een lelijke, kreupele eunuch?' Ik voelde hoe ze naar mijn haarloze gezicht staarde en hoe haar blik naar mijn ene been gleed, dat korter was dan het andere. 'Ik ben geen griezel,' zei ze heftig. 'Ik ben een meisje, een heel mooi meisje. Dat heeft iedereen altijd gezegd.'

Mijn maag draaide om toen ze dat zei en ik sloeg haar hard in haar gezicht. Haar wang werd rood en ik zag tranen in haar ogen. Ze keek me vol minachting aan.

Ik hief mijn hand op om haar tot zwijgen te brengen. 'Nakshidil,' zei ik.

'Zo heet ik helemaal niet. Ik ben Aimée du Buc de Rivery. Ik ben Frans en ik kom van Martinique. En ik ga zo snel mogelijk terug naar huis.'

Ik keerde haar mijn rug toe. Ik had er genoeg van.

Nu pas zag ik de slaapzaalmeesteres en besefte dat ze alles had gezien. Toen ik vertrok hoorde ik Nakshidil kermen en wist ik dat ze was overgedragen aan een andere eunuch, die haar tien keer op haar oor sloeg met een leren slipper. Ik liep terug en tuurde naar binnen. Nakshidil lag ineengekrompen op de grond; bloed stroomde langs haar gezicht.

Nu zal ze wel veranderen, dacht ik, met een grimas toen ik me de afranselingen herinnerde die ik zelf had gekregen met de *bastinado*. Dat was kort na mijn aankomst hier. Ze trokken mijn voeten door een houten plank, bonden ze vast en sloegen met de houten stok tegen mijn blote voetzolen totdat ik lag te kronkelen van pijn. Dagenlang moest ik heen en weer naar mijn bed kruipen omdat ik niet kon lopen. Nog weken daarna strompelde ik met mijn voeten in het verband, totdat de bloedingen eindelijk stopten. Iedere jonge eunuch werd op die manier gestraft, niet één keer, maar vele malen. Het was een methode om de nieuwelingen gedwee te maken. Zo leerden we allemaal snel gehoorzaamheid. Maar Nakshidil niet.

Eerst dacht ik nog dat ze veranderd was, maar later zou ik ontdekken dat juist haar koppigheid haar kracht was in de jaren die zouden volgen.

De volgende morgen gedroeg ze zich net als de andere meisjes. Ze stond op, wikkelde haar beddengoed in een *bocha* en legde de linnen zak weer in de kast. Toen pakte ze een bidkleedje van de stapel in de hoek, met de doek van wit mousseline, die ze over haar hoofd vouwde. Daarna volgde ze de zwarte imam-eunuch, die hun voorging in het gebed. Geknield op haar kleedje legde ze haar handen tegen elkaar voor haar ogen en probeerde de vreemde woorden te herhalen, zonder te begrijpen wat ze betekenden. In elk geval was het geen smeekbede om haar vrijlating. Toen ze de woorden hardop had gezegd, bleef ze nog even zo zitten, alsof ze er in stilte een eigen gebed aan toevoegde.

Daarna trok ze de dunne kleren aan die ze had gekregen en voegde zich bij de anderen voor het ontbijt. Toen de lessen Arabisch begonnen was het duidelijk dat maar twee van de andere meisjes wisten hoe ze een boek moesten lezen of een pen moesten vasthouden. Maar de sultan stond erop dat iedereen in het Topkapi-paleis kon lezen en schrijven en de belangrijkste leerstellingen van de islam zou leren.

Een ware moslim, werd Nakshidil verteld, kent de hele koran uit het hoofd. Dat leek haar onmogelijk toen ze zich over het Arabisch boog. Ik moet toegeven dat Arabisch een merkwaardige taal is om te lezen, heel anders dan Frans, maar ook veel mooier, met dat krullende schrift dat van rechts naar links loopt en letters die als kameleons van vorm veranderen naargelang hun plaats binnen een woord.

Maar het lukte Nakshidil niet echt om Ottomaans Turks te spreken – een mengeling van Perzisch, Arabisch en Turks. Sommige mensen hebben een talenknobbel (zelf kan ik redelijk een Rus, een Griek of een Pers nabootsen alsof ik zo geboren ben), maar anderen hebben daar meer moeite mee. De vreemde klanken, de nadruk op onverwachte lettergrepen, de werkwoorden met uitgangen als de laatste poten van een duizendpoot, de woorden die geen enkele overeenkomst vertonen met de eigen taal... Als Nakshidil zo moest spreken, zei ze tegen me, dan hield ze nog liever haar mond. Steeds als ze mij zag, begon ze in het Frans te mompelen. Ik deed alsof ik het niet hoorde, maar het was altijd kritiek op de Turken. 'Die taal is niet uit te spreken,' fluisterde ze, of: 'Die mensen zijn een stelletje wilden.'

Omdat ze haar best niet deed, had ze ook geen intieme contacten met de andere slavinnen. Ze bleef op afstand en begreep niets van hun meisjesgebabbel. Bij maaltijden schoof ze steeds verder bij de rest vandaan. Als de anderen lachten, was Nakshidil ervan overtuigd dat het om háár was.

Het grootste deel van de tijd trok ze zich terug en liep ze te pruilen, in de koppige overtuiging dat ze binnenkort gered zou worden. Ze weigerde op haar nieuwe naam te reageren als iemand haar riep en ze deed alsof ze geen woord Turks verstond. Als ze zich niet spoedig zou aanpassen, zou het hele paleis zich tegen haar keren en zou ze op de slavenmarkt worden verkocht. Dat kon me niet zoveel schelen, maar ik was wel bang dat de zwarte oppereunuch het mij zou aanrekenen.

Maar toen herinnerde ik me dat een van de meisjes uit de aangrenzende kamer Roemeens was. Die talen hebben een gemeenschappelijke herkomst en Nakshidil had Latijn gestudeerd. Met een beetje hulp van mij moesten ze elkaar kunnen verstaan.

'Nakshidil,' zei ik, en ik stelde een meisje met een rond gezicht, grote bruine ogen en een vriendelijke lach aan haar voor, 'dit is Perestu. Zij is al een tijdje hier.'

'Ik heb je eten gebracht toen je hier pas was en niet uit bed wilde komen,' voegde het meisje er zelf aan toe.

'Dat was aardig van je,' zei Nakshidil, 'maar ik weet eigenlijk niet of ik wel gered wilde worden.'

'Ach,' wuifde Perestu haar woorden weg, 'zo ben ik nu eenmaal. Ik help graag mensen die ziek zijn. Ik zorg ook altijd voor gewonde dieren.' Ze glimlachte met twee kuiltjes in haar wangen.

'Perestu...' zei Nakshidil. 'Wat een grappige naam. Wat betekent het?'

'Het is Perzisch voor "kleine zwaluw". En wat is de betekenis van jouw naam?'

Nakshidil haalde haar schouders op. 'Zoiets als "geborduurd op het hart". Dat zeggen ze, tenminste.'

'Wat mooi,' zei Perestu. En toen excuseerde ze zich. 'Ik moet gaan, maar we zullen elkaar vast gauw weer zien.'

In de baden, waar alle meisjes dagelijks een tijd doorbrachten, zag ik dat Perestu haar leerde hoe ze haar vingernagels in henna kon dopen en met een stokje haar ogen zwart kon opmaken. Maar Nakshidil weigerde haar wenkbrauwen te schilderen en ze te laten doorlopen in het midden. Toen ik haar vroeg waarom, antwoordde ze: 'Ik weet dat de anderen me achterlijk vinden omdat ik de mode niet volg, maar ik vind dat ik er zo wreed uitzie met zulke wenkbrauwen.'

In de hamam hadden de meisjes meer vrijheid om te spreken. Daar roddelden ze dikwijls over sultan Abdül-Hamid, terwijl ze door de afkoelkamer paradeerden en met glinsterende ogen speelden wat ze zouden doen als hij hen zou ontbieden. Maar toen Perestu aan Nakshidil vertelde dat de vorst oud en wellustig was, huiverde ze bij die gedachte.

Op een dag, toen ik de meisjes in de slaapzaal een tweede stel kleren en wat stof bracht – hun toelage voor het jaar – praatte Nakshidil over de meters prachtige stof die ze in Nantes had gekocht als geschenk voor haar familie bij haar thuiskomst in Martinique. Ze had ook andere cadeaus meegenomen, zoals bijzondere oliën en parfums voor haar moeder, mooie zilveren doosjes voor haar zussen en een zachte scheerkwast voor haar vader. Het was allemaal gestolen door de piraten, net als de gouden hanger van haar moeder die ze om haar hals had gedragen.

'Als je doet wat je gezegd wordt,' zei Perestu, 'kun je hier nog veel mooiere dingen krijgen. De gunstelingen van de sultan hebben prachtige sieraden en kleren, en ze drinken hun koffie uit gouden kopjes met parelmoer. Het is heus niet zo erg om je te geven aan een man die je met zulke cadeaus overlaadt.'

'Ik moet er niet aan denken,' zei Nakshidil. 'Ik droom alleen maar van François, de jongen die mijn vader als echtgenoot voor me in gedachten had. Ik stel me ons leven samen voor. Dan zie ik mezelf in een zijden jurk met linten en een hoepelrok, terwijl ik trots aan zijn arm loop. Of als we thuis zijn en ik op mijn tenen sta om hem te kussen, terwijl hij zich naar me toe buigt, glimlachend met zijn blauwe ogen, en een parelketting om mijn hals legt.'

'Vergeet die droom maar,' zei ik, 'of je krijgt iets anders om je hals. De beul gebruikt hier een zijden koord.'

'Je kunt beter aan je werk denken,' vond Perestu. 'Wat moet je doen?'

'Niets, natuurlijk,' snoof Nakshidil. 'Waarom zou ik werken?'

'Omdat je geen keus hebt,' zei het meisje. 'Iedereen in de harem heeft werk.'

'Maar ik ben niet iedereen. Ik heb nog nooit gewerkt en ik ben niet van plan er nu mee te beginnen.'

De Roemeense schudde haar hoofd.

'Wat voor werk doe jij dan?' vroeg Nakshidil, blijkbaar toch nieuwsgierig geworden.

'Ik ben musicus,' zei Perestu. 'Ik speel de *ney*.

'Ik speel viool.'

'Misschien kun je leren een Turks instrument te bespelen,' opperde Perestu. 'In elk geval zul je íéts moeten doen. Je kunt hier nooit wat worden als je niet gehoorzaamt.'

'Wat moet ik dan worden? Iedereen is slavin.'

'Maar er zijn grote verschillen,' antwoordde Perestu. 'Je hebt slavinnen onder aan de ladder en slavinnen aan de top. Wij zijn maar gering in rang en krijgen niet veel – een paar stel kleren, wat piasters als toelage, en maar heel weinig vrijheid. Wij kunnen niet doen wat we willen in het paleis en we mogen niet van het terrein af. We zijn hier alleen in dienst van alle anderen.

Maar over een jaar of twee zullen we novicen zijn en de kans krijgen ons te verbeteren. Wie zich van novice weet op te werken tot concubine en misschien zelfs tot vrouw van de sultan, of wie meesteres wordt van een afdeling, heeft een reusachtige garderobe, een kist met juwelen, eigen slavinnen en meer persoonlijke vrijheid. Dan mag je van het terrein af voor een picknick of een boottochtje, of met de sultan mee naar zijn zomerresidentie. Soms krijg je zelfs de kans om te trouwen en het paleis te verlaten. Een slimme haremvrouw kan veel rijkdom en macht vergaren. Dat is mijn doel en dat zou jij ook moeten willen als je slim was.'

'Ik denk niet dat ik hier zo lang blijf,' antwoordde Nakshidil. 'Mijn familie zal me binnenkort wel komen redden.'

'Ach kom, Nakshidil,' zei Perestu verwijtend. 'Vergeet je familie nou maar. Vreemd eigenlijk,' zei ze toen peinzend, 'dat mijn droom jouw nachtmerrie is. Ik ben zo dankbaar om hier in het Topkapi te mogen zijn. Dat heeft mijn moeder altijd voor me gewild en daar moest ik naar streven, zei ze tegen me. Mijn arme moeder, God zegene haar. Ik dank de Heer voor wat ze heeft gedaan. Als ze me niet had verkocht, zou ik hetzelfde leven hebben gekregen als zij. Zelfs in deze kale omgeving ben ik beter af dan ik in Roemenië zou zijn geweest.'

'Hoe kan dat nou?' vroeg Nakshidil, oprecht geïnteresseerd.

'Ik kom uit een boerenfamilie,' fluisterde Perestu. 'Ze werken tien uur per dag op de akkers. Het is loodzwaar werk en mijn arme moeder is altijd doodmoe. Maar dan is ze nog niet klaar. Ze moet alle restjes eten bij elkaar schrapen – brood, aardappels en soms wat vlees – om een maaltijd klaar te maken. Ze heeft de zorg voor haar man en kinderen, ook als ze ziek zijn, en ze houdt het huisje schoon. En elk jaar wordt haar buik weer dik van een volgend kind. We waren met ons zessen toen ik vertrok, allemaal jonger dan tien. God mag weten hoeveel het er nu zijn.'

Nakshidil zweeg een moment. 'Ik ben blij voor je,' zei ze toen, 'als je hier zo graag wilt zijn. Maar ik niet. Ik wil terug naar mijn familie, mijn vader en moeder, mijn twee zussen en François. Ik zal wel een manier vinden om hier weg te komen. En gauw.'

Ik wilde hun vertellen over mijn eigen familie, maar net op dat moment zag ik de meesteres binnenkomen en daarmee kwam er een eind aan het gesprek.

2

Nakshidil keek boos en slofte met haar gele slippers over de houten vloer toen ik haar meenam de trap op, door het labyrint van gangen naar een deur met rijk inlegwerk. Ik duwde hem open en we zagen een groep meisjes met gekruiste benen in een kring op de grond zitten. In het midden van de kring stond een staketsel van houtsnijwerk met een saffraangele doek eroverheen. Een oudere vrouw hield toezicht.

Nakshidils zakdoek had indruk gemaakt op de handwerkmeesteres en daarom was ze tewerkgesteld in de borduurklas. De norse vrouw die de leiding had over het naaiwerk – een jaar of dertig, met holle wangen die ooit haar fraaie botten hadden benadrukt maar nu waren ingevallen over haar rotte tanden – kwam naar ons toe. Rancune had een kille blik in haar ogen gebracht en haar mondhoeken omlaag getrokken in een permanente ontevreden stand. Toen ze de vrouw op zich toe zag komen, ging het nieuwe meisje haastig naast de anderen op de grond zitten.

Zo'n tien slavinnetjes werkten aan de zware satijnen lap. Ik zag hun vingers over de stof vliegen, een dubbele steek met helderrood draad voor een tulp, paars voor de hyacinten, zilver of goud metallic voor de contouren en een steek in groen satijn voor de zoom. Ze waren zo goed in hun werk dat de achterkant van de lap niet van de voorkant te onderscheiden was. Het werd een adembenemend ontwerp, met ombré en contrasten, met complexe, subtiele details – een mantel die iedereen in de harem graag zou willen dragen. Maar dit was geen mantel voor gewone slavinnen. Het werd een kaftan voor Aysha, de eerste *kadin*, de belangrijkste vrouw van de sultan. Ze was moeder van een troonopvolger en nam daarom een vooraanstaande positie in. Op een dag zou ze sultane walidé worden en de hele harem regeren. Iedereen probeerde het haar naar de zin te maken.

Nakshidil kreeg een eigen naald en draad, maar haar vingers trilden. Haar kleine steekjes, waarmee ze zoveel lof had geoogst in het klooster van Les Dames de la Visitation, waren groot en grof vergeleken bij het werk van deze haremmeisjes. Als ze zich hier vergiste, een te grote steek maakte of de naald op de verkeerde plaats door de stof haalde, zouden de gevolgen verschrikkelijk zijn. Het was al lastig genoeg om de zijden schering te borduren, maar zou ze ook de zilveren draden van de inslag de baas kunnen worden? Stel dat haar draad brak? Ik had haar gewaarschuwd dat haar een zware straf wachtte als ze haar werk niet goed deed.

Ze keek naar de anderen, in het besef dat het borduren van een eenvoudige zakdoek niet te vergelijken was met het naaien van metallic-draden of zelfs dunne zijde op zwaar satijn. Ze kreeg een simpel lapje om op te oefenen, maar gooide het boos en wanhopig op de grond.

'Hier,' zei ik, terwijl ik het opraapte, met een discreet knikje naar de handwerkmeesteres. 'Je hebt iets laten vallen.'

Ze begreep mijn waarschuwing en werkte weer door. Maar die middag trok ze zich somber in zichzelf terug. In plaats van met de anderen te gaan eten, bleef ze op de divan zitten en wikkelde nerveus een lapje stof om haar slanke vingers. De volgende morgen vertelde ze me dat ze de hele nacht in bed had liggen woelen, omdat ze in gedachten steeds met haar steken bezig was. Toen ze eindelijk in slaap viel, had ze gedroomd dat een oude vrouw haar hart doorboorde met een naald.

Maar na een paar dagen oefenen kreeg ze de techniek voldoende onder de knie om met de anderen te kunnen samenwerken. En tot haar grote opluchting begon ze het al snel als een leuke uitdaging te zien. Ze wist dat ze veel onaangenamer werk had kunnen krijgen, zoals lampen poetsen, zware dienbladen rondbrengen, de was doen of de lange pijpen en nargilehs schoonmaken. Maar toen ze tegen Perestu zei dat ze het werk wel prettig vond, reageerde het meisje heel vreemd.

'Niet goed,' fluisterde ze, zwaaiend met haar vinger. 'Niet goed.'

'Waarom niet?' vroeg Nakshidil, geïrriteerd door dat antwoord. 'Ik hou van handwerken. In het klooster was ik een van de besten. Dat kan ik hier ook worden.'

'Je kunt een vogel niet bewonderen als hij zich tussen de takken verbergt,' was Perestu's antwoord.

Het deed me genoegen dat Nakshidil die opmerking negeerde en zich in de dagelijkse routine schikte. Ze stond 's ochtends in alle vroegte op, zodra ze de oproep van de paleis-*moëddzins* en de muzikanten hoorde. Dan maakte ze haar toilet, bedekte haar hoofd, draaide zich naar Mekka toe en volgde de imam als hij voorging in het gebed. Bij elk gebed boog ze zich vanuit haar heupen, rechtte haar rug, liet zich op haar knieën vallen en wierp haar lichaam tegen de grond. Plat voorover drukte ze eerst haar neus en dan haar voorhoofd tegen de grond. Met haar handpalmen tegen elkaar geklemd voor haar gezicht en haar ogen gesloten om het kwade buiten te sluiten, zei ze haar gebeden, nu eens in stilte, dan weer hardop.

'*Allahu akbar,*' God is groot, sprak ze in het Arabisch. Ze verhief zich van de vloer, las stamelend de passages uit de koran waarmee ik haar had geholpen en herhaalde de vijf gebeden.

Na het ontbijt – ze was inmiddels gewend aan de thee, de

44

yoghurt en het sesambrood – was het tijd voor haar lessen Arabisch. Ze had nog wat moeite met de h, die ze niet voldoende aspireerde. 'Doe alsof je een kaars uitblaast,' opperde ik, terwijl ik achter haar stond in het studeervertrek.

Ze las weer een stuk uit de koran, totdat ze bij de regel kwam die luidde: 'Mannen hebben het gezag over vrouwen omdat Allah de één boven de ander heeft gesteld.' Nakshidil maakte een grimas en zei: 'Allah heeft Turkse mannen geen gezag over míj gegeven.' Ze had helemaal geen zin om de geschiedenis van de islam in haar hoofd te prenten, maar ondanks haar verzet als ongelovige was ze een goede leerlinge en kon ze de zes leerstellingen opzeggen: geloof in God; in Zijn engelen; in Zijn boek; in Zijn profeten; in de Laatste Dag; in voorbeschikking. Ook kende ze de vijf pijlers van de islam: er is maar één God en Mohammed is zijn profeet; vijf keer bidden per dag; liefdadigheid; vasten tijdens de heilige maand ramadan; en zo mogelijk een bedevaart naar Mekka en Medina.

'Weet je,' zei ik bemoedigend, 'je woont nu al zes maanden in het paleis en je maakt goede vorderingen. Het zal niet lang meer duren voordat je je wijsvinger kunt opsteken om de woorden te zeggen die je tot een ware moslim maken: "Er is geen andere god dan Allah en Mohammed is Zijn boodschapper."'

'Het zij zo,' antwoordde ze. 'Als dat nodig is om hier te overleven.'

Als het middagmaal uit de keukens werd gebracht, hurkte ze samen met de anderen en at in stilte: kip en pilav, yoghurt, aubergine, kikkererwten, feta en bieten. Toen er een keer een schaal met zucchino's en komkommers werd opgediend begon Perestu te giechelen.

'Waar lach je om?' fluisterde Nakshidil.

'Weet je waarom ze in schijfjes zijn gesneden?'

'Nee,' antwoordde het meisje.

'Ze durven ze niet heel te laten. Dan zijn ze bang dat we ze als vervanging voor een man zullen gebruiken.'

Nakshidil keek haar bevreemd aan.

Later, in de naaikamer, konden de meisjes de neiging niet weerstaan om de stilte op te vullen met de nieuwste roddels. Nakshidil ving wat flarden op. Aysha was de moeder van de middelste prins, Mustafa. De oudste prins en troonopvolger was Selim. De jongste prins was Mahmoed. De kaftan moest over drie maanden klaar zijn. Iedereen die bij Aysha in ongenade viel, zou worden gestraft en uit de borduurkamer worden verwijderd.

Terwijl Nakshidil aan het werk was, dacht ze terug aan die eerdere opmerking van Perestu en vroeg mij een paar keer wat haar vriendin daarmee had bedoeld. Als de oude sultan een meisje zag dat hij aantrekkelijk vond, zou hij haar tot een nieuwe status kunnen bevorderen, die van concubine. Zo was het ook met Aysha gegaan.

'Als de sultan mij zag, zou hij misschien wel interesse hebben in mijn vorderingen,' mompelde ze, en ze wendde zich tot het meisje naast haar.

'Hoe lang werk jij al in de borduurkamer?' fluisterde ze.

'Bijna twee jaar,' antwoordde het meisje.

'Dat is al een hele tijd.'

'Ja. Maar sommige anderen zijn hier al jaren. De Turken vinden het een grote eer als je in de borduurkamer mag werken. Het is een van de belangrijkste dingen die een vrouw kan doen.'

'Heb je nooit geprobeerd hier weg te komen, iets anders te gaan doen?'

'Dat is bijna onmogelijk. Die keus krijg je niet. Je moet je schikken in de wensen van de sultan.'

'Maar de sultan heeft me hier niet tewerkgesteld. Dat heeft de handwerkmeesteres besloten.'

'Zij vertegenwoordigt hem in de harem. Je moet doen wat zij zegt.'

'Of anders?'

'Of anders,' vulde ik aan, 'kun je uit het paleis worden gezet en op de slavenmarkt worden verkocht.'

Het meisje sperde haar ogen open. 'Ik heb hem één keer gezien, met ramadan, bij de grote viering.'

Nakshidil zweeg en ik vermoedde dat haar gedachten weer naar Perestu gingen. Hoe kon zij ooit worden gezien als ze zich verborgen hield in de naaikamer? Net als de vogel tussen de takken zou het borduurmeisje nooit worden opgemerkt; haar steken zouden eenvoudig versmelten met de bladeren.

Meer dan een week concentreerde Nakshidil zich op haar borduurwerk, terwijl ze in haar hoofd een plan uitwerkte. Pas later zou ik ontdekken dat ze aan dit werk wilde ontsnappen. Als iemand opzet vermoedde, zou ze zwaar worden gestraft, zoals ze heel goed wist. Ze borduurde zo mooi dat haar steken hier en daar al bewondering oogstten. Maar op een middag stak ze de naald op de verkeerde plaats in de stof, en ze was al tien steken verder toen de fout zichtbaar werd. Hulpeloos keek ze de handwerkmeesteres aan, die haar vriendelijk berispte.

'Het spijt me zo. Vergeef me, alstublieft. Ik zal nog zorgvuldiger zijn,' verontschuldigde Nakshidil zich.

De volgende dag prikte ze zich met een naald in haar vinger en morste een druppel bloed op de stof. De handwerkmeesteres keek nu ontstemd en maakte haar een scherper verwijt.

'Dom kind,' zei ze, terwijl ze haastig het bloed wegveegde. 'Kijk toch uit wat je doet. We willen jouw bloed niet op de kaftan. Je hebt geluk dat het op de rode bloem terecht is gekomen. Nog één keer en je krijgt straf,' waarschuwde ze.

Er klonk een onderdrukte kreet in de kamer toen een van de andere meisjes de naald uit haar vingers liet glippen en ook een fout maakte. De rest werd onrustig en schoof een eindje bij Nakshidil vandaan. Iemand fluisterde dat ze het boze oog op zich gevestigd had.

Maar toen ze de volgende middag zat te borduren, kon ze onmogelijk het drukke gefluister negeren dat door de kamer ging. 'Wat is er?' vroeg ze. 'Waarom is iedereen opeens zo zenuwachtig?'

'Aysha komt,' mompelde een van de meisjes. 'Ze wil zien hoe het werk aan haar kaftan vordert.'

Nakshidil keek op van de lap satijn, net op het moment dat er een temperamentvolle vrouw de kamer binnenkwam. Nakshidil keek me aan alsof ze wilde zeggen: dus zo ziet een kadin, de vrouw van een sultan, eruit! Met rood haar, felle groene ogen en een arrogante uitdrukking om haar rode mond slenterde de kadin de kamer door. Ze bleef bij ieder meisje staan om haar werk te inspecteren, terwijl ze de zoom van haar rok liet kussen door de slavinnen. Als ze niet tevreden was met wat ze zag, schudde ze haar hoofd, zodat de smaragd die ze om haar hals droeg – zo groot als een walnoot – begon te trillen.

Nakshidil deed alsof ze zich concentreerde op haar naaiwerk. Toen ze voelde dat Aysha naast haar stond, kuste ze de zoom van de jurk van de vrouw, maar werkte met gebogen hoofd verder aan de punt van een blad. Ze stak de naald door de zijden lap en haalde hem weer omhoog, maar juist op dat moment brak de draad. Nakshidils blik ging eerst naar de handwerkmeesteres, toen naar Aysha en ten slotte weer naar de meesteres. Aan hun gezichten zag ze wat er komen ging. Ze voelde de harde klap van Aysha tegen haar wang. De zwarte eunuch die op wacht stond in de hoek sleurde haar overeind en nam haar mee de kamer uit. Op weg naar de deur werd ze vergezeld door de minachtende verwensingen van de meesteres.

Een paar deuren verderop werd ze in een klein kamertje gegooid. Ik volgde haar en zag dat er een oude meesteres stond
te wachten met een harde schoen in haar hand. Nakshidil sloot
haar ogen, balde haar vuisten en haalde diep adem, in af-
wachting van het pak slaag. De eerste klappen waren nog te
verdragen, maar binnen een paar minuten kon ze zelfs haar
eigen kreten niet meer horen. De leren slippers deden haar
oren branden. Bloed stroomde langs haar wangen en duizelig
kroop ze weg in een hoek.

Later die dag ging ik nog eens bij haar kijken. Ze lag op haar
divan, met Perestu aan haar zijde. 'Ik hoorde dat je geslagen
was,' fluisterde het meisje. 'Wat is er gebeurd?'

Nakshidil zag de meesteres achter Perestu opdoemen en
vond één afranseling wel genoeg voor die dag. 'Het valt wel
mee,' fluisterde ze. 'Ik zal je morgen alles vertellen.' Slap en
vermoeid rolde ze zich op en probeerde te slapen.

Toen ik de volgende morgen na het ontbijt de kamer
binnenkwam, lag ze nog op haar bed, met een gezwollen gezicht van de klappen. 'Ik kom je halen,' zei ik.

'Ik ga nergens heen.' Spreken kostte haar moeite, maar haar
houding was geen spat veranderd.

'Ik heb mijn orders. Je gaat met mij mee.'

'Nee,' zei ze. Toen ze haar hoofd omdraaide, zag ik dat haar
oren waren bedekt met geronnen bloed.

'Je moet met me meegaan,' drong ik aan. 'Je schijnt je plaats
te vergeten. Je bent maar een odalisk, de laagste onder de slavinnen.'

'Ik ben het kind van een belangrijk man.' Ze sprak langzaam,
duidelijk met veel pijn. Ze had moeite haar kaak te bewegen.

Ik ook, wilde ik antwoorden. Ik wist hoe ze zich voelde,
weggerukt uit een beschermde, veilige wereld en als wrakhout
op een woelige zee geworpen. 'Je zult een groot leider worden,' had mijn vader op mijn vijfde verjaardag tegen me ge-

zegd. Zijn woorden hadden me een trots gevoel gegeven en ik wilde graag in zijn voetstappen treden.

Maar niet lang daarna was ik afgevoerd, geketend, gecastreerd en veroordeeld tot een leven van horigheid. Niet langer een man, was ik nu een slaaf, onderworpen aan de grillen van andere slaven. Eerst was ik woedend en voelde me verraden door mijn vader. Pas later kwamen de wanhoop en het verdriet om het verlies van mijn vrijheid en de onmogelijkheid om hier ooit weg te komen. Maar na enkele jaren begon ik begrip te krijgen voor mijn cipiers en besefte ik dat zij ook slachtoffer waren van de omstandigheden. Heel geleidelijk maakte mijn woede plaats voor medeleven, mijn kilte voor hartelijkheid. Mijn bittere vijanden waren mijn vrienden geworden en ten slotte had ik mijn plaats gevonden tussen hen.

Ik keek naar Nakshidil en zag mijn ellende uit die eerste jaren weerspiegeld in haar ogen. Dit was geen meisje zoals Perestu, die zelf aan haar bittere armoe had willen ontsnappen. Dit was een kind met pijn.

'Ik wil daar niet meer heen,' zei ze.

'Dat hoeft ook niet,' beloofde ik haar.

'Waar breng je me dan naartoe?'

'Naar de wasserij. Dat is je straf, om daar te werken.'

Ze volgde me, met haar handen tegen haar bonzende hoofd gedrukt toen ik op weg ging naar de wasserij. Maar voordat we daar kwamen, bleef ze staan en legde haar hand op mijn arm.

'Nee,' zei ik streng, omdat ik dacht dat ze terug wilde naar de borduurkamer. 'Nee, je mag niet meer handwerken. De meesteres wil je niet terug. Door jouw fouten stond ze voor schut tegenover Aysha, daarom wilde ze je het paleis uit zetten. Maar ik heb gezegd dat je een speciaal geschenk was van de bei van Algiers en dat je daarom nog een kans verdiende.' Ik zei er niet bij dat ik zelf de prijs zou moeten betalen als ze het paleis uit werd gegooid en dat het voor mij ook een tweede kans was als ze mocht blijven. 'Je zou dankbaar moeten zijn. De wasserij is heel wat beter dan de slavenmarkt.'

Het meisje luisterde en vouwde haar handen als in een gebed. 'Muziek,' fluisterde ze. Toen bracht ze haar linkerarm omhoog, met haar hand gebogen naar haar schouder. Langzaam bewoog ze haar rechterhand heen en weer over haar linker bovenarm. Daarna vouwde ze opnieuw haar handen in een gebed en keek me smekend aan. Ik begreep het. Dit is je laatste kans, dacht ik. Maak er wat van.

Ik sloeg een andere gang in en opende een geverfde deur. We zagen twintig slaven in de met hout betimmerde kamer. Sommigen hadden een fluit, anderen een luit, weer anderen een *kanun* op hun schoot. Iemand speelde harp, maar er waren ook trommels en tamboerijnen. Perestu zat op de grond met een ney. Het nasale geluid van Turkse volksmuziek vulde de ruimte.

Twintig paar donkere ogen volgden ons toen we de kamer door liepen om met de meesteres te praten. Ik kende Fatima al sinds mijn aankomst in het Topkapi. In het verleden had ik haar weleens geholpen, dus luisterde ze naar me toen ik haar vroeg om Nakshidil onder haar hoede te nemen. Met tegenzin drukte ze het meisje een tamboerijn in haar hand.

Maar in plaats van het trommeltje dankbaar aan te nemen keek Nakshidil om zich heen, zag iets liggen op een plank en stak brutaal een wijzende vinger uit.

'Wat moet ze met dat oude ding?' mopperde Fatima tegen mij. 'Dat hebben we jaren geleden eens als geschenk gehad, maar niemand heeft er ooit iets mee gedaan.'

Toch gaf ze een slavin opdracht het instrument aan Nakshidil te geven. Ik zag hoe het meisje haar vingers over de lange strijkstok liet glijden, de houten klankkast betastte en de viool onder haar pijnlijke kin klemde. Toen ze aan de sleutels draaide om de snaren te stemmen leek de pijn van haar afranseling te verdwijnen en lichtte haar hele gezichtje op. De viool was zoiets als een oude vriend.

Ze bewoog de strijkstok over de snaren en wist de prachtigste klanken aan het instrument te ontlokken. Een klaaglijke, weemoedige melodie zweefde door de kamer, als uit een andere wereld. Maar als ze hoopte Mozart te kunnen spelen in dit paleis, wachtte haar toch een teleurstelling. Ze zou Turkse muziek moeten leren spelen. Hier was geen plaats voor *Die Entführung aus dem Serail.*

Getroost door haar viool paste Nakshidil zich binnen enkele weken aan het ritme van de harem aan. Bij het ontbijt nam ze vaak een tweede kop thee, en het lukte haar zelfs om de yoghurt op het kruimige brood te scheppen. Bij de andere maaltijden keek ze bewonderend hoe de oudere slavinnen behendig met hun handen aten en hun vingers lieten bewegen als slangen door hoog gras. Zo sierlijk zou zijzelf nooit leren eten, vertrouwde ze me toe.

Toch had ze alle hoop op ontsnapping nog niet opgegeven. Als ze weer thuis was, zei ze, zou ze haar vriendinnen laten zien hoe die vrouwen hun handen konden laten dansen. Maar in de muziekkamer begon ze nu Turkse melodieën te leren. In de baden roddelde ze met de andere meisjes en ze trok zelfs met een kohlpotlood haar wenkbrauwen door. Als iemand haar aansprak als Nakshidil reageerde ze onmiddellijk, zonder de vraag te negeren of opzettelijk lang te wachten met het antwoord.

'Weet je, Tulp,' zei ze op een ochtend toen we even alleen waren, 'ik begin te wennen aan die naam Nakshidil. Ik vind hem zelfs wel mooi.' Ze legde een hand over haar hart. 'Dank je, *chéri*, dat je me die gegeven hebt.'

'Ik heb hem niet gekozen, maar de kamenierster.'

'Je hebt me wel geholpen om hem mooi te gaan vinden.'

Het kwam niet vaak voor dat de haremmeisjes me ergens

voor bedankten. De meesten waren harde meiden, met het karakter van de berggebieden waar ze vandaan kwamen, alleen geïnteresseerd in hun eigen ambities. Ze behandelden ons, de zwarte eunuchen, met minachting. Meestal negeerden ze ons, behalve als ze iets van ons nodig hadden. Nakshidils dankbaarheid deed mijn hart zwellen. Ze had dus toch iets liefs, ondanks haar driftbuien en haar sterke wil. Dat ontroerde me. En ik merkte dat ze zich steeds beter aanpaste aan het leven in het paleis.

Ik denk dat ze toch iets bekends ontdekte in de zakelijke omgeving van de harem: de discipline, de vaste routine, de strenge meesteressen en zelfs de godsdienstlessen. Haar leven in de bedompte slaapzaal, met andere meisjes van haar leeftijd, onder toezicht van de oudere maagden, was niet zo heel anders dan wat ze kende uit het klooster in Nantes, zoals ze me vertelde. Ik hoopte dat haar herinneringen aan vroeger geleidelijk zouden verbleken, zoals bij iedereen in het serail, maar Nakshidil droomde nog altijd over een huwelijk met haar François.

De Turkse vorsten, vertelde ik haar, kozen hun vrouwen en hun naaste adviseurs niet uit hun eigen mensen maar uit de kringen van hun slaven. 'Zou je niet kunnen leren om van een sultan te houden?'

Ze zweeg een moment. 'Ik heb daar heel tegenstrijdige gevoelens over,' zei ze toen. 'Aan de ene kant zou ik alles willen doen om de aandacht van de sultan te trekken, aan de andere kant walg ik van die gedachte. Hij is nog ouder dan mijn grootvader. Ik kan me echt niet voorstellen dat ik bij hem zou liggen.'

Soms maakte ze me echt wanhopig. 'Natuurlijk kun je dat,' antwoordde ik. 'Je moet naar hem toe gaan als hij je ontbiedt. Hij is de sultan, de padisjah, Gods schaduw op aarde.'

'Het kan me niet schelen wie hij is. Hij is een oude despoot die aan de macht kan blijven omdat hij iedereen tot slaaf maakt. Dat weet ik; daar heb ik over gelezen. En waar ik vandaan kom vinden ze een sultan helemaal niet belangrijk.'

'Het doet er niet toe waar jij vandaan komt,' wees ik haar terecht, 'want je bent niet meer wie je was. Je bent heel iemand anders geworden. Zie jezelf maar als een kameleon. Het enige wat ertoe doet, is wie je nu bent en waar je je nu bevindt. Hoe sneller je dat accepteert, des te groter je kans om hier te slagen.'

'Je vergist je,' hield ze vol. 'Misschien begrijp jij dat niet, maar ik ben de dochter van een belangrijk man, een lid van de raad van Martinique.'

'Mijn vader was ook heel belangrijk, een man van groot gezag. Hij stond rechtstreeks onder het stamhoofd in Abessinië,' antwoordde ik.

'Waarom ben je dan hier?'

'De blanke mannen wilden mij omdat ze wisten dat ik uit een vooraanstaande familie kwam.'

'En je vader heeft je zomaar weggegeven?' vroeg ze verbaasd.

'Nee, niet weggegeven. Hij heeft me verkocht. De mannen hadden het stamhoofd veel goud geboden, en het stamhoofd beloofde mijn vader dat ze het samen zouden delen. Hij gaf mijn vader bevel om mij te verkopen.'

'En je vader stemde toe?'

Ik knikte beschaamd. 'Ja, mijn vader stemde toe. Bij mijn geboorte was mijn rechterbeen wat korter dan het linker. Dat zag hij als een slecht voorteken. Bovendien durfde hij niet ongehoorzaam te zijn aan het stamhoofd,' zei ik zacht.

'Wat erg,' zei ze. Ik meende iets van medeleven in haar stem te horen, maar ze vervolgde meteen: 'Misschien is dat het verschil. Mijn vader zou zijn eigen kind nooit hebben verkocht. En hij hoefde niet te gehoorzamen aan een stamhoofd. Hij is zelf machtig genoeg.'

Ze aarzelde even, alsof ze nog iets wilde zeggen, maar blijkbaar bedacht ze zich. Ze stak haar kin vooruit en haar stem werd luider. 'Ze kunnen mij geen slavin maken. Ik ben een Du Buc de Rivery.'

Ik schudde mijn hoofd, half boos en half verdrietig. Begreep ze het nog steeds niet? Het maakte hier niets uit wie ze was. Het verleden bestond niet meer. Alleen het heden deed ertoe. Op dit moment was ze een slavin en dat zou ze de rest van haar leven blijven.

Ik was in de slaapzaal toen Nakshidil opeens om hulp riep. Ik legde de schone kussens neer die ik voor de divans had gebracht en liep haastig naar haar toe. 'Wat is er? Wat scheelt eraan?' vroeg ik.

'Eerst waren het maar een paar druppels, maar nu houdt het niet meer op!' stamelde ze. Ze had een doek in haar handen die donkerrood was van het bloed. Ik voelde mijn knieën knikken en ik wist dat alle kleur uit mijn gezicht geweken was.

Ze liet de doorweekte doek vallen toen ze zag hoe bleek ik werd. 'Tulp! Wat is er? Je ziet eruit alsof je elk moment kunt flauwvallen.'

'Het komt door het bloed...' antwoordde ik. 'Daar kan ik niet tegen.' Ik kon haar niet uitleggen waarom, maar gelukkig kwam Perestu aanrennen om haar te helpen. Zodra het Roemeense meisje hoorde wat er aan de hand was, begon ze te lachen. 'Gefeliciteerd, Nakshidil,' zei ze. 'Je bent nu een vrouw.'

'Maar wat betekent dat?' Nakshidil was bijna in tranen. 'Natuurlijk ben ik een vrouw. Dat ben ik altijd geweest.'

'Nee, nee, je was een meisje. Nu ben je pas een vrouw.' Perestu gaf haar een schone doek. 'Je kunt nu kinderen krijgen,' glimlachte ze, met kuiltjes in haar wangen.

Instinctief ging mijn hand naar de verminkte plaats tussen

mijn benen, het bewijs dat ik nooit kinderen zou kunnen verwekken. Een diepe zucht ontsnapte me.

'Wat is er?' vroeg Nakshidil weer.

'Niets,' zei ik. 'Er schoot me iets belangrijks te binnen. Je moet bij de baden vandaan blijven als je menstrueert. Het is verboden een bad te nemen als je zwanger bent, of ziek, of ongesteld.'

'Ja, het is goed,' zei Nakshidil korzelig, en ze draaide zich weer om naar Perestu. 'Maar iedereen weet toch dat je alleen kinderen kunt krijgen als je met een man geweest bent?'

Ik voelde me weer misselijk worden, maar ik zei niets. Man, vrouw... Alleen een eunuch kent de pijn van die woorden. Dag en nacht werd ik gekweld door mijn bizarre status. Ik was man noch vrouw, of half man en half vrouw, met de seksuele behoeften van allebei en het uiterlijk van geen van beiden – een schepsel met de dikke nek, de brede borstkas en de zware schouders van een man, maar het onbehaarde gezicht, de ronde buik en de hoge stem van een vrouw. Een griezel, zoals Nakshidil me ooit had genoemd. Ooit, toen een arts naar het paleis kwam voor de sultane walidé, hield ik hem staande bij zijn vertrek. 'Mijn beste dokter,' zei ik tegen hem, 'u geneest zoveel kwalen. Is er dan niets wat u voor mij kunt doen?' Hij keek me aan en schudde zijn hoofd. 'Het spijt me,' fluisterde hij. 'Het spijt me erg.' En ik zag de tranen in zijn ogen.

'Je moet leren van de sultan te gaan houden,' antwoordde Perestu.

'Maar zijn er dan geen jongere mannen die kans maken op de troon?'

Ik knikte.

'Misschien zal het geluk er een op mijn pad brengen,' zei Nakshidil. Toen keek ze me aan en lachte.

Op een middag in het vroege voorjaar zag ik haar buiten in de tuin een chrysant plukken, waarvan ze een voor een alle bloemblaadjes afscheurde.

'Wat is je wens?' vroeg ik.

'O, Tulp,' antwoordde ze spijtig. 'Mijn plan heeft gewerkt. Ik ben weg uit de borduurkamer, en dankzij jou mag ik nu muziek maken. Maar ik ben nog altijd deel van een grote groep, niet een van de gunstelingen die de sultan mogen bedienen. Hoe kan ik ooit zijn aandacht trekken?'

'Heb je weleens gedanst?' vroeg ik.

'Natuurlijk. Op school leerden we allerlei dansen: het menuet, de contradans.' Ze maakte een paar sierlijke pasjes als demonstratie. 'Houd mijn arm eens vast,' zei ze, en voordat ik kon protesteren zwierden we de tuin door.

Ten slotte bleef ik staan om naar adem te happen. 'Ik had eigenlijk iets anders in gedachten,' zei ik. 'Kom maar eens mee.'

3

Volgens de oelema was het over twee maanden ramadan en zoals altijd zou er op de eerste avond een feest zijn voor de hele harem. Op voorstel van de opperkamenierster moesten de meest veelbelovende meisjes daarom leren dansen. Nakshidil bewoog zich heel gracieus en ik was ervan overtuigd dat ze een van de danseressen zou kunnen zijn.

Tien meisjes verzamelden zich in de grote kamer waar Safieh, de danslerares, een demonstratie zou geven van haar talent. Er hingen gordijnen voor de gebrandschilderde ramen en de tapijten waren teruggerold van de glimmende houten vloer. Met haar voeten een eindje uit elkaar boog Safieh haar knieën en duwde haar borst naar voren. Ze gaf de musici een teken om te beginnen en op de klanken van de klaaglijke *chiftetelli*-muziek en het geklepper van de castagnetten strekte ze haar armen en draaide met haar handen en haar polsen. Ze hield haar schouders stil, maar bewoog haar heupen heen en weer, trok ze langzaam op, eerst de linker en dan de rechter, bracht haar armen omhoog, kruiste ze vlak onder haar ogen en liet ze sierlijk weer langs haar zij vallen, zo soepel en sensueel dat ze marmer had kunnen laten smelten.

Perestu deed de bewegingen van de lerares na, maar toen Nakshidil het ook probeerde lukte het haar niet om haar buik van haar heupen los te maken. In Frankrijk had ze natuurlijk de hoofse dansen geleerd en ik begreep dat ze als kind op Martinique ook met Afrikaanse slavinnen had gedanst, maar de verschillen waren net zo groot als tussen een tulband en een tulp. Toen ze haar borst de ene kant op moest bewegen en haar billen de andere kant op, sloeg ze giechelend haar hand voor haar mond.

'Ik voel me zo stom,' zei ze.

'Denk maar dat je lichaam een slang is,' raadde ik haar aan. 'Je moet die slang laten kronkelen en daarbij je armen buigen alsof dat ook slangen zijn.'

Nakshidil oefende geduldig, totdat ze spieren bij zichzelf ontdekte waarvan ze het bestaan niet eens had vermoed. Ze leerde hoe ze tegelijkertijd haar bovenlichaam naar rechts moest bewegen en haar onderlijf naar links. Ze leerde de *kashlimar*: een stap naar voren, dan terug op één voet en een pas op de plaats met de andere. Ze kronkelde met haar armen alsof ze probeerde een prooi naar zich toe te lokken, ze draaide met haar heupen en trok ze afzonderlijk omhoog. Perestu leerde haar hoe ze haar spieren moest gebruiken om de plek tussen haar benen aan te spannen. Langzaam kantelde ze haar bekken, draaide met haar heupen, liet haar navel trillen en zwaaide haar kleine borsten op en neer. Het duurde niet lang voordat ze zich kon bewegen als een slang, terwijl de anderen toekeken, jaloers op een talent waarvan ik al die tijd al overtuigd was geweest.

Kort daarna verklaarden de imams dat ze de witte draad van de zwarte draad konden onderscheiden in de eerste sikkel van de maan: het begin van ramadan. Die avond zou het feest zijn. De slavinnen waren opgetogen als kleine kinderen bij het vooruitzicht van een poppenspel. Ze huppelden door de gangen, vertelden fluisterend verhalen over de sultan, overlegden wat ze zouden aantrekken en oefenden hun optreden. Perestu smeekte een haremmeisje dat al eerder voor Abdül-Hamid had opgetreden om hem te beschrijven.

'Ik was zo zenuwachtig dat ik nauwelijks heb gekeken,' zei

ze. 'Maar ik herinner me nog de wellustige blik in zijn kraaloogjes.'

'En ik zal zijn donkere baard nooit vergeten,' zei een ander. 'Die was zwart geverfd om hem jonger te doen lijken, maar daardoor leek het juist of hij de mantel van de duivel aan zijn kin had hangen.'

'Het heeft hem in elk geval niets geholpen bij Roxana,' merkte een derde meisje op.

'Wat bedoel je?' vroeg Nakshidil.

'Ken je dat verhaal niet?' Nakshidil schudde haar hoofd. 'Ondanks zijn hoge positie had de sultan geen macht over de enige vrouw in de harem die hij werkelijk wilde. Steeds als hij haar naar zijn bed ontbood, vond ze een excuus om niet te komen. En hoe vaker ze hem afwees, des te heviger hij naar haar verlangde. De padisjah stuurde haar stapels brieven, de ene nog vuriger dan de andere.'

'Hoe weet je dat allemaal?' vroeg Nakshidil. Het meisje keek naar mij, maar ik ontweek haar blik.

'Van de eunuchen, natuurlijk. Zij brachten haar de brieven van de sultan, waarna de roddels zich net zo snel verspreidden als de branden die waren aangestoken door de janitsaren. Die Russische met haar donkere, schuine ogen was jaloers op de andere vrouwen en probeerde de sultan voor schut te zetten. Toen we dat verhaal over die brieven hoorden, stonden we allemaal perplex. Ik heb ze zelfs uit mijn hoofd geleerd.'

'Wat stond erin?'

'In de eerste stond: "Op mijn knieën smeek ik je om vergiffenis. Kom vanavond naar me toe, alsjeblieft. Je mag me doden als je wilt. Ik lever me aan je uit. Maar negeer mijn smeekbede niet, want dan zal ik sterven. Ik werp me aan je voeten."'

Nakshidil luisterde ongelovig. 'Als de sultan zo belangrijk is als iedereen zegt, zou hij zulke dingen toch niet schrijven aan een slavin?'

'Heus, geloof me maar.'

'Is dat waar, Tulp?'

Ik knikte schaapachtig.

'En wat antwoordde ze?'

'Roxana was hondsbrutaal,' zei iemand.

'Nee, juist heel slim,' vond een ander.

'Maar niet slim genoeg,' vervolgde de vertelster. 'Om hem te straffen wees ze opnieuw zijn avances af met het excuus dat het de tijd van de maand was waarop ze niet naar zijn bed kon komen. En om hem te overtuigen liet ze een eunuch een druppel duivenbloed brengen.'

'Wat gebeurde er toen?'

'Hij stuurde haar nog een brief. Daarin stond: "Laat mij niet zo lijden. Gisteravond was ik buiten zinnen. Laat me je voeten kussen. Ik wil je slaaf zijn. Jij bent mijn meesteres.'''

'Toen ging ze natuurlijk naar hem toe?'

'Nee. Ze bleef weigeren. Als wraak nam de sultan daarop elke nacht een ander meisje.'

'Sommige nachten zelfs drie of vier,' merkte iemand op.

Nakshidil kromp ineen.

'En dat niet alleen. Met zijn onverzadigbare honger verwekte hij maar liefst zesentwintig kinderen. De meesten zijn helaas gestorven.'

'En vergat hij Roxana?'

'Ja, maar pas nadat hij haar in de gevangenis had gegooid.'

'En heeft hij nu weer een gunstelinge?'

'Hij is kortgeleden getrouwd met een Europees meisje. Zij heette ook Nakshidil, net als jij.'

'Hoe is het haar vergaan?'

'Ze is overleden aan tyfus, vlak voordat jij hier kwam.'

Ik herinnerde me dat ik hoorde hoe verslagen de sultan zich had gevoeld toen zijn zevende vrouw, een Europese die hem een zoon had geschonken, plotseling ziek was geworden. Twee weken lang vroeg hij de zwarte oppereunuch elke dag naar nieuws, maar de berichten werden steeds slechter. Ten slotte kon de sultan het niet langer verdragen en bracht een bezoek aan de kadin, tegen de uitdrukkelijke orders van de paleisarts in.

Toen hij voorzichtig de ziekenkamer binnenkwam, sloeg de stank van de slopende ziekte hem al tegemoet. Het arme meisje lag bleek en slap in bed. Hoewel ze de dekens over zich heen had getrokken, wist hij dat haar buik en haar borst waren bedekt met rozerode vlekken. Het was pijnlijk om te zien hoe de tyfus het leven uit haar mooie lichaam had gezogen. Verzwakt door koorts en diarree kon ze niet eens meer praten of haar hoofd bewegen. Zodra ze de machtige padisjah aan haar bed zag, probeerde ze met haar ogen te knipperen als teken dat ze hem herkende. In tranen verliet hij de kamer. Vierentwintig uur later was ze dood.

Nakshidil was ontdaan door het verhaal. 'Tulp,' fluisterde, terwijl ze me wenkte, bij de anderen vandaan.

'Als ik de naam heb gekregen van de overleden vrouw van de sultan, zal ik misschien ook naar zijn bed worden ontboden. Stel dat het zover komt? Stel dat ik niet aan zijn wensen kan voldoen omdat hij zo oud en lelijk is?'

'O, dat lukt je wel,' zei ik.

'Maar als het níét lukt? Krijg ik dan straf? Zal hij me in de gevangenis gooien, net als Roxana?'

'Dat zou kunnen. Of als je geluk hebt zal hij je verbannen naar het Paleis van Tranen.'

'Wat is dat?'

'Het Oude Paleis, ernstig vervallen en slecht onderhouden. Het wordt het Paleis van Tranen genoemd omdat het zo somber is. Er wonen alleen vrouwen die hun man hebben verloren of vrouwen die nooit een man hebben gehad om lief te hebben. De enige geluiden die je daar hoort, schijnt het, is het geween van al die vrouwen. Ik moet er niet aan denken.'

'O, Tulp, wat verschrikkelijk. Wie kan ik omkopen om mij ook duivenbloed te brengen?'

'Niemand,' zei ik. 'Als hij werd betrapt, zou de straf te zwaar zijn.'

De dag voor de avond van het feest brachten de meisjes in de baden door, onder toezicht van ons, de eunuchen. Nakshidil lag op de marmeren bank in de hete stoom, terwijl een van de slavinnen haar masseerde. De vrouw kneedde en masseerde haar zo stevig dat Nakshidil na afloop nauwelijks meer van de bank kon komen. 'Hoe moet ik ooit nog dansen?' kreunde ze.

Andere slavinnen plensden water over haar heen en boenden haar met een spons totdat elk plekje van haar lichaam fris en roze was. Toen zeepten ze haar in en herhaalden de behandeling. Ten slotte wreven ze haar in met rozenblaadjes, zodat haar haren, haar hoofdhuid en haar huid een zware zoete lucht verspreidden.

Ze verzorgden haar gezicht met een masker van amandelen en eigeel, en bleekten het met een crème van amandelen en jasmijn. Nu ze een volwassen vrouw was, werd ze geïnspecteerd op zelfs maar het kleinste haartje – verboden voor moslimvrouwen – maar ze was helemaal glad. Er hing een sfeer van verwachting. Sommige naakte meisjes speelden plagerig met elkaar, gooiden hun lange zwarte haar in hun nek, kusten en vertroetelden elkaar en liefkoosden elkaars borsten.

Gewikkeld in een geborduurde linnen handdoek, en inmiddels gewend aan de houten klompjes met de hoge hakken, liep Nakshidil naar de volgende kamer, waar haar vinger- en teennagels werden geverfd met henna. Ze glimlachte toen ze haar donkere tenen uit de parelmoeren sandalen zag steken, met een tulpje van henna op haar enkel getatoeëerd. Haar blonde haar werd glanzend gekamd met boter. Een slavin weefde er parels doorheen en zette het aan één kant vast met een kapje, afgezet met juwelen. Haar ogen werden opgemaakt met kohlpotlood, haar wenkbrauwen doorgetrokken met Oost-Indische inkt, haar lippen gestift met vermiljoen. Een jonge slavin deelde sorbets rond en een andere kwam met koffie, maar Nakshidil wuifde de koffie weg.

De meisjes mochten zelf hun kleren kiezen voor die avond. 'Wat denk jij, Tulp?' vroeg ze, terwijl ze het laatste ijs van haar lepel likte. Aandachtig bekeek ze alle kleren, gleed met haar handen over de fijne zijde en het weelderige satijn, en zocht in de kist met sieraden: bloedrode robijnen, donkergroene smaragden, saffieren zo blauw als de zee. Ze stapte in een wijde, rood met goud gestreepte shalwar van vliesdunne zijde. Toen trok ze een laag uitgesneden dunne jurk over haar hoofd, met daaroverheen een prachtig geborduurde tuniek die net onder de welving van haar kleine borsten kon worden dichtgeknoopt.

'Perfect,' zei ik, toen ze een brede kasjmieren ceintuur om haar heupen bond, afgezet met kleurige stenen en glitters. Uit de grote collectie sieraden koos ze oorbellen met parels en robijnen, een rij parelsnoeren om haar hals, gouden ringen, armbanden met robijnen, saffieren en parels, en enkelbanden met kostbare stenen.

Giechelend van de zenuwen paradeerden de meisjes voor elkaar.

De een kreeg complimenten over haar oorbellen, de ander over de kleur van haar bloes. 'Nakshidil,' merkte een van de meisjes op, 'hoe kan het dat we allemaal uit dezelfde kleren moeten kiezen, maar jij er altijd beter uitziet dan wij?'

Ze haalde haar schouders op. 'Dat is niet zo vreemd. Ik ben Frans, vergeet dat niet.'

Ik herinnerde hen eraan hoe ze zich tegenover de sultan moesten gedragen, keek hoe ze een knieval maakten en waarschuwde hen dat ze geen woord mochten zeggen en de vorst nooit hun rug mochten toekeren. Ze wisten allemaal in welke houding ze moesten afwachten. Nakshidil oefende nog eens, hield haar buik in, rechtte haar rug, trok haar schouders naar achteren en sloeg haar armen over elkaar voor haar blote boezem, met haar linkerhand over haar rechterborst en haar rechter over de linker. Zo hoorden de meisjes te blijven staan in de aanwezigheid van de sultan, behalve natuurlijk als ze optraden.

De meesteres kwam langs met een handspiegel en Nakshidil smeekte haar of ze even mocht kijken. Ze hield de spiegel in het licht, tuurde naar het beeld en knipperde vol verbazing met haar ogen. Ze herkende zichzelf bijna niet meer. Haar vingers gleden over haar gebleekte witte huid, haar donker opgemaakte ogen en haar roodgestifte lippen. Toch beviel die vrouw in de spiegel haar wel. Ik zag een lachje in haar ogen toen ze haar lippen bijna tegen het glas drukte, en ik begreep wat ze voelde. Ze begon verliefd te worden op de nieuwe Nakshidil.

Opeens trok ze zich terug, alsof ze wilde zeggen dat ze diep vanbinnen altijd Aimée du Buc de Rivery zou blijven. Maar het gezicht in de spiegel was niet langer dat van een jong Frans meisje, en haar figuur niet langer dat van een kind. Alle sporen van haar creoolse jeugd en haar onschuldige kloosterjaren waren verdwenen. Ze was nu volwassen, met alle verlangens en lusten van een vrouw. De magie van het Topkapi had haar volledig getransformeerd tot Nakshidil, de haremvrouw.

En die gedaanteverandering werkte als een afrodisiacum. Het bloed stroomde naar haar wangen, de adertjes bij haar slapen begonnen te kloppen en haar ogen schitterden van ambitie. Ik wist dat Nakshidil haar zinnen had gezet op alles wat het paleis haar kon bieden: kleren, juwelen, geld, macht en – het allerbelangrijkste – een invloedrijke man. Ze was vastbesloten in de voetsporen te treden van Aysha. Ooit zouden slavinnen de zoom van haar kleren kussen, eunuchen haar bevelen uitvoeren, een sultan haar zijn vrouw noemen. Het waren geen verlangens die ze zelf al onder woorden kon brengen, maar net zo zeker als een tulp zich uit de grond verheft, zou Nakshidil opklimmen naar de top van de paleishiërarchie. Ik zag hoe haar aanvankelijke verzet nu wegsmolt in die spiegel. Maar zelfs ik kon niet vermoeden hoe sterk haar leven zou veranderen.

4

Een hele stoet van pauwen, met sieraden omhangen prinsessen (de vier zusters en zes dochters van de sultan), gevolgd door de vijf kadins, zesentwintig concubines en twintig meesteressen, slingerde zich de toneelzaal van de harem binnen. Daarna kwamen de twaalf danseressen. Wij, de eunuchen, sloten de rij als de versierde staart van een raspaard. Deze grote salon was de mooiste zaal in de privé-vertrekken van de sultan. Nakshidil keek haar ogen uit naar het vergulde houtwerk, de glinsterend geglazuurde tegels, de gebeeldhouwde fonteinen, de sierlijke Moorse bogen, de verzilverde Venetiaanse spiegels en de reusachtige vazen van Chinees porselein. Toen ze omhoogtuurde naar het gewelfde plafond, prachtig beschilderd en met vergulde krulletters langs de randen, struikelde ze half. Met een gesmoorde kreet ging ze bijna onderuit op het grote zijden tapijt. Ik dacht maar liever niet aan wat er had kúnnen gebeuren.

De vrouwen waren zo zwaar behangen met juwelen, als Zubaydah uit *Duizend-en-een-nacht*, dat ze nauwelijks konden lopen. Ze kwamen binnen in volgorde van rang. De eerste rij bestond uit de dochters en zusters van de sultan, hun gladde lichamen gehuld in zijde. Grote, fonkelende diamanten en robijnen, zo groot als radijzen, sierden hun hals en armen. Ze liepen naar de verhoging aan de zijkant van de zaal en namen plaats op de sofa's achter de leuning. Daarna kwamen de echtgenotes en concubines. Rijk uitgedost met schitterende stenen lieten ze zich zakken op de satijnen kussens op de vloer.

Nakshidil ontdekte Aysha, met juwelen in haar vlammend rode haar en groene ogen die glinsterden tegen een bleke, porseleinen huid. Bij het zien van deze vrouw, gekleed in de gevreesde kaftan die haar zoveel pijn had gekost, wendde Nakshidil haar hoofd af en raakte haar oren aan, alsof ze de gemene klappen met de leren slipper nog kon voelen.

Tegen de andere kant van de zaal stond een rij odalisken met hun armen gekruist en hun handen over hun blote borsten, terwijl het haremorkest op het balkon zich voorbereidde op de uitvoering. Nakshidil keek verlangend omhoog naar de musici en toen opzij, naar de andere danseressen die naast haar stonden. Er gleed een voldane glimlach over haar gezicht, alsof ze tevreden was met haar keus om te gaan dansen. Ze bleef dicht bij de anderen toen ze op weg gingen naar de troon, waar de sultan spoedig zou plaatsnemen onder het baldakijn tussen de zuilen.

De doordringende geur van wierook en rozenolie zweefde door de zaal. Het orkest begon te spelen toen de opperkamenierster, lang en streng met haar zilveren staf, de komst van de sultan aankondigde. Onmiddellijk kwamen alle vrouwen overeind, met een onbedekt gelaat voor de enige man die hen zo mocht zien. Terwijl ze in de houding stonden, met gekruiste armen en hun handen over hun borsten, trad een indrukwekkende processie van eunuchen en prinsen de zaal binnen, ten slotte gevolgd door de keizer zelf, die een bontmantel droeg. Bijna gelijktijdig maakten we allemaal een knieval en bogen diep naar de grond voor de man die werd erkend als sultan, padisjah, grand seigneur, kalief, koning, keizer en Gods schaduw op aarde.

Als ze zenuwachtig was, viel dat Nakshidil niet aan te zien. Met een serene uitdrukking op haar gezicht wierp ze een discrete blik op de sultan en huiverde. Ongetwijfeld waren het zijn ogen waar ze het meest van schrok: zwart als kleine kevers, met donkere wallen en hoge, dunne wenkbrauwen, die een mengeling van wanhoop en wantrouwen suggereerden. Hij had een grote haakneus en een mager, lang gezicht met een dichte zwarte baard. Zijn hoge, hoekige tulband benadrukte zijn lange hoofd. De tulband was versierd met een waaier van schitterende diamanten en een hoge verenpluim. Om zijn schouders hing een mantel van marterbont en rood satijn en aan zijn middel droeg hij een gouden dolk, glinsterend met juwelen. Maar toch, ondanks zijn schitterende voorkomen, maakte de keizer een zorgelijke indruk.

Minachting en moedeloosheid hadden diepe groeven nagelaten in zijn oude gelaat. Deze man, die het grootste deel van zijn leven in afzondering in de Prinsenkooi had doorgebracht voordat hij in 1774 de troon besteeg, had een reusachtig rijk geërfd, dat zich uitstrekte van Bagdad en Basra in het oosten tot aan de grens van Venetië in het westen. Ooit had de sultan geheerst over de bergen van de Kaukasus in het oosten en de woestijnen van Syrië, Egypte en Arabië in het zuiden, tot aan Aden toe. Via veroveringen hadden de Ottomaanse keizers hun gebied uitgebreid met het Balkanschiereiland, Bulgarije, Moldavië, Roemenië, Hongarije en Griekenland. Maar al die expansie had een prijs. Het rijk was ernstig verzwakt geraakt door oorlogen en zat diep in de schulden.

Keizerin Catharina van Rusland, die vastberaden leek hem te verdrijven, dwong sultan Abdül-Hamid tot een voortdurende militaire strijd. De Russische tsarina loerde aan zijn grenzen en zette de bevolking aan tot revolutie, om een zo groot mogelijk deel van het Ottomaanse rijk af te knabbelen. Toen haar kleinzoon werd geboren, noemde ze hem Constantijn en voedde hem op met keizerlijke aspiraties. Grootgebracht in de Griekse traditie, was hij haar hoop om de Byzantijnse hoofdstad Constantinopel te heroveren en de Russische troon te vestigen in de stad waaruit drie eeuwen eerder de islamitische

Ottomanen de oosters-orthodoxe christenen hadden verjaagd.

Nog maar twee jaar eerder, in 1787, had Abdül-Hamid de Franse ambassadeur ontboden en hem dringend verzocht om Frankrijks bondgenoten te waarschuwen. 'Zeg tegen uw Russische vrienden dat ze de Krim aan Turkije teruggeven,' adviseerde de sultan hem. Het schiereiland in de Zwarte Zee was onafhankelijk verklaard in het jaar van Abdül-Hamids troonsbestijging, maar in 1783 had Catharina de Krim geannexeerd, zodat ze de Turkse scheepvaart en de Turkse kusten daar kon bedreigen.

'Zolang de Krim in Russische handen blijft,' waarschuwde de sultan, 'is Turkije als een huis zonder deuren, waar dieven ongehinderd kunnen binnendringen. Stuur een boodschap aan tsarina Catharina. Als Rusland de Krim niet opgeeft, zal Turkije passende maatregelen nemen.'

Niet lang daarna riep de sultan zijn raad van ministers bijeen: de zwarte oppereunuch, de blanke oppereunuch, de grootvizier en de tien andere viziers. Zelf was ik erbij als assistent van de tolk, die mijn talenknobbel had ontdekt. Aanvankelijk had mijn rappe tong me heel wat slaag opgeleverd. De zwarte oppereunuch beschuldigde me ervan dat ik hem naäapte en liet me afranselen met de bastinado. Maar toen de tolk mijn talent in de gaten kreeg, leidde hij me op in zijn vak. Het was een zeldzame kans, waarvoor ik de goede man heel dankbaar was.

'In naam van Allah kunnen wij ons niet langer in een hoek laten drijven door die Russische maniakken,' sprak de sultan tot zijn adviseurs. Gezeten op een met juwelen versierde troon, zijn kleine oogjes ziedend van woede en zijn bleke huid scherp contrasterend met zijn zwarte baard, verklaarde hij zijn viziers dat de tijd gekomen was. 'Overal in ons rijk hebben de Russen opstanden veroorzaakt en gevoed. Eerst predikten ze de revolutie in Syrië, daarna bewapenden ze de Albanezen in de Morea, en ten slotte steunden ze de Mamelukken in Egypte. Onze onverschrokken admiraal Hassan heeft standgehouden, maar ooit is de grens bereikt. Bent u het met me eens dat de tijd is aangebroken om de oorlog te verklaren?' vroeg hij, in de wetenschap dat geen enkel lid van de raad hem zou durven tegenspreken.

De zetel van het kalifaat, het centrum van de islam, werd bedreigd. Niet alleen werd de macht van de sultan uitgehold, maar het hele Ottomaanse rijk begon te wankelen. En sinds die bijeenkomst met de viziers was de situatie alleen maar ernstiger geworden. De Turkse marine was op de Zwarte Zee vernietigd door de Russen. Het viel niet te voorspellen wat Catharina's volgende stap zou zijn. Er gingen geruchten dat ze Oostenrijk zou steunen in zijn eigen oorlog tegen de Turken.

En naast die buitenlandse problemen had de sultan ook grote moeilijkheden in eigen land. De branden in de stad die opzettelijk waren aangestoken door zijn eigen elitetroepen, de janitsaren, vraten aan zijn gemoedsrust. De intimidatie door zijn eigen chef van de admiraliteit vormde een uitdaging voor zijn gezag. Een moordaanslag door een vizier vergrootte zijn paranoia. Zijn onbeantwoorde liefde voor zijn vrouw Roxana had zijn gevoel van onmacht nog versterkt. Die alchemie van verlangen en wanhoop beroofde hem van zijn slaap. Sommige mensen hadden hem al horen roepen: 'God helpe de Ottomaanse staat!'

Materiële bezittingen, wapens, vrouwen of erfgenamen – hoe ruim voorhanden ook – gaven hem niet langer een gevoel van veiligheid. De sultan die zijn rijk bestuurde via een systeem van slaven was zelf nog weinig meer dan een slaaf.

Was het de hasjiesj, borrelend in zijn met juwelen bezette nargileh, waardoor hij zo apathisch leek? Of de opium? Sommige slaven smokkelden opiumtabletten naar hun kamers. Veel sultans hadden de gewoonte opgevat om op kleine gouden pilletjes te kauwen. Misschien nam hij zijn toevlucht tot verdovende middelen om zijn zorgen te vergeten.

Het orkest zette in en de meisjes begonnen te dansen. Eerst voerden ze de traditionele Turkse dansen uit, trommelend op kleine bekkens met hun vingers, terwijl ze kleine stapjes zetten door de zaal. Ze knielden, gebogen op één knie, kruisten hun armen en sprongen omhoog. Daarna kwam Nakshidils lievelingsdans, de *tavsan*, de dans van het konijn, waarbij ze door de zaal paradeerden en sprongetjes maakten.

Uit mijn ooghoek zag ik de drie prinsen op hun kleine tronen zitten, dicht bij de sultan. De oudste, Selim, zoon van wijlen sultan Mustafa III en de eerstvolgende in de lijn van de troonopvolging, was vijfentwintig, een man met intelligente ogen, zachte lippen en een vriendelijke uitstraling. De andere twee waren zijn neven, beiden zoons van Abdül-Hamid. De oudste van de broers, de negenjarige Mustafa, had rossig haar, een ondeugend lachje en kon maar moeilijk stilzitten. De vierjarige Mahmoed, met zijn donkerbruine krullen en zijn grote bruine ogen, verroerde zich niet. Toen de dans van de hazen begon, moesten de twee jongens lachen om de meisjes-hazen en op hetzelfde moment keken alle drie de prinsen naar Nakshidil. Ik zag dat ze oogcontact maakte met de knappe Selim, voordat ze haastig haar hoofd weer boog.

De muziek vanaf de galerij werd steeds luider en sneller, en een van de danseressen sprong de lucht in, met haar armen hoog gestrekt, alsof ze de grote kroonluchter probeerde aan te raken. De jongens keken gefascineerd hoe de meisjes één voor één een sprong namen naar de ronde kristallen bol die midden in de zaal hing.

Koffie, geconfijte vruchten en *halvah* – het favoriete snoep van de sultan, gemaakt van sesamzaad en honing – werden aan de gasten geserveerd, terwijl het orkest wat zachter speelde. Toen de muziek weer aanzwol, was het ritme veel trager en vormden de meisjes een halve cirkel, rinkelend met hun tamboerijnen en knippend met hun vingers, terwijl Perestu naar het midden liep. Ze draaide met haar lichaam, wipte met haar heupen en haar plompe borsten en kronkelde zich in de vreemdste bochten als een dolzinnige slang. Na een tijdje nam een ander meisje haar plaats in en betoverde het publiek toen ze zich bewoog op de nasale klanken van de muziek.

Eindelijk was het de beurt aan Nakshidil. Ze haalde diep adem, trad uit de cirkel naar voren en duwde haar kleine borsten vooruit als rijpe meloenen. Langzaam legde ze haar hoofd in haar nek, stak met sierlijke bewegingen haar armen uit en draaide met haar polsen en armen alsof het slangen waren.

De klaaglijke muziek vertraagde nog verder, de wierook vulde haar neus en Nakshidil verloor zich in haar dans. Ze had geleerd haar lichaam te beheersen van binnenuit, door haar spieren een hele tijd te spannen, los te laten en opnieuw te spannen, terwijl ze tegelijkertijd haar heupen liet draaien, met op en neer golvende bewegingen die haar hele lichaam deden kronkelen.

In de ban van haar eigen zwoele dans paradeerde ze uitdagend langs de hoge gasten en bood haar trillende borsten, haar dijen en zelfs haar pronkjuweel aan de onverstoorbare sultan aan. Ik keek toe en voelde de hitte in de zaal stijgen als lava in een vulkaan. De sultan knikte even, nauwelijks waarneembaar, en liet een zakdoek op de grond vallen. Daarna veranderde de muziek, een paar eunuchen zwaaiden vier keer met hun wierookvaten over de hoofden van de gasten, en iedereen wist dat het tijd werd om te gaan. Toen we de zaal verlieten, tikte ik Nakshidil op haar schouder.

'De sultan heeft het teken gegeven,' fluisterde ik. 'Hij liet zijn zakdoek vallen toen jij danste. Vannacht zul je naar zijn bed worden ontboden.'

Het was twee uur in de ochtend toen we bevel kregen haar te halen. Ik kleedde me haastig aan in mijn donkere cel. Omdat de poort van de harem van zonsondergang tot zonsopgang gesloten was, nam ik de ondergrondse tunnel en rende naar haar kamer. 'Nakshidil,' fluisterde ik, maar ik hoefde haar niet eens te roepen. Ze zat op de divan in de witte slaapzaal, klaarwakker, nog steeds in haar danspakje, met al haar sieraden en haar haar keurig in model.

'Wat is er?' vroeg ze nerveus.

'Je moet onmiddellijk bij de sultan komen.'

Perestu hoorde ons praten. '*Allahu akbar*'. God is groot, zei ze. '*Masha Allah*'. Kom veilig terug.

Met die woorden in onze oren pakte ik haar bij de hand en nam haar mee door de geheime gang naar de vertrekken van de sultan. Ik liep zo snel als ik kon, maar Nakshidil legde een hand op mijn schouder om me tegen te houden. 'Ik moet even met je praten,' fluisterde ze nerveus.

'Niet nu. We mogen de sultan niet laten wachten.'

'Maar je moet naar me luisteren,' drong ze aan. 'Ik ben bang, Tulp. Ik heb geen idee wat ik moet doen. En de meisjes hebben me gezegd dat de sultan je kan verbannen als hij niet tevreden over je is. Dat zou een ramp voor me zijn.'

Ze had gelijk. Meisjes die hem niet bevielen, werden door de sultan soms gevangengezet of nog erger, en Nakshidil had nog nooit één les gehad in het behagen van een man. Dikwijls waren slavinnen al bedreven in hun werk en geschoold in het geven van erotisch genot. Maar Abdül-Hamid was een ongeduldig man, gulzig en oud. Als hij een mooi meisje zag, wilde hij haar onmiddellijk hebben.

'Het zal heus wel goed gaan,' stelde ik haar gerust. 'Denk eraan dat je de zoom van zijn laken kust en dan bij hem in bed kruipt. Daarna doe je gewoon wat de sultan zegt.' Ik zag tranen in haar ogen en opeens leek ze zo kwetsbaar dat mijn hart naar haar uitging. 'Diep ademhalen,' zei ik. 'Denk maar aan mooie dingen en probeer flink te zijn.'

We bereikten de deur van het appartement van de sultan. Twee stomme eunuchen stonden daar de hele nacht op wacht. 's Ochtends moesten ze de naam van de bezoekster noteren, met de datum. Als het meisje later beweerde dat ze zwanger was, konden ze vaststellen of de sultan de vader moest zijn. Wee degene die van een ander in verwachting was geraakt!

De eunuchen openden de deur en Nakshidil stapte naar binnen. Ik mocht niet mee, maar de stomme eunuchen waren vrienden van me. Toen we weer alleen waren, zagen ze de bezorgde uitdrukking op mijn gezicht en wezen naar een klein gaatje onder in de deur, niet groter dan een parel. Die twee schavuiten konden weliswaar niet spreken, maar des te beter zien! Ik hurkte bij de deur, sloot mijn ene oog en drukte het andere tegen het kijkgat.

Eerst moest ik een paar keer knipperen om het beeld scherp te krijgen. Toen zag ik de kamer en de meubels, die gelukkig zo stonden opgesteld dat ik een vrij uitzicht had. De padisjah lag in een bed onder een vergulde hemel, met zijden kussens in zijn rug en zijn mantel van marterbont en satijn nog altijd om zich heen geslagen. Zonder zijn tulband stak zijn gezicht nog bleker af bij zijn geverfde baard en haren. Op de een of andere manier leek hij ook gekrompen. De geur van sandelhout was zo sterk dat de lucht me door het gaatje tegemoet sloeg. Ik zag ook een paar wierookbranders staan. Maar het was niet genoeg om zijn slechte adem te verbergen. 'Als de stank uit een leeuwenbek,' had ik me de woorden van de dichter Nizami herinnerd toen de zwarte oppereunuch me naar de sultan had gebracht. Ik wist zeker dat Nakshidil zou walgen van die lucht. Langzaam en onzeker liep ze naar het bed, maar ze wist haar gevoelens goed te verbergen. Ik geloof niet dat Abdül-Hamid iets van haar weerzin bespeurde.

75

Gelukkig had ik haar gezegd dat ze moest knielen en de zoom van het laken moest kussen. Daarna tilde ze het op en schoof eronder. Helaas had ik haar niet verteld dat ze ook zijn voeten moest kussen. Zou ze weten dat ze daar moest beginnen en zich dan langzaam omhoog moest kussen? Ik had het gevoel dat ze veel te gauw van aangezicht tot aangezicht met hem lag. Hopelijk zou de oude man niet teleurgesteld zijn of zich beledigd voelen.

Ze sloot haar ogen, maar niet uit hartstocht, daar was ik zeker van. De oude schelm boog zich over haar heen en kuste haar op de lippen. Hij duwde de lakens van zich af, knoopte zijn tuniek los en legde zijn mollige handen op haar borsten. Terwijl ik toekeek, besefte ik hoe graag ik zelf haar zachte huid had willen voelen. Zonder verdere plichtplegingen besteeg hij haar en stootte bij haar naar binnen. Ik voelde de passie door me heen golven, die wrede begeerte die nooit bevredigd kon worden. Ze gilde, en met duidelijke voldoening legde hij een hand over haar mond. Daarna bereed hij haar in hoog tempo. Ten slotte, na wat een eeuwigheid scheen, trok hij zich weer terug. Ik slaakte een zucht, blij dat het voorbij was, maar onderdrukte een kreet toen ik Nakshidils gezicht zag. Ze was doodsbleek en lag muisstil. Haar armen en benen bewogen niet meer en ze knipperde zelfs niet met haar ogen. Ze gaf geen enkel teken van leven. Was zoiets mogelijk? Kon hij haar met zijn wellust hebben gedood?

5

Het nieuws van het sterfgeval ging als een lopend vuurtje door de harem. In de grote bazaar, waar ik wat drankjes en smeersels moest kopen, gonsde het van de geruchten. Heb je het gehoord? Heb je het gehoord? De Turken herhaalden het nieuws met een mengeling van hoop en vrees. De begrafenis is vandaag. Wiens begrafenis? Van de sultan. Is de sultan dood? Hoe kan dat nou? Ik heb hem vrijdag nog gezien. Hij zat op zijn grijze paard, met zijn zoontje van negen op een schimmel naast hem. Heb je zijn parasol gezien, met diamanten baleinen? Natuurlijk, maar hij was omringd door honderden janitsaren, op weg naar de Aya Sofia-moskee. De kalief kan niet dood zijn; hij leek onsterfelijk. Hoe is hij dan gestorven? Hij zat in de toneelzaal en vermaakte zich met het haremorkest en de dansmeisjes. Nee! Dat past wel bij hem. Nou ja, waarom niet? Hij was tenslotte de sultan. En is hij daar gestorven? Nee, later die nacht. Toen is hij in elkaar gezakt. Een beroerte, zeggen de paleisartsen. De volgende morgen was hij dood.

Ik keerde terug naar het serail en zag versufte slaven als huiverende geesten heen en weer lopen. Anderen treurden samen, net zozeer om hun eigen leven als om de dood van de sultan. Nakshidil zat op haar divan, nog bevend door alles wat er was gebeurd.

'Ik moet bekennen,' zei ze tegen Perestu, 'dat ik het heel griezelig vond toen Tulp zei dat de sultan me misschien zou ontbieden. En toen Tulp me kwam halen,' vervolgde ze, met een knikje in mijn richting, 'was ik nog veel angstiger. Ik had

geen idee wat ik moest doen toen ik die slaapkamer binnenkwam, behalve dat ik het laken moest kussen en optillen. Gelukkig dat je me dat verteld had, Tulp. Maar zodra ik hem zag,
dacht ik dat ik zou sterven. Abdül-Hamid was echt wálgelijk.
Ik werd al misselijk bij de gedachte dat ik in zijn buurt moest
komen.'

'Vertel ons alles,' smeekte Perestu. 'Maar langzaam.'

'Ik liep voorzichtig naar zijn bed en verzamelde mijn moed,
in de hoop dat mijn traagheid niet mijn weerzin zou verraden.
Hij lag daar, klein en verschrompeld, half verscholen onder die
zwarte baard – de "mantel van de duivel", zoals een van de
meisje hem had genoemd.'

'Rook je zijn adem?' vroeg ik.

'Ja, natuurlijk. Hij dreef van de sandelhoutolie, maar toen ik
dichterbij kwam sloeg de stank me tegemoet. Het kostte me al
mijn zelfbeheersing om door te gaan. Ik stapte in bed en
schoof snel omhoog. Zodra ik tegenover hem lag drukte hij
zijn natte mond op de mijne. Jasses! Ik word nog beroerd als
ik eraan denk.'

Het maakte mij ook onpasselijk, maar ik zei geen woord,
omdat ze niet mocht weten dat ik alles gezien had.

'En wat gebeurde er toen?' vroeg Perestu.

'Hij legde zijn handen op mijn borsten – zijn huid was dik
en gerimpeld en zat onder de bruine vlekken – en ik bad dat
het daarbij zou blijven. Maar voordat ik iets kon doen lag hij
al boven op me en blies me zijn stinkende adem in het gezicht.' Nakshidil begon te huilen. 'Het was vreselijk, echt afschuwelijk. Eerst dat zware lichaam boven op me, en toen
voelde ik een stekende pijn en begon hij in me te pompen.
Eindelijk hield het op. Ik voelde dat hij klaar was, maar ik durfde me niet te bewegen. Hij draaide zich op zijn zij en viel in
slaap. Hij snurkte zo hard dat ik dacht dat het stormde. Ik huilde en huilde tot ik zelf ook in slaap viel.'

'Heb je hem daarna nog gezien?' vroeg Perestu.

'Toen ik 's ochtends wakker werd was hij al verdwenen. De bewakers vertelden me dat hij op weg naar het bad in elkaar was gezakt. Ze probeerden hem nog te redden, maar dat lukte niet. Even later was hij dood. Mijn god, Perestu, stel dat hij in bed zou zijn gestorven!' Bij die gedachte stroomden de tranen over haar wangen en begon ze onbeheerst te rillen. Perestu nam haar troostend in haar armen.

'Ik kan die oude man niet uit mijn gedachten krijgen. Ik vond hem echt walgelijk, maar op een vreemde manier heb ik ook medelijden met hem. Hij was eigenlijk wel zielig,' zei ze snikkend.

'Nakshidil, doe niet zo dwaas. Zet het uit je hoofd. Het heeft geen zin om bij het verleden stil te staan. Vergeet Abdül-Hamid nu maar,' zei Perestu. 'We moeten aan onszelf denken.'

'Ja, maar als hij was blijven leven, had ik concubine kunnen worden in de harem. En later misschien wel kadin. Wat moet ik nu?'

'Concentreer je op de troonopvolger. De enige die er nu toe doet, is de nieuwe sultan op de troon.'

'Selim?'

'Ja. Selim.'

'Weet je,' zei Nakshidil, 'toen ik gisteravond een glimp van hem opving in de toneelzaal, vond ik hem best knap, dat geef ik eerlijk toe.'

'En dat niet alleen, hij is ook bijzonder intelligent,' voegde ik eraan toe.

'Maar hij zal nu zijn eigen harem willen,' zei Perestu. 'Tenzij we hem op de een of andere manier kunnen overhalen om jou te laten blijven. Anders word je weggestuurd.'

'Ik? Waarom ik? Wat bedoel je daarmee?' Nakshidil keek haar vriendin achterdochtig aan. 'Jij dan niet?'

Perestu aarzelde. 'Ik weet het niet... ik geloof van niet.'

'Maar waarom dan? Waarom alleen ik?'

'Omdat jij het bed hebt gedeeld met Abdül-Hamid. De nieuwe sultan zal jou niet in zijn harem willen.'

'Dus je bedoelt... omdat ik door Abdül-Hamid ben ontboden, word ik nu weggestuurd, terwijl jij mag blijven omdat hij jou niet heeft laten komen?'

Perestu keek hulpzoekend naar mij. Ik knikte bevestigend.

'Maar dat is belachelijk!' zei Nakshidil, rood van kwaadheid. 'Jullie hebben me allebei aangespoord om vooral de aandacht van de sultan te trekken. Volgens jullie moest ik alles doen om ervoor te zorgen dat hij me zou ontbieden. En omdat me dat is gelukt, moet ik straks vertrekken en mogen jullie blijven.' Ze barstte in tranen uit.

Ik schaamde me dat ik Nakshidil zo had aangemoedigd om de oude sultan te verleiden. 'Ik dacht alleen maar aan je toekomst,' zei ik. 'Hoe kon ik weten dat hij opeens zou sterven?'

'Ach, het zal best meevallen,' zei Perestu. 'Er gaan een heleboel andere meisjes met je mee. Tenzij...'

'Tenzij wat?'

'Tenzij de sultan van gedachten verandert.'

'Die kans is niet groot,' zei ik.

'Vertel me dan precies wie er moeten vertrekken en wie er mogen blijven,' zei Nakshidil.

'Iedereen die de oude sultan persoonlijk heeft gediend zal worden weggestuurd,' antwoordde Perestu. 'Sommige oudere slaven krijgen hun vrijheid. De zusters en dochters van de dode sultan verliezen hun titel van sultane. Zij en de echtgenotes van de oude sultan die geen zonen hebben, krijgen toestemming om te trouwen.'

'Maar wie wil er met hen trouwen?'

'De meesten zullen worden uitgehuwelijkt aan provinciale gouverneurs of andere hooggeplaatste figuren buiten het paleis. En ze krijgen een document waarin hun vrijheid wordt bevestigd.'

'En de rest?'

'De rest van de meisjes die de sultan hebben gediend, hem zijn koffie hebben gebracht of hem hebben geholpen bij het baden...'

'Of zijn bed hebben gedeeld,' zei Nakshidil.

'Of zijn bed hebben gedeeld – en de vrouwen die zonen hebben van de dode sultan worden naar het Eski Saray gestuurd, het Oude Paleis.'

En de eunuchen dan? wilde ik zeggen, maar ik wist dat ze daar nooit aan zou denken. Perestu was als de meeste meisjes; ze beschouwden de eunuchen als onkruid in een bloementuin.

Nakshidil zuchtte diep. Toen knikte ze naar mij. 'En de zwarte eunuchen? Wat zal er met hen gebeuren?'

'Dank je dat je het vraagt,' zei ik, met een hand tegen mijn hart. Nakshidil scheen de enige onder de meisjes die het iets kon schelen. Ik had haar graag willen zeggen dat het Oude Paleis wemelde van eunuchen die nooit een kans op liefde hadden gehad, maar ik hield mijn mond. Bovendien had ik gehoord dat het Oude Paleis voor een handvol losbandige eunuchen zelfs een uitkomst was. Bij gebrek aan streng toezicht konden ze op hun eigen manier nog intiem zijn met sommige vrouwen.

'Die gaan er dus ook heen,' zei Perestu schouderophalend.

'Weet je waarom het zo wordt genoemd, het Oude Paleis?' vroeg ik.

'Nee.'

'Het was het eerste paleis dat door de Ottomanen werd gebouwd, in de vijftiende eeuw, toen ze Constantinopel op de Grieken veroverden,' legde ik uit. 'Het lag toen midden in de stad, een grote ommuurde vesting met comfortabele kamers, grote baden en boomgaarden.'

'Waarom zijn ze daar niet gebleven?' vroeg Nakshidil.

'Toen het Topkapi werd gebouwd op deze prachtige plek

aan de Gouden Hoorn, verhuisde sultan Mehmed ernaartoe,
maar de vrouwen bleven achter. Pas toen een van de vrouwen
van de sultan, Hurrem, erop stond met haar man – Suleiman
de Grote – mee te gaan, verhuisde de harem ook. Als de sultans stierven, werden hun weduwen en hun vrouwelijke fami-
lieleden naar het Oude Paleis teruggestuurd. Zo werd het een
plek van schande, die door de regerende sultans ook werd gebruikt om vrouwen te straffen die uit de gunst waren geraakt.'

'Wanneer gaan we daarheen?'

'Sneller dan we zouden willen.'

De volgende dag kregen de meisjes officieel bericht dat ze
naar het Oude Paleis zouden worden overgebracht. Nakshidil
verzamelde haar schaarse bezittingen en maakte zich gereed
voor de reis naar de Derde Heuvel. Er viel weinig anders meer
te doen dan wachten.

Om tot rust te komen, begon ze een lapje blauwe zijde te
borduren met een bloem in rood en zilverdraad. Door het
handwerken moest ze zich concentreren. Met gebogen hoofd
zat ze over de stof en zag me niet binnenkomen. Ze schrok
toen ik haar naam riep.

'Er is zoveel gebeurd sinds ik je voor het eerst ontmoette,
Tulp,' zei ze met een diepe zucht. 'Mijn leven is zo snel veranderd, van goed naar slecht, en bijna weer terug. Maar zodra
ik mijn plek begon te veroveren in het paleis, liep ik met mijn
hoofd tegen de muur. Zou dat mijn noodlot zijn?'

'Nakshidil, kom eens mee,' antwoordde ik nerveus.

'Nu al? De andere meisjes vertrekken toch nog niet?'

'Kom nou maar, alsjeblieft.'

Ik had opdracht gekregen haar onmiddellijk naar de zwarte
oppereunuch te brengen, maar zonder opgaaf van redenen.
Haastig liepen we over de keitjes naar de vertrekken van de

kislar aghasi. Toen we de blauwbetegelde koffiekamer binnenkwamen, voelde ik de warmte van de brandende houtblokken
in de haard. Maar de lange, magere, zwarte oppereunuch die
ons begroette kende ik niet. Selim had al zijn eigen man benoemd. Hoe snel je uit de gunst kon raken, dacht ik. De nieuwe kislar aghasi, Bilal Agha, kende de sultan beter dan wie
ook, behalve zijn eigen moeder. Hij had Selim vanaf zijn vroeg-
ste jeugd opgevoed en lesgegeven en hij genoot het volledige
vertrouwen van de nieuwe vorst. Zijn stem was krachtig.

'De sultan heeft me gevraagd met haar te spreken.'

Nakshidil stapte naar voren met een bezorgde uitdrukking
op haar gezicht. Ze was zo verstandig om niets te zeggen.

'De sultan heeft je zien dansen in de toneelzaal,' begon de
zwarte oppereunuch.

Ik zag de angst in Nakshidils ogen. Als de nieuwe sultan had
gezien dat ze naar hem keek, hing haar toekomst aan een zijden draad. Voor ons allebei bestonden er nog veel rampzali-
ger vooruitzichten dan het Oude Paleis. Ik kreeg een droge
keel en streek met een vinger langs mijn hals.

'Toen de sultan naar je vroeg, kreeg hij te horen dat je viool
speelt,' zei Bilal Agha. 'Sultan Selim houdt veel van Turkse muziek.'

De viool was geen traditioneel Turks instrument. En de eerste noten die Nakshidil had gespeeld waren van Mozart – zou
dat haar in nog grotere moeilijkheden kunnen brengen? Ze
wierp me een verwarde blik toe. Waarom zegt hij dit allemaal?
las ik in haar ogen. Nakshidil herinnerde zich mijn eerdere
waarschuwing dat een vrouw die de wetten van de harem
overtrad, zwaar gestraft kon worden of – erger nog – in een
zak met stenen kon worden genaaid en dan in zee werd geworpen. In haar paniek hoorde ze de kislar aghasi niet eens.

'De sultan wil een handvol meisjes uit de oude harem hier
in het Topkapi houden.'

'Perestu,' zag ik haar lippen geluidloos prevelen.

'Jij bent een van degenen die hier zullen blijven.'

Zijn woorden verrasten haar zo dat ze geen antwoord wist te geven.

'Op bevel van de sultan,' herhaalde de zwarte oppereunuch, 'blijf je hier in het Topkapi.'

Ik voelde een steek in mijn maag. Natuurlijk was ik blij voor haar, maar nu zou ik eenzaam naar het Oude Paleis worden verbannen, zonder het enige slavinnetje dat ooit echt vriendschap met me had gesloten. Ik keek naar Nakshidil en zag hoe haar gezicht straalde, zelfs zo dat Bilal Agha er een opmerking over maakte: 'Ik kan begrijpen dat sultan Selim onder de indruk was van je schoonheid. Je glimlach maakt de kamer lichter.'

'Dank u, excellentie,' zei ze, terwijl ze bedeesd haar hoofd boog. 'Maar Tulp dan?' vroeg ze in een opwelling. 'Mag hij ook blijven?'

'Hij zal samen met de anderen naar het Eski Saray vertrekken.'

'Alstublieft,' zei ze, terwijl ze zich naar me omdraaide. 'Tulp is zo goed voor me geweest. Ik smeek u om hem hier te laten blijven.'

Bilal Agha leek een moment van zijn stuk gebracht en ik vroeg me af of hij kwaad zou worden om zo'n verzoek. Ten slotte gaf hij antwoord. 'Goed. Dat zal ik toestaan,' zei hij.

Toen we terugliepen vanaf het appartement van de zwarte oppereunuch had ik wel kunnen juichen van vreugde, maar dat zou tegen de voorschriften zijn geweest. Even later waren we weer terug in de slaapzaal van de novicen, waar de tassen van de meisjes al klaarstonden om te worden overgebracht. Perestu nam afscheid van haar vriendinnen. Toen ze Nakshidil zag, omhelsde ze haar en wenste haar geluk. Ze had het nieuws al gehoord van een van de andere eunuchen.

'Zijn er dan geen geheimen in deze harem?' riep Nakshidil lachend.

'Het nieuws doet snel de ronde,' zei Perestu. 'Je weet het zeker al?'

'Wat?'

'Iemand anders is ook onverwachts achtergebleven.'

'Wie dan?' vroeg ik. 'Een van de danseressen?'

Perestu rolde met haar ogen. 'Nee, was dat maar zo. Zij hadden het wel verdiend. Je zult het niet geloven. Het is een van de echtgenotes.'

'Wie?' vroeg Nakshidil.

'Aysha. Zij blijft hier bij haar slavinnen.'

Nakshidils gezicht betrok. 'Hoe kan dat nou? Ik dacht dat alle echtgenotes werden weggestuurd.'

'Meestal wel. Maar Aysha is een slimme vrouw. Omdat de nieuwe sultan de twee jonge prinsen bij zich wil houden in het Topkapi, heeft Aysha de zwarte oppereunuch ervan overtuigd dat zij hier moet blijven als moeder van een van beide jongens.'

'Bij een feestmaal hoort niet alleen honing, maar ook citroen,' zei ik. Maar ik vreesde dat Aysha wel eens té zuur zou kunnen zijn voor Nakshidil.

Twee

6

De Zwarte Wind blies ijzig vanaf de Kaukasus, die vroege aprilmorgen in 1789, maar zelfs de snijdende wind vanaf de Zwarte Zee kon de enorme menigte niet tegenhouden die zich in de straten van Istanbul had verzameld. Mannen, vrouwen en kinderen, de mannen met tulbanden op – Armeniërs violet, Grieken zwart, joden blauw, Turken wit – hadden hun warmste kleren aangetrokken. Zo stonden ze op de keien, evenals de gezanten uit de Ottomaanse provincies en de vertegenwoordigers uit de Europese hoofdsteden, om een glimp op te vangen van de schitterende stoet: drie dagen na de dood van Abdül-Hamid zou Mirisjah, de moeder van sultan Selim, als sultane walidé worden ingehuldigd.

Anders dan de aarzelende viziers, die met alle winden meewaaiden, de janitsaren, die meedogenloos voor hun eigen machtspositie vochten, of de concurrerende prinsen die bereid waren elkaar te doden voor de opvolging van de troon, had de sultane walidé uitsluitend de belangen van de sultan op het oog. Iedere padisjah wist dat zijn moeder hem als baby koesterde, hem alles leerde wat ze wist en zijn hele leven zijn vertrouweling zou blijven. Ze deelde zijn geheimen als kind en dat bleef ze doen als hij sultan was. Ze betrok zelfs het aangrenzende privé-vertrek in de harem. Ze wilde niets meer of minder dan hem beschermen, en als haar zoon de macht van de troon verwierf, dan ging die macht ook op haar over. Ze was tot alles bereid voor zijn zaak, en hij wist heel zeker dat zij de enige was die hij blindelings kon vertrouwen.

Voor haar onvoorwaardelijke trouw werd ze beloond met onvoorstelbare invloed, prestige en rijkdom, en kreeg ze het gezag over de keizerlijke harem, waar slavinnen en eunuchen dienden onder haar bevel. Haar titel, 'sultane walidé', had een gezaghebbende klank, niet alleen in de harem, maar in het hele rijk. Haar naam dwong ontzag af; haar aanwezigheid vereiste gehoorzaamheid; haar woord verdiende respect.

Haar toelage was de hoogste in het hele land, deels uit inkomsten van landerijen die zich uitstrekten van Belgrado tot Bagdad, deels uit heffingen op allerlei goederen, variërend van glas geblazen in Boekarest en kleden geweven in Anatolië tot tarwe verbouwd in Georgië en sinaasappels geteeld in Damascus. Haar rijk gevulde schatkist bevatte een indrukwekkende hoeveelheid juwelen: diamanten, smaragden, saffieren, robijnen en parels, in grootte, kwaliteit en kwantiteit onovertroffen door welke koningin dan ook.

Van top tot teen gekleed in creaties van zilver, goud, zijde, satijn, hermelijn en marter, op haar wenken bediend door honderden slaven, geconsulteerd door grootviziers en oppereunuchen, was ze de enige vrouw in de harem die rechtstreeks met de sultan sprak en hem van advies diende. En uit haar eigen kader van slavinnen selecteerde ze zelfs zijn concubines. Iedereen, van mooie jonge meisjes tot oude viziers, van janitsarenleiders tot provinciale gouverneurs, zocht haar vriendschap. En in het serail, het paleis van de sultan waar hij zijn officiële taken uitvoerde en zich aan persoonlijke genoegens overgaf, had zij de hoogste status na haar zoon.

De keizerlijke processie voor de sultane walidé begon op de Derde Heuvel in deze Stad der Zeven Heuvelen, bij het Oude Paleis, waarheen Mirisjah was verbannen na de dood van haar man. De kleurrijke stoet met de prachtige kostuums leek zich algauw over de hele stad uit te strekken. Mensen renden door de straten, van de oude bazaar naar de Blauwe Moskee in Stambul, of van de ene Europese ambassade naar de andere in Pera, om maar het beste plekje te vinden om de parade te kunnen zien.

Ik kreeg opdracht om Nakshidil te begeleiden, dus hielp ik haar in de warme mantel die ze had gekregen, terwijl ik zelf de met juwelen bezette sjerp omdeed die de zwarte oppereunuch me had geleend.

'Hij komt van sultane walidé Mirisjah,' zei hij toen hij me hem gaf. 'Zij wil dat iedereen in de stoet de mooiste kleren draagt. Dat vertelt de mensen die de processie zien dat ons land nog altijd zo rijk en glorieus is als het was.' Ik wilde graag helpen door de sjerp om te doen, hoewel ik wist dat ons rijk gebukt ging onder corruptie en vuiligheid, ook al droeg ik dan parels in kasjmier.

We vertrokken al vroeg in de ochtend, samen met Perestu en anderen. In een ossenkar werden we naar een plek bij het Oude Paleis gebracht, waar al honderden anderen stonden te wachten. Ceremoniële gebeurtenissen zoals deze werden zorgvuldig voorbereid, maar Abdül-Hamid was zo onverwachts overleden dat alles in grote haast had moeten gebeuren, zodat de situatie nogal verward was. Paleisbedienden riepen bevelen – 'Jij hier naartoe, jij daarheen' – en schoven mensen alle kanten op. Ik voelde een hand op mijn schouder en voordat ik het wist, werden we in een grote gouden koets geduwd.

Ik stond achter Nakshidil. Toen ze instapte, keek ze even om. Ik zag aan haar strakke gezicht dat er iets mis was, en toen ik instapte wist ik ook wat. De twee jonge prinsen, Mustafa en Mahmoed, zaten op stapels kussens. Voor hen, op een nog hogere stapel, had Aysha zich geïnstalleerd met een lelijke zwarte eunuch aan haar voeten. Ik zei niets, maar wees naar een plek op de vloer, naast Mahmoeds voedster, waar Nakshidil kon zitten, terwijl ik me achter haar wrong.

Toen de rit begon, sloeg Aysha haar armen om haar sparte-
lende zoon heen, terwijl ze iedereen negeerde en de vier jaar
oude Mahmoed haar met vragen overstelpte. Wie reed er aan
het hoofd van de stoet, wilde hij weten. Wie kwam er achter
ons, waar gingen we naartoe, waarom hielden we halt? Nakshidil zette hem op haar schoot en trok het zijden gordijntje
opzij. Door het getraliede raampje zagen we een lange stoet
mensen voor ons uit.

'Kijk, de janitsaren gaan voorop,' zei ze, wijzend naar de
tientallen soldaten met hoge tulbanden die helemaal vooraan
marcheerden. 'En vlak voor ons loopt Bilal Agha.' De zwarte
oppereunuch paradeerde in een met bont afgezette mantel,
een geplooide tuniek en een indrukwekkende, kegelvormige
witte tulband. Achter ons reden de koetsen van de prinsessen
en de sultane walidé, gevolgd door nog meer janitsaren te
voet.

Terwijl het lint zich langzaam door de stad slingerde, zagen
we de voorhoede al op de hoofdweg, waar ze enkele van de
bezittingen – huizen en commerciële gebouwen – van Mirisjah,
de nieuwe sultane walidé, passeerden. De processie stopte een
paar keer bij militaire posten om eer te bewijzen aan de janitsaren. Ik legde Mahmoed uit dat de janitsaren, als het elite-
korps van de sultan, onontbeerlijk waren voor zijn succes. Zolang zij hem steunden, kon hij zijn leven lang aan de macht
blijven. Als ze hun steun introkken, zou hij van zijn troon worden gestoten.

Eindelijk bereikte de stoet de Aya Sofia-moskee. Mustafa riep
dat hij daar twee weken geleden nog was geweest met zijn
vader, Abdül-Hamid. Even later doemden de hoge stenen
muren van de Keizerlijke Poort voor ons op. We reden onder
de hoge boog door, langs de torentjes en de hoge ramen van
de wachtlokalen. Ik haalde Mahmoed bij het raampje weg
omdat ik niet wilde dat hij de nieuwste collectie afgehouwen

hoofden op palen zou zien die iedereen eraan moesten herinneren dat het maar beter was om de sultan trouw te zijn.

We reden het terrein van het Topkapi op, langs het hospitaal naar het midden van de Eerste Hof, waar zich voor de koninklijke bakkerijen een grote groep janitsaren, viziers en imams in een kring rond een oogverblindende gestalte op een wit paard had opgesteld. In zijn vuurrode satijnen kaftan, geborduurd met opvallende sikkels en met de lange mouwen over zijn schouders gegooid, maakte de nieuwe sultan Selim een krachtige indruk. Zijn gezicht straalde jeugdige energie uit en zijn ogen hadden een intelligente blik. Zijn paard was gedekt met een sjabrak. Zo wachtte de Ottomaanse sultan zijn moeder op.

Nakshidil slaakte een zucht van verlichting toen ze Selim zag. Haar ogen lichtten op alsof ze een oude vriend ontdekte. 'Hij is nog aantrekkelijker dan ik me herinnerde – zo heel anders dan Abdül-Hamid,' zei ze tegen me. 'Zelfs zijn baard is kort geknipt.'

Ondanks zijn gedrongen postuur en zijn donkere haar, net als van zijn oom Abdül-Hamid, leek Selim inderdaad veel sympathieker door zijn jeugd, zijn hartelijke gezicht en zijn gevoelige ogen. Zelfs in deze ceremoniële sfeer kwam hij heel toegankelijk over. Maar die korte baard zou snel veranderen. 'Nu hij sultan is, mag hij zich niet meer scheren,' zei ik tegen Nakshidil.

Toen de walidé arriveerde, stapte ze uit haar koets en ving ik mijn eerste glimp op van Mirisjah. Ze was van gemiddelde lengte, met een gebleekte blanke huid en amandelvormige ogen. Ze hield haar schouders recht en liep met een soepele gratie, ondanks haar wat gedrongen bouw.

De nieuwe padisjah begeleidde zijn moeder naar haar nieuwe thuis. Zodra ze de heilige keizerlijke harem had bereikt, zou koningin-moeder Mirisjah de op één na machtigste persoon binnen het rijk van de sultan zijn geworden. Wij, die een paar meter achter haar liepen, voelden de aarde bijna beven.

Slechts een paar weken na Selims installatie in het Topkapi-paleis werd Nakshidil naar het appartement van de sultane walidé ontboden. Ik moest haar begeleiden en ze volgde me zenuwachtig door een eindeloze gang naar een grote binnen-plaats met klinkers. Via een marmeren zuilengalerij, langs een fontein en door een andere smalle gang kwamen we bij een wenteltrap. Boven gekomen hoorde ik dat Nakshidil haar adem inhield. De Hal van de Walidé, met al zijn gouden krul-len, leek nog het meest op een Franse rococozaal. Het ge-welfde, gecompartimenteerde plafond, de vergulde boiserie, de romantische landschappen van de muurschilderingen, de bewerkte nissen en de goudkleurige barokke haard deden haar zo aan het verleden denken dat ze als vanzelf een con-cert van Bach begon te neuriën.

Een beetje angstig om de walidé te ontmoeten, ijsbeerde Nakshidil nerveus door de zaal. Ze wenkte me naar een hoek waar de grote ramen uitkeken over de Zee van Marmara be-neden, de Gouden Hoorn in het midden en wat verderop de Bosporus, met Europa aan de linkerkant en de Aziatische kust rechts. Boten voeren af en aan, als speelgoed in het privé-bad van de walidé.

Ik denk dat ik Nakshidil stoorde in haar overpeinzingen, maar het was belangrijk dat ze zich concentreerde op waar ze was. 'Selim zit nog geen twee maanden op de troon, maar toch heeft hij deze zaal al voor zijn moeder ingericht. Kijk eens naar die inscriptie op de muur, de *tugra* van de sultan,' zei ik, wij-zend naar Selims persoonlijke symbool en zijn naam in Ara-bisch schoonschrift. 'Die tugra zal op al zijn officiële documen-ten worden gebruikt.'

'Denk je dat Selim deze hele zaal heeft laten bouwen?' vroeg ze.

'Iedere sultan neemt dingen uit het verleden waarop hij zijn eigen stempel zet. Een deel van deze ruimte zal wel hebben bestaan, maar tientallen slaven hebben dag en nacht gewerkt om er zo snel mee klaar te zijn.'

'Hij moet veel van zijn moeder houden,' zei ze.

'Kijk daar eens.' Ik knikte naar een plek boven de deur. 'Daar staat: MIRISJAH, EEN ZEE VAN GOEDERTIERENHEID EN EEN BRON VAN STANDVASTIGHEID. Dat maakt wel duidelijk hoe hij over haar denkt.'

Daarmee wees ik naar de divan die rond de hele kamer liep en gaf Nakshidil een teken om te gaan zitten. Maar net op dat moment kwam Mirisjah binnen. Nakshidil sprong overeind, maakte een knieval, raakte met haar lippen en haar voorhoofd de hand van de walidé aan en boog zich naar de vloer.

De sultane walidé nam haastig plaats op haar troon, geflankeerd door twee zwarte eunuchen. Ze moest een mooie vrouw zijn geweest, dat was nog goed te zien. Hoewel haar jeugd inmiddels net zo ver weg lag als de bergen van Georgië, had ze nog altijd dik bruin haar, hazelnootbruine ogen en krachtige jukbeenderen in een breed Slavisch gezicht.

Ik had gehoord dat ze als meisje van negen op de slavenmarkt in Istanbul was verkocht en in 1757 naar sultan Mustafa III in het Topkapi was gebracht, waar ze hem een groot aantal kinderen had geschonken, van wie nog twee dochters en een zoon – Selim – in leven waren. Na Mustafa's dood in 1774, toen Abdül-Hamid de troon overnam, was ze naar het Paleis van Tranen verbannen, waar ze bijna vijftien jaar had gewoond. Maar zelfs in dat akelige gebouw had ze haar waardigheid behouden als moeder van een prins, met de houding van een vrouw die een natuurlijk gezag uitstraalde.

Zoals ze op de troon zat, met haar hoofd fier overeind en

haar rug zo recht als de lans van een hellebaardier, leek ze een sterke, intelligente vrouw. Wee de slavinnen, dacht ik, bevend in mijn schoenen. Een eunuch reikte haar een amberkleurige pijp aan en gaf haar vuur met een gloeiend kooltje. Ze inhaleerde door de met diamanten bezette steel, blies de rook uit en nam het woord. Heel langzaam leek ze te veranderen. Haar bruine ogen glinsterden en de afkeurende trek om haar mond verzachtte tot een glimlach toen ze op afgemeten toon haar nieuwsgierigheid bevredigde.

'Vertel me eens, kind,' zei ze tegen Nakshidil. 'Ik weet dat je hierheen bent gestuurd door de bei van Algiers als geschenk aan sultan Abdül-Hamid, maar hoe was je in handen van de bei gekomen?'

Nakshidil stond voor haar met gebogen hoofd en haar handen tegen haar zij geklemd om te voorkomen dat ze trilden. Ik bleef naast haar staan als tolk, als dat nodig mocht zijn. Het was voor het eerst sinds haar komst hier dat Nakshidil vrijuit over haar jeugd kon spreken. Hoewel ze mij zo nu en dan even aankeek voor een vertaling, vloeiden de woorden gemakkelijk van haar lippen. Misschien was het de nieuwsgierigheid van de oudere vrouw na haar lange afzondering in het Eski Saray, of gewoon haar belangstelling voor de buitenwereld, maar elk antwoord van Nakshidil leidde tot nieuwe vragen van de walidé.

'O, majesteit,' begon het meisje, 'een paar dagen voor mijn negende verjaardag, in april 1785, besloten mijn ouders me naar een school in Frankrijk te sturen.'

'Is dat ongebruikelijk?' vroeg de walidé.

'Dat doet elke creoolse familie die het zich kan veroorloven. Onze voorouders kwamen allemaal uit Frankrijk en de meesten hebben nog familie daar.'

'Juist.' Mirisjah zoog weer aan haar pijp.

'De ochtend van mijn vertrek ontbeet ik, zoals gewoonlijk.

Ik herinner me nog de smaak van de verse sinaasappels, het brood en de warme chocolade. Daarna vertrokken we naar de haven. Ik zie de kade van Martinique nog voor me: haastige zeelui, kisten met suiker, kruiden en tabak die aan boord werden gedragen, en mijn moeder die met een parasol in de hete zon stond, geurend naar jasmijn.

Mijn vader, klein van stuk maar een groot man op Martinique, verraste me door een dunne gouden ketting uit zijn zak te halen. Er zat een hanger aan die van mijn moeder was. Toen hij zich naar me toe boog om het kettinkje om mijn hals te leggen, rook ik zijn eigen luchtje, een mengeling van tabak en zoet suikerriet. Ik kuste hem op zijn wang en zoende daarna maman. Ik mocht nooit vergeten dat haar liefde in die hanger lag opgesloten, zei ze. Ik zag haar lippen trillen en ze wendde haar hoofd af om haar tranen te verbergen. Papa zei altijd dat ik het beste van hen in me verenigde: mamans gebeeldhouwde gezicht en elegante manieren en zijn eigen intelligentie en vastbeslotenheid.'

Ik zag de walidé naar haar pijp staren.

'En toen ben je vertrokken?' zei ik.

'De boot voer die ochtend uit, en ik ging op weg met mijn zwarte kinderjuf. Ik was angstig en verward, bang om bij mijn ouders weg te gaan, met Zinah. Ze was niet veel ouder dan ik, maar het leven had haar al vroeg volwassen gemaakt. Toen we de haven zagen verdwijnen, sloeg ze haar grote armen om me heen, glimlachte met haar vollemaansgezicht en zei: "Dit wordt een prachtig avontuur."'

'Waar voer het schip naartoe en hoe lang duurde de reis?' vroeg de walidé.

'We gingen naar Bordeaux. Daarvandaan zouden we over de Loire naar het klooster in Nantes varen. De reis over de Atlantische Oceaan duurde zes weken en verliep voorspoedig. Eind juli kwamen we in Nantes aan.'

'En toen?'

'Algauw vonden we de rue Dugast-Mattifeux en de indrukwekkende poort van Les Dames de la Visitation. Daar werden we opgenomen. Zinah kreeg werk in de tuin en ik werd een "jonge zuster", zoals alle meisjes van mijn leeftijd daar, en leerde het kloosterleven. Maar ik miste mijn familie heel erg en elke ochtend als ik wakker werd, tastte ik naar de hanger om mijn hals om zeker te weten dat mamans liefde nog altijd bij me was.'

'Wat hield dat kloosterleven in?' vroeg Mirisjah. 'Was het vergelijkbaar met de harem?'

'In sommige opzichten wel,' antwoordde Nakshidil. 'Er waren twintig meisjes van mijn eigen leeftijd, onder toezicht van een van de visitandinnen – nonnen die zichzelf aan geen enkele man geven, alleen aan God.'

'En hoe zag je dag eruit?'

'Elke ochtend waste ik me, kleedde me aan en maakte mijn bed op. In plaats van de divans hier in de slaapzaal hadden we een rij harde bedden, op precies vijfenzeventig centimeter van elkaar. Beneden kregen we ontbijt: knapperig brood en dikke, warme chocola, die me aan thuis herinnerde. Daarna deed ik een sluier voor om samen met de anderen te bidden, voordat de lessen begonnen.'

'Wat leerde je daar?'

'Ik hield het meest van handwerken, muziek en dansen.'

'Net als hier,' merkte de walidé op.

'Ja, net als hier. Maar er waren ook andere vakken. Als ik zelf had mogen kiezen zou ik niets anders hebben gedaan dan borduren, dansen en vioolspelen. Maar de nonnen legden ook de nadruk op een academische opleiding: een streng programma van geschiedenis, rekenen, literatuur, Latijn, spelling, schoonschrift, sociale vaardigheden en natuurlijk de catechismus. Elke avond moesten we lange teksten uit ons hoofd leren; vreselijk

vond ik dat! De volgende ochtend moesten we die dan opzeggen voor de nonnen.'

'Vreemd,' zei Mirisjah. 'Vrouwen die geschiedenis, rekenen
en literatuur studeren. En die catechismus waar je het over
had, wat is dat?'

'Vragen en antwoorden die we moesten leren over het ka-
tholicisme.'

'Ik neem aan dat je die kennis uit je hoofd hebt gezet,' zei
de walidé stuurs. 'De islam is de hoogste godsdienst. Jezus is
een van onze profeten, net als Mozes en de anderen, maar
meer ook niet. Dat heb je nu toch wel geleerd?'

Het meisje knikte zwijgend.

'Maar heb je ook geleerd een vrouw te zijn?' vervolgde de
walidé. 'Hebben ze je onderwezen hoe je een man moet behagen?'

'O ja, majesteit, dat leerden we ook: wat onze taken waren
in het gezin, hoe we de wensen van onze man moesten gehoorzamen, voor onze kinderen moesten zorgen en vooral ons
als goede christenen moesten gedragen. We hielden ons aan
de woorden van madame De Maintenon. Een vrouw "moet
leren gehoorzamen", zei zij tegen haar leerlingen, "want gehoorzaamheid is voor eeuwig".'

'Heel wijs van die mevrouw,' mompelde de walidé. 'En ben
je ooit iemands vrouw geworden?'

Nakshidil schudde haar hoofd. 'Nee. Ik heb meer dan drie
jaar in het klooster gezeten. Toen, in juni 1788, vierde mijn familie een bruiloft in Frankrijk, niet mijn huwelijk maar dat van
een nicht. Een paar dagen later gingen Zinah en ik aan boord
van een zeilschip, terug naar huis. We wisten ternauwernood
aan een storm met zware hagelbuien te ontkomen, zonder te
kunnen vermoeden dat ons iets veel ergers wachtte.'

'Wat bedoel je?'

'Ons schip werd overvallen door piraten en iedereen aan

boord werd naar Algiers gebracht. De mannen werden afgevoerd in ijzeren ketenen en ik moest voor de bei verschijnen,
die zijn kaapvaarders bevel gaf mij hierheen te brengen. Zo
had ik me mijn leven niet voorgesteld. Het was een grote
schok.'

'Juist. Ik begrijp het,' zei Mirisjah, en ze knikte meelevend.
'Eén ding heb ik wel geleerd. Hoe voorspelbaarder het leven
lijkt, des te groter de kans op ingrijpende veranderingen.' Met
die woorden waarschuwde ze Nakshidil om niet met de andere meisjes over haar verleden te spreken en haar aandacht op
de toekomst te richten.

'Sultan Selim vindt je aantrekkelijk. Je bent *godze*, dat wil
zeggen "in het oog" van mijn zoon,' verklaarde de walidé.
'Daarom zul je worden overgebracht naar een groter vertrek en
dingen leren die een man behagen – niet alleen hem gehoorzamen, maar hem ook plezieren. Als je dat allemaal goed leert,
word je misschien ooit naar zijn bed ontboden. En vandaar is
het maar een kleine stap naar gunstelinge of concubine.'

7

Nakshidils nieuwe onderkomen lag dichter bij de vertrekken van de walidé. Het was een grote ruimte met plaats voor vijf meisjes, een verbetering vergeleken bij de drukke slaapzaal van de novicen, met kleine raampjes die uitkeken over een binnenplaats maar nog altijd met slechts één brander om hen warm te houden. De vloer en de muren waren kaal, ook hier stonden divans langs de wanden en er was een kast voor hun eigen spulletjes. Nakshidil zou doorgaan met borduurwerk, muziek en dans, maar zoals Mirisjah had gezegd zou ze ook les krijgen in levenskunst.

Op bevel van de walidé werd ik door de zwarte oppereunuch aangesteld om een oogje op Nakshidil te houden tijdens de dagelijkse lessen. Het programma begon meteen. Een groot deel van de tijd werd besteed aan Turkse les, zodat ze steeds beter leerde converseren. Ze kende al genoeg woorden voor de belangrijkste behoeften van alledag, maar een goed gesprek voeren vereiste grote inspanning. Ze sprak de r nog steeds in haar keel uit, in plaats van op het puntje van haar tong. En ze hield haar lippen getuit, niet glad. Bovendien legde ze nog dikwijls de nadruk op de verkeerde lettergrepen. Ook kreeg ze schrijfles in Ottomaans Turks, maar die mengeling van Arabisch schrift en Turkse woorden (met wat Perzisch en Arabisch) bracht haar nog in grote verwarring.

Er waren ook andere lessen. In de privé-keuken van de walidé leerde ze bepaalde schotels klaar te maken. Haar lerares was een slavin die nooit door de sultan was ontboden, maar toch was opgeklommen binnen de paleishiërarchie, zodat ze nu de leiding had over de keuken van de koningin-moeder. Haar naam, Gulbahar, betekende 'lenteroos', maar door al die jaren van celibaat was de arme vrouw een verwelkte bloem geworden. De kans om de gretige Nakshidil onder haar hoede te nemen, was als een zonnestraal in haar bestaan. Ze fleurde op als ze het meisje zag.

Koffie was het middelpunt van het Ottomaanse leven, zei ze, en ze citeerde het beroemde gezegde: 'Een kop koffie verplicht je tot veertig jaar van vriendschap.'

'Ja,' beaamde Nakshidil, 'maar ik heb er nog steeds moeite mee. Ik kan niet wennen aan die sterke smaak.'

Gulbahar keek verbaasd. 'Hoezo?' vroeg ze. 'Iedereen drinkt hier koffie.'

'Als kind dronk ik alleen chocola,' zei Nakshidil, 'en nu alleen thee.'

'Nou ja, dat doet er niet toe,' zei de vrouw, en ze wuifde Nakshidils protesten weg. 'Als de sultan trek heeft in een schuimende kop zwarte koffie, moet je die kunnen zetten.'

Nakshidil leerde de donkere bonen malen en ze vermengen met koud water en suiker, voordat het mengsel werd gekookt met kardemom. Maar het belangrijkste was dat ze de dampende pot hoog boven het kleine kopje wist te houden om de dikke koffie schuimend in te schenken.

'Proef maar,' drong Gulbahar aan, en ze hield haar een porseleinen kopje voor in een houder van filigreinwerk. Nakshidil nam een slokje van het schuim en maakte een grimas.

'Je went er nog wel aan,' zei ik.

Gulbahar knikte bevestigend. 'De sultan zal willen dat je koffie met hem drinkt, en het is onbeleefd om te weigeren. Je krijgt de smaak nog wel te pakken.'

Na een tijdje kon Nakshidil heel goed koffiezetten en vond Gulbahar het tijd worden voor de volgende stap.

'Je moet één of twee gerechten leren koken die een man echt gelukkig kunnen maken. Het maakt niet uit of het eenvoudige of ingewikkelde recepten zijn, als je ze maar goed uitvoert, zodat ze een glimlach op zijn lippen brengen.'

'Wat stel jij voor?' vroeg Nakshidil, die de nieuwe sultan graag wilde behagen.

Gulbahar raadde een paar dingen aan die Nakshidil misschien zelf ook lekker zou vinden. 'Dan geeft je eigen enthousiasme nog meer smaak aan het eten,' zei ze, en ze voegde eraan toe: 'Ik zeg erbij dat de sultan altijd alleen eet. Jouw rol is zijn eten klaar te maken en dan te kijken hoe hij ervan geniet.'

Ze kozen voor een gerecht van gerookte aubergine – die in de Ottomaanse wereld nog hoger stond aangeschreven dan kaviaar – en honingtaart. 'De liefde voor zoetigheid komt voort uit het geloof; ware gelovigen zijn zoet, ongelovigen zijn zuur,' citeerde de lerares uit de koran.

Het recept voor bladerdeeg en walnoten vergde veel geduld. We keken toe hoe Gulbahar het bladerdeeg rolde tot het vliesdun was. Het mocht niet te droog worden, waarschuwde ze, omdat het dan zou breken, maar je mocht het ook niet besprenkelen met te veel water, omdat het dan te taai werd. Toen ze het zo ver mogelijk had uitgerold, gaf ze Nakshidil een veer. Het meisje doopte hem in gesmolten boter en smeerde die over het vel bladerdeeg. Daarna ging er een laagje gesnipperde walnoten overheen. Dit herhaalde ze zes keer, toen sneed ze de lagen in kleine vierkantjes, druppelde er water overheen en zette ze in de oven. Toen ze klaar waren, werden ze besmeerd met een mengeling van rozenwater en honing en konden ze afkoelen.

'Deze baklava doet me denken aan de *mille-feuilles* die op Martinique vaak werd gemaakt,' zei Nakshidil, terwijl ze de zoete baklucht opsnoof. 'Dan stond ik in de grote keuken en keek hoe de koks het deeg uitrolden. Het lekkerste was natuurlijk om het gebak te proeven zodra het uit de oven kwam.' En met die woorden stak ze mij een stukje baklava in mijn mond.

'Lekker?' vroeg ze.

'Heerlijk,' zei ik. 'Het werk van een ware gelovige.'

Nu ze eenmaal aan haar jeugd terugdacht, herinnerde ze zich ook een ander toetje dat de koks dikwijls maakten. Ze klopte suiker met eigeel, perste een sinaasappel uit en deed het sap erbij. 'Het belangrijkste is de drank,' zei ze wat spijtig. 'Maar dat is tegen de regels van de islam. Hoe kom ik nou aan drank?'

Ik wist dat het paleishospitaal alcohol gebruikte als verdovend middel tegen pijn. Er waren heel wat bewoners van het Topkapi die soms een pijnaanval simuleerden om een slokje te kunnen nemen. Ik zag de glinstering in Gulbahars ogen en vroeg me af of zij ook zoiets in gedachten had. 'Ik kook al jaren voor Mirisjah,' zei ze. 'Kun je een geheim bewaren?'

'Natuurlijk,' zei Nakshidil.

Ze keek naar mij. 'En jij, Tulp?'

'O, zeker,' stelde ik haar gerust. Wilde ze soms voorstellen om allemaal naar de ziekenboeg te vertrekken? Nee, ze had een beter idee. Met een lange arm reikte Gulbahar achter een van de kasten.

'We hebben altijd wat likeur in de provisiekast. Zelfs in het Paleis van Tranen wisten we dat nog te verstoppen.'

En met die woorden haalde ze een kleine fles tevoorschijn en hield hem omhoog. We lazen het etiket, *Goudwater*, en schoten in de lach toen Nakshidil wat van de alcohol in de kom goot. Daarna ging het eiwit erbij, en op voorstel van Gulbahar voegde ze als afrodisiacum nog wat ambergrijs toe voordat ze de kom in de oven zette. Na een halfuurtje maakte ze de oven open en hield haar adem in toen ze het baksel eruit haalde.

Ik wilde enthousiast in mijn handen klappen toen ik de hoge soufflé zag, maar Nakshidil greep mijn armen vast. 'Als je geluid maakt zakt alles in,' waarschuwde ze.

We namen alle drie een hap van de warme soufflé, die een bitterzoete smaak had. Ik had nog nooit zoiets geproefd als die luchtige korst en die zachte, sponsachtige vulling. 'Als al het andere niet werkt, moet dit de sultan toch zéker in een goed humeur brengen,' merkte ik op.

's Middags was het de zwarte eunuch Anjer die Nakshidil lesgaf in erotiek. Zijn lange gestalte en zijn ronde hoofd pasten bij zijn naam en als hij binnenkwam, verspreidde hij een geur van rozen. In het begin was Nakshidil nog een beetje nerveus, maar Anjers zachte stem hielp haar over de zenuwen heen.

'Je moet goed bedenken dat seks niet alleen lichamelijk is, maar ook spiritueel,' zei Anjer op de eerste dag. 'Je lichaam is een vat dat met liefde moet worden gevuld. Pas als we leren genieten van ons eigen lichaam zullen we ook onze geliefden genot kunnen geven.'

Nakshidil keek hem tersluiks aan en ik wist dat ze in het klooster heel andere dingen had geleerd.

'In *De tuin der geuren* staat geschreven dat Allah ons de kus op de mond, de wangen en de hals heeft geschonken, maar ook de versmelting van smachtende lippen.' Hij liet zijn tong langs zijn eigen roze lippen glijden en vervolgde: 'Ik citeer: "Hij heeft een vrouw ogen gegeven die liefde inspireren, en wimpers zo scherp als gepolijste messen. Met welgevormde flanken en een heerlijke navel heeft Hij de schoonheid van haar lichtgewelfde buik nog vergroot."'

Anjer trok Nakshidil overeind, streek met zijn hand over de zachte huid van haar buik en navel, en raakte teder haar wangen aan. 'God heeft de mens een mond, een tong, twee lippen en een vorm gegeven als de voetafdruk van een gazelle in het zand van de woestijn,' zei hij, terwijl hij zijn vinger over haar gezicht liet glijden.

Ik zag dat Nakshidil geraakt werd door zijn woorden. Haar blauwe ogen volgden al zijn bewegingen en ze boog haar hoofd wat dichter naar het zijne. Haar mond was open, als om gekust te worden, maar hij ging door.

'De woorden van de dichter zijn mooi en waar,' zei hij. 'Je kunt niet weten hoe pijnlijk het voor mij is om ze uit te spreken. Dat is zowel mijn straf als mijn vervulling.'

Ze keek hem bevreemd aan.

'Ik zal je iets vertellen,' vertrouwde hij haar toe, 'maar je moet beloven het geheim te houden.'

'Natuurlijk,' fluisterde ze, een beetje angstig voor wat ze misschien te horen zou krijgen.

'Zelfs wij... hoewel we gecastreerd zijn en onze testikels hebben verloren of erger... koesteren nog seksuele verlangens.' En hij zuchtte diep.

Ik vroeg me af of hij dat zei om haar te prikkelen, om haar angst weg te nemen, of omdat hij zelf door haar onschuld was verleid. Weer wierp Nakshidil hem zo'n vreemde blik toe, alsof ook zij zich afvroeg waarom hij haar die bekentenis deed. Ze keek even naar mij, maar ik zei niets. Het leek me beter mijn gedachten en verlangens voor mezelf te houden.

'Er zijn eunuchen die proberen vrouwen te bevredigen en daar zelfs in slagen,' zei hij. Hij keek nu ook naar mij, maar ik hield mijn hoofd gebogen en staarde naar de vloer.

'Natuurlijk,' vervolgde hij, 'kunnen we nog altijd onze mond gebruiken, en dat kan heel plezierig zijn voor een vrouw. En dan zijn er de hulpmiddelen die je in de bazaar kunt kopen.'

Ik was benieuwd of hij een van die dingen aan Nakshidil zou laten zien, maar aan zo'n schok was ze nog niet toe, besefte ik – net als hij.

'Weet je,' zei hij met een zucht, 'sommige eunuchen zijn zelfs met slavinnetjes getrouwd en hebben ze gelukkiger gemaakt dan ze bij een normale man zouden zijn geworden. Natuurlijk zijn er ook eunuchen die de voorkeur geven aan jongens, zoals sommige vrouwen een voorliefde hebben voor elkaar. Dat is toch niet nieuw voor je?'

Was dit een test? vroeg ik me af. Op Nakshidils gezicht stond haar afkeer duidelijk te lezen. 'Ik heb wel vrouwen gezien die elkaar betastten in het bad,' zei ze.

'En vond je dat een prettig idee?' vroeg Anjer.

'Ik werd er misselijk van,' antwoordde ze.

'Dat is nergens voor nodig,' zei hij. 'Er zijn tijden geweest waarin sultans graag vrouwen met elkaar bezig zagen. En momenten waarop sultans een man naar hun bed ontboden. Dat is allemaal volstrekt normaal.'

De meisjes in de harem spraken er weleens over, maar ik wist dat Nakshidil dat niet graag hoorde. Met onverholen afgrijzen staarde ze Anjer aan.

'Zo is het leven,' zei hij, toen hij haar reactie zag. 'Daar mag je je niet voor verstoppen. Wat sultan Selim betreft, moet je alle plekjes van zijn lichaam leren kennen en hoe je ze kunt beminnen.'

Toen we op een middag aan de koffie zaten, sneed Nakshidil het onderwerp eunuchen bij me aan. 'Tulp,' zei ze met een lief stemmetje, bijna flirterig, 'hoe is het mogelijk dat sommige eunuchen toch gemeenschap kunnen hebben met een vrouw?'

'Ik heb vrienden die wel hun testikels kwijt zijn, maar nooit het vermogen hebben verloren om een vrouw te penetreren met hun penis,' legde ik uit. 'Bij anderen is hun orgaan teruggegroeid. Natuurlijk moeten ze dat verbergen bij het jaarlijkse lichamelijke onderzoek door de paleisartsen. Maar bij de meeste eunuchen bestaat het verlangen nog wel, maar zonder de middelen.'

'Wat erg,' fluisterde ze, en ze raakte mijn arm even aan.

In de dagen en weken die volgden liet Anjer haar allerlei boeken en handleidingen lezen over erotiek. *De tuin der geuren* werd haar bijbel en de *Kama Sutra* haar mantra. Met behulp van voorwerpen in de vorm van een mannelijke penis leerde Anjer haar hoe ze de sultan stijf kon krijgen, zijn genot kon uitstellen en hem ten slotte in extase kon brengen.

'Je moet spelletjes doen,' raadde hij haar aan. 'Om de sultan geïnteresseerd te houden.'

'Wat voor spelletjes?' vroeg ze.

'Kussen, bijvoorbeeld. Ga een wedstrijdje met hem aan wie de onderlip van de ander te pakken kan krijgen, alleen door je eigen lippen te gebruiken. Als jij wint, neem zijn lip dan tussen je tanden, maar blijf lachen en wees heel voorzichtig. Zeg hem dat je gewonnen hebt en dat je hem zult bijten als hij zich beweegt. Plaag hem met je ogen.'

'En als hij wint?'

'Doe dan alsof je je hevig verzet. Sla met je vuisten tegen zijn borst en smeek hem met je ogen om je los te laten.'

'Zijn er ook andere spelletjes?' vroeg Nakshidil.

'Verzin ze zelf maar. Het is belangrijk om nieuwe manieren te bedenken om te vrijen, zodat hij het elke keer weer spannend vindt.'

Dagenlang dacht ze bijna nergens anders aan, en net zoals ze had geleerd de sultan te behagen met haar danskunst, leerde ze nu hoe ze hem moest plezieren in de liefde.

Zes maanden verstreken voordat Nakshidil iets van Selim hoorde, maar eindelijk kwam er bericht dat de sultan haar wilde zien. Op de gebruikelijke manier werd ze naar het privé-bad van de walidé gebracht, waar ze bijna een hele dag uitvoerig werd verzorgd. Slavinnen masseerden haar om haar armen en benen te ontspannen en haar zenuwen tot rust te brengen. Ze smeerden haar gezicht in met crèmes van amandel en jasmijn om haar huid gladder en witter te maken. Opnieuw inspecteerden ze haar armen en benen op zelfs maar het kleinste haartje, en ik legde haar uit dat het ritueel wat uitvoeriger zou zijn omdat ze nu volwassen was.

'Het stinkt wel,' waarschuwde ik haar toen er een slavin verscheen met een bakje onaangenaam riekende gele pasta. Met snelle bewegingen smeerde ze een laag kalk en arseen over Nakshidils benen, onderzocht haar overal, smeerde het spul toen onder haar armen en zelfs over haar intiemste delen. Het meisje kneep haar neus dicht tegen de stank.

'Niet aan denken,' zei ik. 'Praat maar ergens anders over.'

'Hoe zal hij zijn?' vroeg ze. 'Wat heb je over de sultan gehoord?'

'Ik weet zeker dat hij heel aardig is,' zei ik. 'Hij schijnt een gevoelige man te zijn.'

'Mijn droom is dat hij me zal behandelen alsof hij de prins is en ik het meisje met het glazen muiltje.' Ze keek naar haar benen en inspecteerde de stinkende pasta. 'Maar waarschijnlijk,' zei ze, 'zal hij wel net zo zijn als zijn oom, Abdül-Hamid. En na afloop zet hij me als oud vuil bij de deur.'

Voordat ik haar gerust kon stellen, arriveerde de oude zwarte badslavin om de branderige pasta met een scherpe mosselschelp van haar benen te krabben en haar nog eens te onderzoeken, zodat ze zeker wist dat er geen haartje achtergebleven was.

Andere slavinnen deden haar weer in bad, wasten haar lange blonde haar en wreven haar in met honderden rozenblaadjes. Ze besteedden veel aandacht aan het schilderen van haar wenkbrauwen met Oost-Indische inkt en het opmaken van haar ogen met kohlpotlood. Ze vond het nog steeds niet prettig dat ze haar wenkbrauwen lieten doorlopen, maar ze gaf haar verzet op toen ik haar zei dat ik had gehoord dat Selim dat mooi vond. Ze glimlachte, zoals altijd, toen ze haar nagels met henna verfden, en knikte toen ze haar vroegen of ze een tatoeage wilde.

De sterke lucht van eucalyptus zweefde om haar heen toen ze het over haar been wreven om de poriën te openen. 'Dat heb ik nog liever dan die arsenicum,' zei ze met een lachje, terwijl ze keek hoe een van de slavinnen het hennapoeder vermengde met kruidnagelen en citroensap. Toen de pasta zo dik was als lijm, schepte het meisje hem in een linnen puntzak en tekende met het dunne puntje een tulp op Nakshidils enkel. Daarna smeerde ze er een dun laagje stroop overheen, van honing en citroen.

'Mooi?' vroeg ik. Nakshidil bekeek haar enkel en glimlachte.

'Moet het andere been ook niet?' vroeg ze.

Terwijl de henna donker opdroogde, kamden ze haar heuplange blonde lokken en vlochten er diamanten doorheen. De meesteres van de garderobe koos een nachtgewaad van dunne tule en doorschijnende zijde voor haar uit, gedrenkt in een parfum van rozen. De meesteres van de sieraden omhing haar met glinsterende diamanten, roomwitte parels, robuuste smaragden, robijnen en saffieren, zodat haar oren, haar hals, haar armen, haar middel, haar enkels en haar voeten fonkelden als ze zich bewoog. Nakshidil straalde als een engel.

8

Het leek wel of alle slaven en slavinnen opdracht hadden gekregen hun ogen en oren te sluiten. De deuren en ramen van de slavenvertrekken waren dicht en niemand mocht zich op de gang vertonen toen de zwarte oppereunuch en ik Nakshidil uit het appartement van de walidé naar de vertrekken van de sultan brachten.

'Ik voel mijn hart bonzen,' fluisterde ze. 'Ik weet zeker dat het hele paleis het kan horen.'

Toen we vlak bij de kamer van de padisjah waren, bleef ze staan. Ik zag de paniek in haar ogen. 'Denk eraan dat alles stil is en dat hij in bed op je ligt te wachten,' zei ik. 'Je weet wat je moet doen.'

We lieten haar achter bij de eunuchen die op wacht stonden bij de deur en wensten haar veel succes. Bilal Agha draaide zich om en vertrok, maar ik bleef wachten tot ze de kamer van de sultan was binnengegaan. Ik herinnerde me het kijkgaatje onder in de deur van Abdül-Hamids kamer, en hoewel Selim een ander appartement had gekozen, was ik ervan overtuigd dat de eunuchen hun werk hadden gedaan. Ik vroeg de twee bewakers of ik mocht kijken, in ruil voor wat gouden munten. Er volgde een korte onderhandeling die me meer kostte dan me lief was, maar in elk geval zat ik nu eerste rang.

Ik boog me naar het kijkgat en mijn oog sprong van de geglazuurde wandtegels met rood-blauwe bloemmotieven naar het gekleurde glas van de ramen, de reusachtige houtblokken in de bronzen haard en de fontein van geschilderd marmer.

'Kom eens hier, kind,' hoorde ik een man zeggen.

Nakshidil schrok van de diepe stem, net als ik. Hoewel ik de sultan in bed had verwacht, zag ik hem op de overkapte divan zitten, in een mantel van rood satijn. Nakshidil maakte een buiging en liep over de Perzische kleden naar hem toe. Ik zag de aarzeling in haar houding en nam het mezelf kwalijk dat ik haar niet op deze situatie had voorbereid.

Ze kuste de zoom van zijn kaftan en ging naast hem zitten op de grond. Haar blik viel op zijn zachte handen en de kostbare ringen aan zijn vingers. Langzaam tilde ze haar hoofd op, maar zonder hem aan te kijken. 'Wees maar niet bang,' hoorde ik hem zeggen.

'Ik moet bekennen, mijn sultan,' zei ze zacht, bijna fluisterend, 'dat ik wel angstig ben.'

'Je hebt niets te vrezen,' stelde hij haar gerust. 'Mijn lieve moeder heeft me over je creoolse achtergrond en je school in Frankrijk verteld. Ik ben heel nieuwsgierig om daar wat meer over te horen.'

'O, majesteit, u overvalt me,' zei ze met een honingzoete stem. 'Ik... ik dacht dat u andere dingen wilde.'

Dat had ik ook gedacht. Misschien wilde hij het ijs breken met dit gesprekje, om haar voor te bereiden op wat komen ging. Maar blijkbaar was hij echt in Frankrijk geïnteresseerd.

'Dankzij mijn moeder en wijlen mijn oom, sultan Abdül-Hamid, heb ik les gehad van vele leraren en me ook verdiept in dingen buiten Istanbul. Zo heb ik de verslagen van onze gezant gelezen over het hof van Lodewijk XV.'

Nakshidil luisterde aandachtig toen hij sprak, met grote ogen, alsof elk woord een parel van zijn lippen was.

'De afgelopen drie jaar heb ik gecorrespondeerd met koning Lodewijk XVI. Ik heb gelezen over de Franse militaire macht, maar ook over de Franse cultuur: muziek, toneel, wetenschap en sociale gebruiken. Graag zou ik weten of dat alles met de werkelijkheid overeenkomt. Daarom heb ik je laten komen.'

Hij stak een vinger op en vanuit mijn positie kon ik zien dat er slavinnen de kamer binnenkwamen om koffie in te schenken in met diamanten bezette kopjes. Anderen brachten pistachesnoep in gouden schaaltjes. Twee meisjes zetten een nargileh bij de sultan neer. Toen iedereen weer was vertrokken, lurkte Selim van de zoete tabak en bestookte Nakshidil met vragen.

'Ik zou graag wat meer willen horen over je opleiding,' zei hij. 'Vooral over de muziek. Wat leerden ze je in dat klooster?'

'Ik volgde verschillende lessen, mijn padisjah,' zei ze. 'Ik heb de harmonische theorieën van Jean-Philippe Rameau bestudeerd, en de manier waarop de barokcomponisten gebruik maakten van de contrasten tussen luid en zacht, snel en langzaam, orkest en solo, ter verrijking van hun muziek.'

'Kreeg je alleen maar theorie?'

'Eerst wel. Maar toen zuster Thérèse me leerde hoe ik viool moest spelen, vond ik dat geweldig. Ze liet me haar lievelingsstukken oefenen: sonates, suites en concerti grossi van Vivaldi en Bach.'

'Waarom juist die componisten?'

'O, mijn glorieuze sultan, hun muziek is zo zoet als de honing van baklava.' Ze glimlachte, alsof ze een geheim verklapte. 'Ik denk dat Bach en Vivaldi haar favorieten waren omdat de één koordirigent was in een kerk en de ander muziekles gaf in een christelijk weeshuis.'

'Waren er nog meer componisten waar ze van hield?'

'O ja, majesteit. Zuster Thérèse leerde me ook een vioolconcert van Mozart. Ze noemde het zelfs zijn "Turkse concert". En toen ze een nieuwe opera hoorde die hij had geschreven, vond ze die zo prachtig dat ze me sommige passages leerde.'

'Hoe heette die opera?'

'Vergeef me, mijn sultan, maar hij heette *Die Entführung aus dem Serail.*'

'Juist,' zei Selim, en hij trok nog eens stevig aan zijn *hookah.*

Laat in de nacht, na nog veel meer vragen, meer koffie en meer snoep, zweeg hij een moment en zei toen plechtig: 'Ik vond het bijzonder belangwekkend.'

Ze knikte en wachtte op wat komen ging. Daar twijfelde ze niet aan, evenmin als ik. Ze wierp een steelse blik op zijn hazelnootbruine ogen en zijn zachte lippen.

'Ik hoop dat we dit gesprek een andere keer kunnen voortzetten,' vervolgde hij, een beetje afstandelijk. 'Maar nu moet ik slapen.' Hij wenkte een van zijn eunuchen.

Nakshidil keek verbaasd toen hij haar zijn rug toekeerde en ik rende haastig bij de deur vandaan om me te verstoppen toen ze naar buiten kwam en door een andere eunuch naar haar kamer werd teruggebracht.

De volgende morgen trof ik haar in het bad, waar de roddels zoals gewoonlijk net zo dampig waren als de hitte vanaf de vloer. Natuurlijk zag ik de valse blikken van jaloezie en de smalende gezichten van degenen die al iets hadden gehoord over haar afwijzing. 'Ik heb het helemaal verkeerd aangepakt,' zei Nakshidil met trillende stem toen ze me vertelde hoe het was gegaan.

Ik luisterde en probeerde haar te troosten, maar ik kon weinig doen. Ze had het bed van sultan Abdül-Hamid gedeeld en natuurlijk wilde geen andere sultan haar nu nog. Ik begreep niet waarom Selim haar in het paleis had laten blijven, tenzij hij echt in haar Franse achtergrond geïnteresseerd was. Maar door de sultan te worden ontboden zonder in zijn bed te belanden, was de grootste vernedering die een meisje kon overkomen.

'Lieve god, want mankeert er aan me? Wat heb ik gedaan?' vroeg ze me steeds opnieuw. 'Ben ik zo lelijk?' Ze bekeek zichzelf in de spiegel en wrong haar handen, wanhopig om haar mislukking. Zelfs Perestu kon haar niet troosten. 'Hij zal je heus nog weleens laten komen,' zei het meisje om haar op te beuren, maar Nakshidil schudde haar hoofd en liep naar de af-koelruimte, waar ze Aysha tegenkwam.

'Gefeliciteerd, Nakshidil. Ik hoorde dat de sultan je had ont-boden. Mag ik bij je komen zitten?' vroeg de vrouw met het rode haar toen ze zag dat Nakshidil haar hand uitstak naar de henna.

In de hoop op een vriendelijk woord gaf Nakshidil haar een teken om te gaan zitten. 'Misschien dat zij weet wat ik moet doen,' fluisterde Nakshidil tegen mij. 'Zij heeft al eens het hart van een sultan gewonnen.'

Terwijl de badslavin de henna mengde, begon Aysha te pra-ten, met drukke gebaren, waarbij ze per ongeluk met haar el-leboog de pot met henna uit de handen van de oude vrouw stootte. Tot mijn afgrijzen zag ik dat de henna over Nakshidils handen en armen stroomde en roodbruine vlekken maakte op haar huid. 'Kun je niet opletten?' zei Aysha nijdig tegen de oude slavin. De zwarte vrouw verontschuldigde zich uitvoerig, maar het duurde dagen voordat de vlekken weer van Nakshi-dils armen waren verdwenen.

'Ik heb niet veel geluk,' zei Nakshidil tegen me.

'Geluk moet je afdwingen,' zei ik. 'Ik heb een idee. Waarom ga je niet naar de kinderkamer? Het geluid van lachende kin-deren helpt je wel over je sombere stemming heen.'

De week daarop werd ze opnieuw ontboden door Selim. Weer vroeg de sultan haar van alles en weer hoorde ik vanaf mijn geheime luisterpost hoe ze hem een beeld schetste van het leven in Frankrijk. Toen ze uitgesproken was, merkte hij op dat ze heel wat had geleerd voor iemand die nog zo jong was. 'De nonnen waren streng en lieten ons hard studeren,' zei ze.

'En waarom ben je uit het klooster vertrokken?' wilde de sultan weten. 'Ging je naar huis om te trouwen?'

'O, hoogste excellentie,' zei ze, 'mijn vader had inderdaad een huwelijk voor me gearrangeerd voor het moment waarop mijn studie zou zijn voltooid.'

'En wie was de kandidaat?'

'Ik zou trouwen met François, de zoon van de rijkste planter op Martinique. Hij was niet alleen rijk, maar ook knap,' zei ze dromerig. 'Lang en slank, met heldere blauwe ogen en een nobele neus. Mijn toekomst was net zo duidelijk als de kaarten van een waarzegster: eerst het klooster, dan trouwen en kinderen krijgen. Een goed en welvarend leven, misschien een beetje saai. Maar ik heb niet zo lang op school gezeten.'

'Waarom niet?'

'De onvrede onder de derde stand in Parijs breidde zich naar het westen uit. Er waren geen grote uitbarstingen in de straten van Nantes, maar demonstranten deelden wel pamfletten uit waarin hun klachten onomwonden werden beschreven. Binnen korte tijd kregen de mensen wel tien van zulke pamfletten per dag in hun handen gedrukt.'

'En wat stond daarin?'

'Ze wilden een evenredige vertegenwoordiging in het parlement.'

'Waar hadden ze die ideeën vandaan?'

'Ze lieten zich inspireren door de Amerikaanse Onafhankelijkheidsoorlog. Sommigen beweerden dat de stad "brandde voor de zaak van de vrijheid". Maar de vlammen werden wat te heet. Mijn familie vertrouwde het niet langer en wilde dat ik veilig terug zou komen naar Martinique.'

'Kind,' zei de sultan, 'ik moet je zeggen dat ik bericht heb ontvangen dat de toestand in Parijs heel verward is. Het is moeilijk om een goed beeld te krijgen van de opstandige bewegingen in Frankrijk. Het volk wil niet alleen een evenredige

116

vertegenwoordiging, maar het verzet zich ook tegen de religie, de adel en de schatkist.'

Hij was moe geworden en riep een eunuch. Opnieuw werd Nakshidil naar buiten gebracht.

Teleurgesteld en boos vroeg ze de zwarte slaaf die haar meenam: 'Ben ik dan geen vrouw? Wat moet ik doen voordat hij me als een geliefde gaat zien?'

Maar de eunuch was stom en staarde haar zwijgend aan.

Deze keer trok Nakshidil zich in haar kamer terug. Dagen kwijnde ze daar weg, in een diepe depressie, zonder nog veel hoop om ooit de status van concubine te kunnen bereiken. Zou ze eindigen als zo'n dorre slavin, vroeg ze mij, met alleen die paar gesprekken als herinnering?

'Natuurlijk niet,' zei ik. Maar in alle eerlijkheid zag haar toekomst er somber uit. Het viel moeilijk te voorspellen hoe het verder zou gaan.

'Soms,' zei ze spijtig, 'zie ik de bruine ogen en de zachte lippen van de sultan voor me en denk ik dat de duivel een spelletje met me speelt.'

Als ze in die stemming was, pakte ze haar handwerk om wat te borduren, maar gooide het gefrustreerd weer neer. Ik stelde haar voor om viool te spelen, maar haar vingers vonden alleen de bittere noten. Op aandringen van Gulbahar probeerde ze afleiding te vinden in de keuken. Maar wat had het voor zin, vroeg ze, als de sultan toch nooit haar maaltijden zou proeven?

Toen ik haar terugzag waren er twee weken verstreken. Ze leek nog steeds droevig en nors. Ze had alles gedaan wat ze kon, zei ze, alles wat ze had kunnen bedenken om hem te behagen, maar hij had geen interesse getoond.

'Ik haat hem,' fluisterde ze kwaad. 'Hij heeft me voor schut gezet. Als ik aan hem denk, met zijn bruine ogen, zie ik zijn sensuele lippen gemeen tegen me grijnzen door mijn tranen heen.'

Het enige wat nog kleur aan haar dagen gaf, waren haar bezoekjes aan de kinderkamer. Op een middag vroeg ze me om mee te gaan en naar de kinderen te kijken: de twee prinsen Mahmoed en Mustafa, de twee jonge prinsessen Hadice en Beyhan (zussen van Selim) en hun halfzusters, die buiten het paleis waren geboren maar als speelkameraadjes naar hen toe waren gestuurd. Er waren nog andere vrouwen daar, onder wie Aysha, die met haar zoon Mustafa bezig was. Het viel me op dat Aysha ook dol was op de twaalfjarige prinses Beyhan, van wie de moeder aan een provinciale gouverneur was uitgehuwelijkt. Nakshidil speelde vrolijk met prins Mahmoed, de kleine jongen wiens overleden moeder ook Nakshidil geheten had. Het jochie van vijf herinnerde zich nog dat hij met ons in de keizerlijke koets had gereden en zocht Nakshidil speciaal tussen de andere vrouwen.

'Nadil,' riep hij haar, niet in staat haar naam goed uit te spreken. 'Nadil, kom met me spelen.' Hij gooide zijn rubberen bal naar haar toe en lachte toen ze hem probeerde te vangen en de bal bij haar vandaan stuiterde.

'Nadil, leer me dit ook,' zei hij, terwijl hij naar haar opkeek met zijn grote bruine ogen en een rimpel trok in zijn neus, die op de hare leek. Glimlachend kwam hij met het dambord aan en Nakshidil leerde hem hoe hij de houten schijven over het bord moest verplaatsen. Toen zijn steen de achterste rij bereikte en werd gedubbeld, riep hij blij: 'Sjah-mat!'

Op een dag toen zijn oudere broer, prins Mustafa, hem uitdaagde tot een spelletje, spoorde Nakshidil hem aan zijn kans te wagen. Ik zette het bord klaar – Mahmoed koos de witte stenen, Mustafa de zwarte – en Nakshidil ging op enige afstand zitten. Mustafa's moeder Aysha schoof achter haar zoon.

'Wat leuk,' zei ze, 'dat kleine Mahmoed probeert te winnen van zijn grote broer.'

'Nakshidil,' zei ik tegen haar, 'kom erbij, dan kun je het zien.'

De jongens begonnen te spelen. In het begin ging het gelijk op, maar toen sloeg Mahmoed een van de stenen van zijn broer en nam een voorsprong. Ik zag Aysha zich naar haar rossige zoon buigen om hem te zeggen wat hij moest doen, maar de slimme Mahmoed sneed hem de pas af, sloeg nog twee van Mustafa's stenen en haalde ze van het bord. Weer boog Aysha zich naar Mustafa toe om hem voor te zeggen, maar nu protesteerde Nakshidil toch. De vrouw met het vlammend rode haar zag kwaad hoe haar zoon nog een zwarte steen verloor, waardoor Mahmoed het spelletje won. Maar ik was ervan overtuigd dat hij en Nakshidil de prijs zouden moeten betalen voor hun overwinning.

Weer werd Nakshidil door Selim ontboden. Ze bereidde zich voor op de volgende afwijzing. Toen ze zijn kamer binnenkwam, wees hij naar een kleedje van marterbont aan zijn voeten en zei dat ze voor hem moest komen zitten. Hij vroeg haar naar boeken en ze vertelde over de poëzie van Shakespeare en Dante, en over de principes van de Verlichting zoals die naar voren waren gebracht door de filosoof Voltaire.

'Verlichting is een groots woord,' zei de sultan. 'Kun je het wat eenvoudiger uitleggen?'

'O, mijn wijze sultan,' antwoordde ze, 'het is een geloof in wetenschappelijke wetten en het inzicht dat de mens een rationeel wezen is. Dat we verstandig kunnen denken en in het belang van onze medemensen kunnen handelen. Het is de simpelste filosofie die er bestaat, gewoon een kwestie van gezond verstand.'

'Inderdaad,' zei hij. 'Maar dat is juist zo moeilijk. Jij noemt het gezond verstand, maar heel weinig mensen handelen daarnaar.'

Ze praatten nog een tijdje over filosofie en later weer over muziek. Hij vroeg haar naar de inhoud van een opera. 'Waar gaat *Die Entführung aus dem Serail* eigenlijk over?' wilde hij weten.

Ze vertelde hem het verhaal van Constanze, het gevangen-genomen Spaanse meisje; de twee mannen die haar komen redden; Osman, de boosaardige bediende van de pasja; het koor van de janitsaren; en de naamgenoot van de sultan, pasja Selim, een vriendelijke en prijzenswaardige man.

Selim lachte bij het idee dat iemand het meisje zou komen redden. Ik ook, maar in stilte.

'Belachelijk,' zei hij. 'Je kunt ervan verzekerd zijn dat geen enkele Turk een meisje uit zijn harem zou teruggeven. Maar...' vervolgde hij, terwijl hij zich op zijn hoofd krabde, 'je zei dat ze alles zingen wat ze zeggen. Kun je een van die aria's zingen, zodat ik een idee krijg?'

Nakshidil gehoorzaamde en zong met zo'n hoge stem dat ik dacht dat de dure kopjes in de kamer zouden gaan rammelen. De sultan glimlachte. Toen ze uitgezongen was, riep hij een eunuch en fluisterde hem iets in het oor. Even later kwam de man terug met een viool.

'Speel iets voor me,' beval Selim, en Nakshidil deed het. Ze liet de strijkstok over de snaren dansen en legde haar hele ziel in de muziek uit Mozarts *Serail*.

Het moment is gekomen, dacht ik toen ik de glinstering in zijn ogen zag. Nu zal hij haar meenemen naar zijn bed.

Maar ik had het nog niet gedacht of de sultan nam alweer afscheid van haar. Met een vrijpostigheid die ik nauwelijks kon geloven, sputterde Nakshidil tegen hem: 'Wat mankeert er aan me, mijn grote sultan? Waarom wilt u me niet?'

'Vleselijke lust is één ding, waardering iets heel anders. Wat ik wil, heeft niets te maken met jou of wie dan ook. Wat ik be-wonder is je intelligentie, je talent en je charme. Ik heb tallo-ze concubines, maar heel weinig vrouwelijk gezelschap. Ik wil je als vriendin.'

'Ik wil niets anders dan de wensen van zijne majesteit respecteren. De genadige sultan heeft mijn vriendschap voor het leven.'

Maar de volgende morgen vroeg ze mij: 'Kan vriendschap me redden als ik nooit het bed van de sultan zal delen?'

'Laten we daarvan uitgaan,' zei ik. Maar ik wist dat vriendschap ook vijandschap met zich meebracht in het paleis en dat jaloezie een machtige emotie was. Ik had te veel verhalen gehoord over mensen die hun hart aan de sultan hadden verpand, maar met hun afgehakte hoofd op een paal eindigden. Een concubine had een veel betere kans om te overleven dan een vriendin. Ik hoopte dat het lichamelijke verlangen van de padisjah sterker zou blijken dan zijn onderzoekende geest en Nakshidils plaats binnen de harem veilig zou stellen.

In een winterse sterrennacht bracht ik haar opnieuw naar de vertrekken van de sultan, zoals altijd met enige aarzeling over wat er ging gebeuren. Maar of de avond nu zou verstrijken met gesprekken of met het liefdesspel, haar bezoek aan de sultan vereiste in elk geval dat ze uitvoerig haar toilet maakte in de baden. Geparfumeerd en goed verzorgd, van hoofd tot voeten behangen met schitterende sieraden, haar borsten verpakt in doorschijnende zijde, haar figuurtje gekleed in roze en geel satijn, verscheen ze voor de sultan als een vergulde gazelle.

Weer maakte ze een buiging toen ze zwijgend de kamer binnenkwam. Vanachter mijn kijkgaatje in de deur zag ik een loeiend haardvuur in de schouw. Maar de stoel van de sultan was leeg.

De padisjah lag onder een bontmantel tegen een stapel kussens op zijn fluwelen bed. Dit was het moment waarop Nakshidil had gewacht. Zoals ze al zo lang had gedroomd, liep ze zwijgend naar het bed toe, wiegend met haar heupen als een tulp in de wind. Gracieus gespte ze de met juwelen afgezette gordel om haar heupen los en liet hem op de grond vallen. Toen bracht ze haar slanke vingers omhoog, maakte het diamanten knoopje bij haar hals open en trok haar satijnen tuniek uit. Eén moment bleef ze onbeweeglijk staan, om de sultan te prikkelen. Heel langzaam knoopte ze toen de parelknopjes van haar dunne bloes los en ontblootte haar melkwitte borsten, haar zachte buik en haar ronde navel. Snel draaide ze hem de rug toe, stapte uit haar doorschijnende broek, keerde zich weer om en stond voor hem, naakt als Eva. Ze boog zich voorover, liet zich op haar knieën op de grond zakken, tilde de zoom van marterbont op en drukte haar voorhoofd en haar lippen ertegenaan. Toen ze de voeten van de sultan had gekust, schoof ze onder de zijden lakens. Zoals Anjer haar had geleerd, werkte ze zich langzaam omhoog langs zijn hele lichaam, terwijl ze hem genot gaf met haar handen en haar mond.

Toen ze ten slotte languit tegenover hem lag trok Selim haar naar zich toe en nam haar in zijn armen.

'Je ogen zijn als saffieren, fonkelend in de sneeuw,' zei hij tegen haar. 'Je borsten zijn rijpe perziken, bekroond door een prachtige bes.'

Hij drukte zijn lippen op de hare, streelde haar borsten en likte haar oren en haar hals. Toen sloeg hij de lakens terug, klemde haar armen onder zijn handen en liet zijn hoofd naar haar dijen zakken, waar hij van haar liefdesbeker dronk. Toen hij haar nam, kon ik mijn eigen verlangen niet meer verdragen en wendde mijn hoofd af.

Na een tijdje hoorde ik hem weer iets zeggen. 'Ik wilde je niet beschouwen als zomaar een concubine,' zei hij, terwijl hij haar haar streelde met zijn geringde vingers. 'Ik wilde zeker zijn van je gezelschap voordat ik het verantwoord vond om je in mijn bed te nemen.'

Ik wist dat ze de rest van de nacht zou blijven, dus vertrok ik weer, voldaan dat mijn inspanningen vrucht hadden afgeworpen.

In de loop van de volgende morgen vertelde ze me dat ze bij het ontwaken een briefje van de sultan had gevonden: 'Je zult wel iets hebben gehoord over de geschenken die een concubine ontvangt. Ik wil je niet teleurstellen. Neem deze attenties van mij aan en weet dat je meer voor me betekent dan welke odalisk ook.'

'Naast het briefje,' vertelde ze, 'lag een beurs met gouden munten uit zijn zak en een mantel met een voering van marterbont.'

'Dat is heel bijzonder,' zei ik. 'Alleen de sultan en zijn hoogste adviseurs mogen marterbont dragen.'

'Dat weet ik,' zei ze. 'Ik was er zo blij mee. Ik heb de mantel om me heen geslagen en het bont gestreeld alsof ik hém streelde. Ik weet niet hoe lang ik voor de spiegel heb gestaan om zijn prachtige geschenk te bewonderen. Als vanzelf begon ik te dansen, alsof zijn geest mijn lichaam had overgenomen. Duizelig zwierde ik de kamer rond, gehuld in zijn liefde. O, Tulp, ik ben zo gelukkig. Het is nu twee jaar geleden dat ik hier kwam. Als ik bedenk hoe bang ik toen was, en hoe jij me hebt geholpen, en daarna die afschuwelijke ervaring met Abdül-Hamid... ik had nooit gedacht dat het zo heerlijk zou kunnen zijn als dit.'

Toen ze zich had gewassen, haar gebeden had gezegd en zich had aangekleed bracht ik haar naar Mirisjah. De walidé zat in haar ontvangstkamer met een groep slavinnen. Nakshidil kuste haar hand en de koningin-moeder sprak.

'Mijn zoon heeft je tot gunstelinge verheven,' verklaarde ze. 'Omdat je ooit met een andere sultan hebt gelegen, zul je nooit kadin kunnen worden. Maar mijn zoon verlangt dat je alle voorrechten van een echtgenote krijgt. Je toelage gaat omhoog, je eten en je kleding worden aangepast en je krijgt een groter onderkomen – een eigen appartement met je eigen personeel. Maar er is nog iets anders wat ik met je wil bespreken.'

Overweldigd door de vloedgolf van gebeurtenissen kon Nakshidil nauwelijks een woord uitbrengen, maar ze herstelde zich snel. Ondanks haar nieuwe status wist ze dat ze geen vragen mocht stellen, maar haar dankbaarheid tegenover de walidé moest tonen.

'O, majesteit,' zei ze, 'ik wil alleen maar dat de sultan gelukkig is. En dat zijn moeder, de grote sultane walidé Mirisjah, tevreden kan zijn.'

Mirisjah knikte. 'Ik heb gezien hoe leuk je met de kleine prins Mahmoed omgaat. En het viel me op dat je die avond in de toneelzaal, toen je danste voor sultan Abdül-Hamid – God hebbe zijn ziel – zo'n indruk maakte op de jonge prinsen. Mahmoeds voedster, die in de koets meereed, heeft me het een en ander verteld en ik heb zelf kunnen zien hoe je met hem speelde in de kinderkamer.'

Nakshidil hield haar hoofd gebogen, maar ik zag de glimlach in haar ogen.

'Je weet dat hij geen moeder meer heeft. Ze is gestorven aan tyfus toen hij drie was, en het arme kind heeft zelf die ziekte ook gehad. Maar God heeft hem gespaard en door Allahs wil heeft hij het overleefd. Zijn voedster zorgt nu voor hem, maar ze is een eenvoudig boerenmeisje, alleen gekozen vanwege de rijkdom die uit haar borsten vloeide. Hij heeft twee zussen, maar de prinsessen zijn zelf te verwend om het jongetje de aandacht te geven die hij verdient. Het kind wordt ouder en hij heeft iemand nodig die voor hem kan zorgen als een moeder, een zus, een vriendin. Je bent nog jong, maar ik denk dat jij daartoe in staat zult zijn.' Met die woorden gaf ze haar slavinnen een teken om Mahmoed te halen. De kleine jongen kwam met gebogen hoofd de kamer binnen en liep zenuwachtig naar de walidé. Zodra hij Nakshidil zag, keek hij op en glimlachte.

'Dit is een grote verrassing en een grote eer,' zei Nakshidil, en ze kuste Mirisjahs hand.

Toen we met ons drieën weer op de gang stonden, greep Nakshidil mijn arm. Ik zag dat ze totaal overdonderd was. 'Het is een geweldige gunst,' zei ik, 'om voogdes van een prins te mogen zijn.'

'Ja,' zei ze half lachend, half huilend, en ze keek naar het jochie met zijn krullenbol. 'Maar wat een verantwoordelijkheid. Hoe moet ik hem beschermen? Stel dat zijn oudere broer hem als een bedreiging ziet, als een toekomstige rivaal voor de troon?'

Mijn blik ging naar de jongen en ik zag hoe hij naar Nakshidil keek met zijn grote bruine ogen. 'Jouw liefde zal hem wel beschermen,' zei ik.

'Maar Aysha?' vroeg ze. 'Zij is een échte moeder, ik maar een plaatsvervangster. Zij heeft de status van kadin, ik ben maar een concubine. Zijn wij nu concurrenten? Hoe sluw is die vrouw? Ik herinner me Shakespeares toneelstuk over Hendrik IV: "Slapeloos ligt het hoofd dat de kroon draagt." We zijn hier aan het Turkse hof. Wordt dit het verhaal van Amurath?'

Ik vroeg haar wat ze bedoelde en ze vertelde me over de broedermoord. Ik dacht aan het Turkse hof van Murad III, toen zijn zoon Mehmed tot nieuwe koning werd uitgeroepen en hij bevel gaf zijn negentien broers te doden. Net als Nakshidil vroeg ik me af wat het leven in petto had voor haar pleegkind Mahmoed. En voor haar. Hoe gevaarlijk zou het voor hem zijn, en voor haar, als Mustafa ooit sultan werd? Zouden ze dat overleven?

'Natuurlijk niet,' antwoordde ik. 'Denk liever aan alles wat je kunt bereiken en wat je hem kunt leren.'

'Je hebt gelijk, Tulp,' zei ze. 'Ik zal Mahmoed een opvoeding geven die Mustafa nooit van Aysha zal kunnen krijgen. Ik zal hem alles leren over de Fransen en de Turken. We zullen ons niet alleen in de islam verdiepen, maar ook in het christendom. Ik zal prachtige muziek voor hem spelen en hem de mooiste verhalen vertellen uit mijn lievelingsboeken.' Ze tilde de jongen op en knuffelde hem. 'Je zult een groot leider worden, Mahmoed, een man met kracht en visie.' Ze zette hem weer neer en nam zijn kleine handje in de hare toen we naar haar nieuwe appartement liepen.

9

Zoals een bij naar de honing werd Selim naar Nakshidil gelokt. Betoverd door haar charme, negeerde de sultan een paar nachten per week de verplichte roulatie van meisjes en vroeg specifiek om Nakshidil. En avond na avond beminde ze hem met een vurigheid die hem om genade deed smeken. Hij gaf ook haar genot, zodat haar eerste prettige sensaties zich uitstrekten tot uren van extase. En regelmatig onderbrak ze hun liefdesspel met dans, vioolmuziek en de verhalen die ze zich uit haar boeken herinnerde.

Hoe meer tijd Selim met Nakshidil doorbracht, des te afgunstiger de andere meisjes werden. Toen ze op een middag de hamam binnenkwam, zag ik dat de concubines haar een haatdragende blik toewierpen. Jaloezie, het groenogige monster in elke harem, roerde zijn staart.

'Het is gewoon niet eerlijk,' hoorde ik een van de meisjes klagen. 'We horen allemaal aan de beurt te komen, maar de sultan slaat ons eenvoudig over.'

'Het is de taak van de sultan om opvolgers te verwekken,' zei een ander, 'maar hij geeft ons de kans niet om hem zonen te schenken.'

'Een vrouw hoort een man niet alles te geven wat hij wil,' zei een slavin met schuine ogen, terwijl ze Nakshidil van hoofd tot voeten opnam. 'Zij overdrijft een beetje. Hij zal wel gauw genoeg van haar krijgen.'

Wat verloren zat Nakshidil in haar eentje in de afkoelruimte. Ik bracht haar een sorbet en snoep om haar op te beuren, toen

Aysha binnenkwam. Met een brede lach ging ze naast haar zitten en zei: 'Als de enige moeder van een prins hier wil ik je graag een goede raad geven.'

Nakshidil scheen het gezelschap van de roodharige vrouw te verwelkomen. Ze knikte tegen haar en antwoordde: 'Jij hebt de wijsheid van de ervaring. Ik zou je hulp op prijs stellen.'

'Ik denk dat we veel gemeen hebben,' zei Aysha, en met een besmuikte glimlach voegde ze eraan toe: 'Natuurlijk ben ik geen concubine. Ik heb alleen maar aandacht voor mijn zoon.'

Nakshidil maakte een grimas. 'Ik besteed ook al mijn tijd aan de jongen,' antwoordde ze.

'Begrijp me goed, ik zeg het voor je eigen bestwil,' vervolgde de oudere vrouw. 'Jij bent nog jong en onschuldig. Om al je aandacht op Mahmoed te kunnen richten, zul je niet zelf een kind mogen baren, dat weet je toch? Hoewel Mahmoed niet eens je eigen zoon is en jij maar een concubine bent. Als je nu zwanger zou raken van Selim, zou er zeker een abortus volgen. En als je op de een of andere manier het kind toch ter wereld zou brengen, zou de baker het meteen bij de geboorte wurgen met haar zijden koord.'

Ik zag de pijn en het verdriet op Nakshidils gezicht toen Aysha die woorden sprak. 'Mijn lieve Aysha,' zei ze, met een dappere poging zich te beheersen, 'het is zo aardig van je om je om mijn toekomst te bekommeren. Gelukkig hoef je je geen zorgen te maken.' Daarmee trok ze haar muiltjes aan en vertrok.

'Weet je, Tulp,' zei Nakshidil later, 'niets zou me zo gelukkig maken als dat er een kind zou worden geboren uit mijn relatie met de sultan. Het verbaast me zelfs dat ik nog steeds ongesteld word. Ik ging er voetstoots van uit dat Selim een baby van me wilde. Ik twijfelde er niet aan dat hij een kind op de wereld wil zetten dat niet alleen knap zal zijn, maar ook goed van karakter en intelligent.'

'Waarom zou hij dat niet willen?' vroeg ik, hoewel ik aarzelde over het antwoord.

'Aysha schijnt mijn loyaliteit aan Mahmoed in twijfel te trekken.'

'Wat een onzin.'

'Zou ze jaloers zijn, denk je?'

'Misschien. Maar het blijft belachelijk,' zei ik. 'Ze was de belangrijkste echtgenote van wijlen sultan Abdül-Hamid – moge hij rusten in vrede. De vrouw is meer dan tien jaar ouder dan jij, bijna dertig. Ze is zeker geen kandidaat voor Selim; haar dagen als bedgenote voor de padisjah zijn allang voorbij.'

'Waarom zegt ze die dingen dan?'

'Je weet net zo goed als ik dat geen enkele emotie onbekend is in de harem. Goed, er zijn wel vrouwen die walgen van de gedachte aan seks met de sultan en proberen daar op allerlei manieren onderuit te komen. Ze kopen eunuchen om of verkopen hun gunsten als het hun beurt is. Maar de meesten zijn zoals jij en hebben er alles voor over om door de sultan te worden ontboden.'

'Dat begrijp ik,' zei ze, 'en ik denk liever niet aan anderen in Selims bed. Maar waarom wordt een vrouw als Aysha zo verteerd door jaloezie?'

'Denk eens aan de vrouwen uit het verleden die hun rivalen verminkten, wurgden of van de trappen gooiden. Er was ooit een kadin zo jaloers op de nieuwe minnares van haar sultan dat ze een speciale schotel voor hem klaarmaakte. Toen hij ging zitten voor het avondmaal zette ze hem het hoofd voor van zijn nieuwste concubine, gebraden en met rijst gevuld.'

'Wil je me bang maken voor Aysha?'

'Natuurlijk niet. Maar toch moet je oppassen voor die vrouw.'

Selim stelde zoveel prijs op Nakshidils gezelschap dat hij haar steeds verder in vertrouwen nam. 'Een andere concubine kan mijn lusten wel bevredigen,' zei hij tegen haar, terwijl hij haar nek streelde, 'maar alleen jij geeft me voedsel voor mijn hoofd en mijn ziel. Steeds als ik een volgende sluier optil, vind ik een nieuwe, interessante laag. Ik koester onze momenten samen.'

Het geluid van stromend water dempte zijn woorden toen hij over zijn angsten sprak. 'Corruptie en schulden hebben het rijk in een hachelijke positie gebracht,' zei hij bezorgd. 'Er zijn ingrijpende veranderingen nodig. Ik ben bereid met droog brood genoegen te nemen, want de staat dreigt uiteen te vallen.' Hij stond bij het fonteintje in de kamer, in de wetenschap dat spionnen hem overal konden afluisteren.

Selim was nu een jaar aan de macht, sinds 1789, en had geen tijd verloren laten gaan om een risico te nemen dat geen enkele sultan vóór hem had aangedurfd. Zonder zich op zijn machtige positie te laten voorstaan, had Selim een vergadering van zijn naaste adviseurs belegd en iedereen om een lijst met suggesties gevraagd. Binnen enkele weken kreeg hij antwoord. De ideeën varieerden van veranderingen in het belastingstelsel tot de vervanging van de corrupte janitsaren door een nieuw leger. Hoewel de sultan niet zo ver ging om de speciale legermacht volledig af te schaffen, voerde hij wel bepaalde hervormingen door.

Maar die stroom van nieuwe wetten veroorzaakte verwarring in het land en algauw maakte het enthousiasme voor zijn bewind plaats voor een stemming van malaise. Maanden later ging de sultan nog steeds gebukt onder grote zorgen. De oorlog met Rusland verliep niet goed. Zoals gevreesd, had de tsarina haar favoriete generaal ingezet om haar bondgenoot Oostenrijk te helpen. Als tegenmaatregel had Selim zijn beste militaire leider, admiraal Hassan – een man die de sultan altijd goed had gediend – naar het front gestuurd.

In de hoop zijn successen te prolongeren en het gecombineerde offensief tegen Bosnië, Servië en Moldavië meer inhoud te geven, had Selim de admiraal tot opperbevelhebber van het leger en grootvizier bevorderd. Maar zelfs Hassan was niet opgewassen tegen de geduchte Russen en zijn troepen verkeerden al snel in wanorde. De nederlaag was zo verpletterend dat de Ottomaanse bevolking Hassans hoofd eiste. Tegen zijn eigen wil moest Selim zich neerleggen bij de wens van de massa en de admiraal ter dood veroordelen. Tranen stonden in zijn ogen toen hij Nakshidil beschreef hoe moeilijk het was om het volk tegemoet te komen. 'Je regeert nooit alleen,' zei hij tegen haar. 'De problemen zijn zo groot en het publiek kijkt met argusogen toe. Ik moet zo nu en dan ontsnappen om alles weer helder te kunnen zien.'

Die ontsnapping betekende soms ook dat de sultan haar comfortabele appartement bezocht. Als de zilveren schoenspijkers van Selims zolen door de gangen galmden, vluchtten slavinnen haastig naar hun cellen en verborgen eunuchen zich achter gesloten deuren, omdat niemand behalve Nakshidil getuige mocht zijn van zijn komst.

Zijn bezoekjes waren eerder familiebijeenkomsten dan officiële gelegenheden – een moment voor de sultan om als vader op te treden voor Mahmoed, zoals Abdül-Hamid met Selim had gedaan. Hij hield van zijn neefjes alsof ze zijn eigen zonen waren en bracht tijd door met hen allebei. Hoewel de trage Mustafa zijn geduld vaak op de proef stelde, was de kleine, slimme Mahmoed een bron van vreugde.

Zo nu en dan mocht ik van Nakshidil aanwezig zijn bij deze bezoekjes. Haar twee kamers waren eenvoudig, maar ze hoefde ze met niemand te delen. Met een paar meter stof was ze erin geslaagd haar appartement een Frans tintje te geven. In de kleine slaapkamer stonden divans met geplooide spreien en pastelkleurige linten. De effen muren waren behangen met fraai borduurwerk en de planken van de voorraadkasten waren bekleed met stof. De andere kamer, verwarmd door een haard, werd gebruikt om te eten, te bidden en mensen te ontvangen. Twee van de muren waren bekleed met blauw-wit geglazuurde tegels, terwijl de divans satijnen kussens hadden in dezelfde azuurblauwe tint, door Nakshidil met zilverdraad geborduurd. Turkse kleden bedekten het grootste deel van de vloer en Nakshidil had zelf voor gordijnen gezorgd, met kwastjes en linten. Er hingen ook een paar wandkleden en doeken die ze had gemaakt.

Op vochtige dagen, als er houtblokken brandden in de haard, zat de sultan op een kleed te dammen of domino te spelen met Mahmoed. Ik zag hoe hij genoot van het scherpe verstand van de kleine jongen.

'Je weet snel wat ik nog in mijn handen heb,' zei Selim glimlachend met een blik op de rij ivoren dominostenen die de jongen had neergelegd. 'Een sultan moet altijd weten wat zijn tegenstander achter de hand houdt. Dat zal jou wel lukken als je op de troon komt.'

Iedere Ottomaanse vorst wordt één kunstzinnige bezigheid geleerd, maar Selim had talent op meer gebieden; kalligrafie, poëzie en muziek waren zijn passies. Hij schreef gedichten onder de naam Ilhami en las ze soms hardop aan Nakshidil en Mahmoed voor. Hij bespeelde de ney en oogstte hun bewondering met zijn eigen fijnzinnige composities op de houten fluit. Hij gaf het slanke instrument ook aan de jongen en leerde hem hoe hij moest blazen en de gaatjes moest dichthouden om tonen voort te brengen.

Soms speelden Selim en Nakshidil samen een duet, hij op de fluit en zij op de viool, terwijl Mahmoed stilletjes luisterde en naar het dansende zonlicht keek dat door het houten rooster voor de ramen naar binnen viel. Soms moedigden ze de jongen aan om met hen mee te spelen en hielpen hem bij het componeren van zijn eigen kleine stukken, sommige in Europese stijl, andere in Turkse traditie.

Als Selim in de stemming was, vroeg hij Nakshidil om te dansen en leefde zij zich uit in zwoele oriëntaalse bewegingen of demonstreerde hem de hoofse dansen die ze op school had geleerd. Ze overreedde hem een Franse dansleraar in dienst te nemen, en enkele haremmeisjes leerden zelfs het menuet en de contradans.

Selim liet zien hoe hij zijn tugra schreef, het motto van de sultan, in Arabisch schoonschrift. Hij doopte een puntig rietje in de inkt, trok drie dikke zware lijnen schuin omhoog, met twee cirkels links daarvan, die zich door drie verticale lijnen slingerden. Daarna tekende hij drie verbindingslijnen omlaag, met een serie mooie golfjes eronder. In kleinere letters schreef hij zijn naam 'Selim, khan, zoon van Mustafa, altijd zegevierend', luidde de tekst van de tugra.

'Het riet is een magisch instrument,' zei hij toen hij Mahmoed het bruine buisje gaf. 'Je kunt er prachtige muziek mee maken en mooie woorden mee schrijven.'

De sultan hielp de jongen de pen in de donkere inkt te dopen en de kleine prins tekende langzaam de Arabische krulletters van zijn eigen naam. 'Als je ouder bent,' beloofde Selim, 'krijg je les van Muhammad Rakim, mijn eigen kalligrafieleraar.'

Selim vroeg Mahmoed naar zijn godsdienststudie. Hij nam de koran in zijn hand, en de met diamanten ingelegde serie koranverzen die de jongen voor zijn vijfde verjaardag had gekregen, en begon Mahmoed te overhoren.

'De sultan is kalief,' zei hij tegen de jongen, 'de hoogste religieuze leider. Je moet de woorden kennen van de profeet en de wetten van de islam. Vertel me eens, wie zal er volgens de profeet de zoete smaak van het geloof proeven?'

Mahmoed dacht even na, herinnerde zich de tekst en antwoordde: 'Allereerst hij die Allah en Zijn apostelen liever heeft

133

dan al het andere. In de tweede plaats hij die van iemand houdt, alleen om Allahs wil. In de derde plaats hij die weigert in het ongeloof terug te vallen nadat hij door Allah is gered, omdat hij niet in het vuur wil worden geworpen.'

Ik dacht dat ik Nakshidil even zag slikken, maar ik zei er niets over en glimlachte toen Selim zachtjes aan de lange, donkere vlecht op Mahmoeds rug trok. 'Onthoud goed,' zei hij, 'dat dit de laatste vlechten van je jeugd zijn. Als je de leeftijd van de besnijdenis hebt bereikt, zullen ze worden afgeknipt en ben je definitief een man.'

Volgens de Ottomaanse traditie leerde de beweeglijke prins al paardrijden, jagen en boogschieten toen hij nog maar nauwelijks kon lopen. Op zijn zesde jaar zette Mahmoed grote ogen op toen hij van Selim een eigen paard kreeg. Dag in, dag uit reed hij op het dier om zijn techniek te verbeteren, onder toezicht van een instructeur. Soms reed hij ook samen met zijn broer en stormden ze over de velden als Turkse strijders over de noordelijke steppen.

Op een zomerdag, toen de broers weer uit rijden waren geweest, kwam Mahmoed ontdaan bij Nakshidils appartement terug. 'Wat is er gebeurd?' vroeg ze, terwijl ze hem in haar armen nam. De jongen vertelde dat Mustafa plotseling voor hem langs was gereden, zodat Mahmoeds Arabische hengst scherp had moeten uitwijken en Mahmoed uit het zadel was gestort.

'Heeft hij gezegd dat het hem speet?' vroeg Nakshidil.

'Natuurlijk,' antwoordde Mahmoed. 'Hij zei: "Mijn broer, vergeef me, alsjeblieft." Toen hield hij zijn paard stil om me te helpen.'

'En wat zei jij?' vroeg ik.

'Ik zei dat er niets aan de hand was en ik wuifde hem weg.'

'Het was vast geen ongeluk,' zei ik later, toen ik er met Nakshidil over sprak. 'Zou Mustafa soms jaloers zijn?'

'Ik denk die dingen liever niet,' zei ze. 'Weet je, Tulp, het is zo'n grote eer dat de sultan zoveel tijd met Mahmoed door-brengt.'

'En Selim heeft alle reden om meer aandacht aan Mahmoed te besteden,' zei ik. 'Hij is slim en hij weet zich goed te red-den. Met jouw hulp zal hij ooit een groot leider worden.'

Een paar dagen later nodigde Selim de jongens uit om *cirit* te spelen. In de begintijd van het rijk was dat een spel om de ruiters goed getraind te houden als er geen oorlog was. Nu was het een vorm van paardensport, een test van lenigheid en techniek.

In een afgelegen tuinpaviljoen gingen Nakshidil en Aysha op een stapel kussens zitten terwijl Aysha's eunuch – Narcissus met de hazenlip – en ik achter hen bleven staan. Door het rooster voor de ramen zagen we hoe de sultan plaatsnam in een paviljoen dat wat dichter bij het veld lag, voordat de prin-sen en paleisbedienden partij kozen. Mahmoed zat bij team 'Okra', Mustafa bij team 'Kool'. De zeven spelers aan elke kant, allemaal op een snel paard en met een houten speer in hun hand, stelden zich tegenover elkaar op aan tegenoverliggende zijden van het lange veld.

Het volgende moment stormden de jonge 'centaurs' over het gras en wierpen hun speren om elkaar te treffen. Nakshidil juichte toen Mahmoeds speer door de lucht zeilde, waardoor het paard van een tegenstander moest uitwijken en de Okra's drie punten scoorden. Ik hoorde Narcissus iets mompelen, maar kon hem niet verstaan. Het klonk smalend, dat wel.

Daarna suisde een speer van de Kolen voorbij en raakte een tegenstander. Zelfs Nakshidil had bewondering voor de ele-gante stijl van de paleisbediende, hoewel hij daarmee zes pun-ten voor zijn team scoorde.

'Ik vind het zo spannend, ik durf nauwelijks te kijken,' fluisterde ze tegen me, terwijl ze een violette sorbet van het blad met verfrissingen pakte. 'Ik weet dat Mahmoed nog jong is en alle tijd heeft om te leren, maar toch zou ik mijn kleine jongen graag zien winnen.'

Opeens zoefde er een speer op Mahmoed af, waardoor hij bijna van zijn paard tuimelde. Nakshidil kromp ineen bij deze vernedering en liet zowat haar sorbet vallen. Ottomaanse soldaten horen één te zijn met hun paard. Een prins die zijn mannen in de oorlog wil aanvoeren, moet in alle omstandigheden in het zadel kunnen blijven. Bovendien was de speer afkomstig geweest van Mustafa, een nog grotere tegenslag.

Ik keek even naar Narcissus, die spottend lachte. Aysha liet geen woord van verontschuldiging horen. Ook bij haar meende ik een smalend lachje te zien. Ik wilde iets zeggen, maar dat was niet mijn plaats. Ik vroeg me wel af of er enige waarheid school in het gezegde dat mensen met rood haar worden geboren met de gave van het boze oog.

Gelukkig wist Mahmoed zich met kinderlijke onschuld te herstellen. Paarden draafden voorbij, speren vlogen door de lucht en nadat twee paleisbedienden uit zijn team hadden gescoord werden de Okra's tot winnaar uitgeroepen. Nakshidil straalde toen Selim uit zijn paviljoen kwam om het team geluk te wensen.

'Ik wist dat ze het konden!' riep ze uit, en klapte in haar handen.

Ik draaide me om naar Aysha, maar zij was al verdwenen.

Selims bezoekjes aan haar kamers waren een goed excuus voor Nakshidil om de baklava's en soufflés klaar te maken waar hij zo van hield. Na een knikje van de voorproever ging de sultan met gekruiste benen op het kleed op de grond zitten, genietend van de zoetigheid, terwijl hij haar uitbundig prees.

'Met jouw talent kun je nog honing uit citroenen persen,' zei hij een keer toen hij zijn vingers aflikte, die kleverig waren van het zoete gebak.

Nakshidils slavinnen brachten koffie en ik schoof de nargileh naar hem toe, maar Selim verraste ons door naar iets te wijzen dat hij zelf had meegebracht. 'Trek maar open,' zei hij, en ik hoorde zo'n harde knal dat ik dacht dat iemand vuurwerk had afgestoken. Maar Nakshidil wist precies wat het was.

'Champagne!' riep ze enthousiast. 'Hoe kom je daar nou aan?'

'Jaren geleden heeft de Franse ambassadeur duizend flessen geschonken aan de sultan.'

'Waarom zijn die nooit leeggedronken?' vroeg ze.

'De sultan werd afgezet,' legde hij uit, 'en heeft de flessen voor zijn opvolgers verborgen. Kortgeleden hebben mijn mannen bij toeval de hele voorraad gevonden. Natuurlijk,' fluisterde hij met een vinger tegen zijn lippen, 'mogen de oelema niet weten dat we alcohol drinken. De imams zien het als vloeibaar vuur van de duivel.' Er blonk een lichtje in zijn ogen toen hij zijn glas hief.

'Wat zeggen jullie ook alweer?'

'*A votre santé,*' zei ze.

'*A votre santé,*' herhaalde hij.

Bij gelegenheid nodigde de sultan haar ook uit voor excursies met zijn boot. De eerste keer gaf ik Nakshidil haar *ferace*. Toen ze de mantel had dichtgeknoopt, reikte ik haar een *yasmak* aan en zei dat ze die moest voordoen. 'Waarom?' vroeg ze, en ik herinnerde me dat ze maar één keer eerder buiten de harem was geweest en een sluier gedragen had.

'Als bescherming,' antwoordde ik.

'Bescherming waartegen?'

'Tegen gevaarlijke blikken.'

'Wat bedoel je daarmee?'

137

'Andere mannen mogen je niet zien,' legde ik uit. 'Dit beschermt je tegen hun opdringerigheid. Alle moslimvrouwen moeten een sluier dragen als ze buiten komen, maar voor de vrouwen uit de harem van de sultan is dat nog belangrijker. Als iemand je zonder sluier zou aantreffen, zou je worden gedood.'

'Ik wil mijn gezicht niet verbergen,' verklaarde ze, en gooide het witte chiffon op de grond.

Ik raapte het zwijgend op en drukte het weer in haar hand. 'Je bent moslim,' zei ik ferm.

'Als ik nog christen was geweest, had ik dan geen sluier hoeven te dragen?'

Ik knikte. 'Maar dan zou je ook geen gunstelinge in de harem van de sultan zijn geworden,' wees ik haar terecht.

Ze keek me met fonkelende blauwe ogen aan.

'Nakshidil,' zei ik smekend, 'je hebt me altijd vertrouwd. Doe alsjeblieft wat ik zeg.'

Weifelend schudde ze van nee, maar ik ging door: 'Je kunt zelf kiezen. Als je geen sluier wilt dragen, blijf je gewoon binnen. Maar als je met sultan Selim van het terrein af wilt, zul je een sluier voor moeten doen.'

Ik liet haar zien hoe ze de dunne doek over haar hoofd kon laten glijden zodat hij haar haren en voorhoofd bedekte. Ik bond hem van achteren vast. Het tweede gedeelte ging over de onderkant van haar gezicht, tot aan haar ogen. Ook dat knoopte ik dicht. De Turkse sluier was veel prettiger dan die van Arabische vrouwen, zei ik tegen haar: 'Die zien bijna niets.'

'Wat maakt mij dat uit? Ik voel me nu al een gevangene,' mompelde ze.

'Zie het maar als vrijheid,' zei ik. 'Vrijheid van ongewenste mannelijke attenties.'

Ze had nog nooit zo'n boot gezien, riep ze uit. Het lange, slanke, drijvende paleis leek op een gestroomlijnde zwaan met zijn glinsterend witte romp, het vergulde beslag en de heldergroene randen. Het goud van een palmtak schitterde in de zon, met daarachter op de boeg de grote vergulde valk die het symbool was van het huis Osman. Met hulp van ons drieën stapte ze in de sloep en installeerde zich aan de voeten van de padisjah onder het grote baldakijn. Twee andere zwarte eunuchen zorgden voor schaduw met een parasol van witte ganzenveren, terwijl veertien roeiers in witte kaftans en rode mutsen met blauwe kwastjes de boot in snel tempo van de serailkade vandaan voeren, over het sprankelende water.

'Vertel me eens, mijn wijze sultan,' vroeg ze vanonder haar sluier, 'waar je me naartoe brengt?'

Zijn ogen glinsterden toen hij antwoordde: 'Niet zo nieuwsgierig, mijn lief. Je zult het gauw genoeg ontdekken.'

We voeren rap door de Gouden Hoorn, met op de linkeroever de Nieuwe Moskee met zijn twee minaretten, in de zeventiende eeuw gebouwd door sultane walidé Safiye, en rechts de Galatatoren, die zich hoog boven de heuvels verhief. Aan de kant van Galata bereikten we een punt waar achter de hoge stenen muren een complex van groene tuinen lag.

'Kom, mijn bloem,' zei de sultan, terwijl hij liefdevol Nakshidils hand pakte en haar overeind trok. 'Ik zal je mijn geheime schuilplaats laten zien.'

Het was lente en de zon scheen neer op een kleurenzee van rode en gele tulpen, langs het pad naar een stenen paviljoen. 'Dit is de Ayralikavak Kiosk,' zei hij. 'Ik heb je er weleens over verteld en nu ben jij de enige vrouw, behalve mijn moeder, die er een kijkje mag nemen.'

Zijn gele slippers wachtten op hem bij de deur. Zodra een eunuch hem zijn schoenen had uitgetrokken en de zachte leren pantoffels aan zijn voeten had gestoken stapten ze een gebouw binnen dat zelf wel één groot juweel leek. Wij volgden en ik zag kamers met zeldzame Iznik-tegels, versierd met bloemmotieven in rood, groen en blauw, Venetiaanse spiegels en een kleine salon met muziekinstrumenten op planken langs de muur.

'Hier componeer ik mijn muziek,' zei Selim tegen Nakshidil, terwijl hij met zijn hand op een stoel klopte die wat lager stond dan de zijne. 'Kom naast me zitten. Jij bent mijn muze, mijn inspiratie.'

Nakshidil deed de witte sluier af die haar gezicht voor de wereld verborg, glimlachte naar hem en nam plaats.

Met een fluit in zijn hand werkte hij aan zijn nieuwste compositie. Na een tijdje wenkte hij een eunuch. 'Dit was een geschenk van de Italiaanse ambassadeur,' zei hij toen de zwarte slaaf een viool binnenbracht. 'Het is een Guarneri. Ken je die naam?' vroeg hij aan Nakshidil terwijl hij haar het instrument aanreikte.

'Sjah van mijn hart,' antwoordde ze, 'dit is de mooiste viool ter wereld, gekregen van de geweldigste man op aarde.'

Ze streelde het honingkleurige hout, legde het instrument tussen haar schouder en haar kin en speelde een paar maten van Mozarts *Turkse Concert*. Toen ze het unieke timbre van de viool hoorde, legde ze de strijkstok tegen haar lippen en wierp Selim een kushand toe. De sultan pakte zijn fluit en samen speelden ze duetten van Bach en Telemann.

'Er zijn ook anderen in de harem die dit graag zouden leren,' zei ze spijtig. 'Perestu heeft het me zo vaak gevraagd. Maar ik ben geen goede lerares en de musici van het paleis begrijpen niets van Europese muziek.'

'Dan moeten we iemand hebben die het hun kan leren.' Met die woorden hief Selim zijn glas met sprankelende wijn en proostte met Nakshidil.

Een paar maanden later werd Sadullah Agha, een bekende componist en musicus, ingehuurd om een groep meisjes viool en harp te leren spelen. Perestu was een van de eersten die zich aanmeldden.

Op mooie avonden, als de eunuchen het *halvet*, het sein tot privacy, hadden gegeven en iedereen van het terrein verdwenen was, wandelden Nakshidil en Selim vaak door de paleistuinen.

'Als ik een brutale vraag mag stellen: waar praten jij en de sultan eigenlijk over?' vroeg ik op een dag toen we in haar kamer op pistachenootjes knabbelden.

'Natuurlijk mag je dat vragen, chéri,' zei ze. 'Ik heb je al gezegd dat de sultan graag alles wil weten wat de Europeanen zeggen en doen, en dat hij voor het eerst gezanten heeft gestuurd om enkele ambassades daar te vestigen. Toen hij hoorde dat er een grote receptie was op de Franse ambassade hier, vroeg hij zijn zuster Hadice Sultan erheen te gaan. Ze was erg onder de indruk, vooral van de tuinen, en vroeg of we ook zoiets konden krijgen bij het Topkapi. Gisteren hebben we de voorstellen van de Oostenrijkse tuinarchitect Ensle besproken. Zijn broer was hoftuinman op het paleis Schönbrunn en Ensle heeft hier ook in Pera gewerkt. Hij heeft een formele tuin ontworpen voor het Topkapi.'

'Was dat het enige waar jullie over spraken?'

'Nee. Prinses Hadice is zo enthousiast over de westerse stijl dat ze architect Antoine Melling opdracht heeft gegeven een paleis voor haar te ontwerpen. De sultan heeft me de plannen laten zien.'

'Dus jullie praten over architectuur en tuinen,' zei ik, terwijl ik een nootje kraakte met mijn tanden. 'Zijn er geen leuke roddels?'

'O! Een paar dagen geleden vertelde hij me over zijn zus

Beyhan Sultan. Hij klaagde dat ze een nagel aan zijn doodskist was.'

'Maar ze is net getrouwd. Na vier dagen van feesten en geschenken zal ze toch wel tevreden zijn met haar nieuwe leven? Waarom maakt ze het de sultan dan nog lastig?'

'Blijkbaar heeft de pasja na de bruiloft nog uren liggen wachten in zijn mantel van marterbont tot zijn bruid hem liet roepen. Eindelijk werd hij door de zwarte oppereunuch naar de kamer van zijn vrouw gebracht. Daar verklaarde hij zichzelf haar slaaf en liet zich op zijn knieën vallen om haar voeten te kussen.'

'Zo hoort dat. De man van een prinses is altijd haar slaaf. Ze had blij moeten zijn.'

'Maar in plaats van hem in haar bed te verwelkomen, sloeg ze hem in zijn gezicht. "O, mijn sultane!" riep hij, en: "Genade, mijn lammetje!" Maar ze begon hem nog harder te meppen, totdat zijn wangen gloeiden en zijn neus begon te bloeden. De prinses smeet haar bruidegom letterlijk het huwelijksbed uit. De arme man moest door slavinnen worden afgevoerd. De volgende morgen deed Beyhan Sultan haar beklag bij Selim, die haar beloofde dat hij met de pasja zou gaan praten.'

'En wat zei Selim tegen hem?'

'Dat hij als echtgenoot van een prinses haar wensen moest inwilligen. "Wat ze ook van je vraagt," zei hij, "je moet het doen." Toen hij hem naar de deur bracht sloeg hij zijn arm om de schouders van de pasja en fluisterde: "Je kunt maar beter uit haar buurt blijven. Ik zal je tot gouverneur van een provincie benoemen, zodat jullie getrouwd kunnen blijven terwijl je een heel eind bij haar vandaan woont."'

'Wat een verhaal.'

'Ja. Maar toen hij het me had verteld, keek hij me aan en zei: "Hoeveel ik ook van mijn zuster hou, ik ben bang dat ze is beïnvloed door Aysha, de moeder van prins Mustafa. Die vrouw weet dat ik dicht bij Beyhan sta. Ze denkt dat ze bij mij in de gunst kan komen door vriendschap te sluiten met mijn zus.'''

'Nee toch? En wat zei jij?'

'"Mijn wijze sultan," zei ik, "neem me niet kwalijk dat ik het vraag, maar waarom heb je Aysha toestemming gegeven hier te blijven na de dood van Abdül-Hamid – moge hij rusten in glorie?"'

'Wat was zijn antwoord?'

'Hij legde zijn hoofd in zijn nek, rolde met zijn ogen en zei: "Ik herinnerde me hoe bedroefd ik was toen mijn vader stierf. Ik moest in het Topkapi blijven, terwijl mijn moeder werd weggestuurd naar het Oude Paleis. Ik heb Aysha laten blijven omdat ik Mustafa niet zijn moeder wilde ontnemen. Maar Aysha is verwend en haatdragend en ze heeft geen goede invloed op mijn zuster."'

'Geweldig. En wat zei jij?'

'Ik glimlachte en zei: "Mijn liefste sultan, mijn grootste geluk in het leven is dat ik jou kan plezieren." Hij pakte mijn arm en toen we terugliepen naar de ingang van de harem, bukte ik me bij een perk met hyacinten, plukte een bloem en stak die in zijn tulband.'

'Perfect,' zei ik. 'Maar moet je die berg doppen nu eens zien! Haal alsjeblieft de rest van die nootjes weg. Straks krijg ik nog buikpijn.'

Een paar weken later nam Selim haar mee de tuin in en zei dat ze haar ogen dicht moest doen omdat hij een verrassing voor haar had. Aan het eind van de serailkade zag ze haar cadeau staan: een sierlijke kiosk, in de stijl van de Franse koningen. De kamers hadden spiegelpanelen en nissen met beschilderde vazen en bloempotten.

'Het is het mooiste paviljoen dat ik ooit heb gezien,' zei ze tegen me. 'En hij heeft het de Geliefde Kiosk genoemd, ter ere van mij.'

'Ja, je hebt niets te klagen,' zei ik, terwijl ik in mijn rechter oorlelletje kneep om het boze oog af te weren.

10

Hocuspocus werkt maar zelden. Weken verstreken zonder bericht van de sultan. Geen enkele uitnodiging bereikte Nakshidils kamers, niemand kwam op bezoek. Ze verlangde naar zijn eindeloze vragen, zijn warme lach en zijn lieve gedichten, op muziek gezet. 'O, chéri, hij is de doorn in mijn hart,' zei ze tegen me. De dodelijke traagheid van de lege uren drukte haar terneer. Als remedie tegen de wanhoop vroeg ze mij soms om haar overdag gezelschap te houden. We kaartten en speelden domino. Op een keer, toen ze een paar vrouwen in haar hand had, dacht ze terug aan de tijd dat zij en haar niet te horen kregen dat ze ooit tot het koningshuis zouden behoren.

'Wie is die nicht?' vroeg ik. 'En wie deed die voorspelling?'

'Mijn nicht heet Rose en ze woonde op Martinique, net als ik,' vertelde Nakshidil. 'Ze was veel ouder dan ik, en we gingen samen naar een beroemde waarzegster in Fort-de-France. Toen we aan haar tafeltje zaten, spreidde de grote Afrikaanse vrouw haar theeblaadjes uit, keek naar Rose en zei met een diepe, trillende stem: 'Jij zult veel meer worden dan koningin, maar je zult niet sterven als koningin.'

'En wat voorspelde ze jou?'

'O, ik was toen nog klein, een jaar of vijf, en ze zei iets vaags, dat ik ook in aanraking zou komen met een koningshuis. Maar wij vonden dat nieuws over Rose veel spannender. Toen we thuiskwamen vertelden we het aan onze moeders.'

'En wat zeiden ze?'

'Ze waren kwaad omdat we naar een waarzegster waren geweest.'

145

'Hoe is het met Rose gegaan?' vroeg ik.

'Ze werd naar Frankrijk gestuurd om te trouwen met een zekere De Beauharnais.'

'En heb je haar nog gezien toen je in Frankrijk was?'

'Nee, nooit,' zei Nakshidil. 'Ik heb haar ooit geschreven in Parijs, en ze schreef terug vlak voordat ik naar huis vertrok, maar dat was de laatste keer dat ik iets van haar hoorde.'

'Dus ze is geen koningin geworden,' zei ik lachend.

'Nee, dat zal wel niet,' antwoordde ze met een glimlach, en ik was blij dat ze haar verdriet vergat, al was het maar even.

Ik raadde Nakshidil aan om naar de meisjes in de muziekkamer te gaan terwijl ze harp- en vioolles kregen. Maar toen ze op een middag terugkwam leek ze nogal van streek. Had ze het zich verbeeld, vroeg ze zich af, of had ze Perestu met de leraar zien flirten?

'Met Sadullah Agha?' vroeg ik. 'Onmogelijk. Dan zouden ze hun leven wagen. Neem me niet kwalijk, lieve dame, maar ik geloof dat je overal romantiek ziet, ook als het er helemaal niet is.'

'Ik zag hoe ze naar hem keek,' hield Nakshidil vol. 'En hij naar haar. Geloof me, Tulp, ik ben niet gek.'

De volgende dag vroeg ze of ik meeging. Ik zag hoe Perestu gracieus een viool pakte en de leraar om hulp vroeg. Ze lachte bevallig, met kuiltjes in haar wangen, en ze knipperde met die lange wimpers boven haar grote ogen. Sadullah Agha leek maar al te graag bereid haar te demonstreren hoe ze de strijkstok moest vasthouden. Het enthousiasme van een gemotiveerde leraar? Maar wierp hij haar niet een extra blik toe toen hij zich weer omdraaide?

'Waarom zeg je er niets van?' vroeg ik Nakshidil, die zich grote zorgen maakte. Maar toen ze haar oude vriendin apart nam, haalde het meisje haar schouders op en schudde met haar vlechten.

'Jij hebt de liefde van een sultan gekregen,' zei Perestu. 'Waarom gun je mij dan niet het plezier van een onschuldige flirt?'

Arme Nakshidil. Het was moeilijk om haar vriendin dat beetje geluk te ontzeggen, maar de romance tussen Perestu en de muziekleraar maakte haar eigen verdriet nog groter. Ze had nog altijd niets van Selim gehoord, zonder enig idee waarom ze uit de gratie was.

Ze smeekte me om discreet bij de zwarte oppereunuch te informeren of ze op een of andere manier het ongenoegen van de sultan had opgewekt, maar toen ik Bilal Agha erover aansprak schudde hij zijn lange, smalle hoofd en weet het aan de politieke zorgen van de sultan.

'De voortdurende dreiging van Rusland hangt de Ottomaanse keizer als een donderwolk boven het hoofd,' zei hij. 'De kosten van de oorlog zijn zo hoog dat de sultan al een persoonlijke bijdrage heeft moeten leveren.'

Kortgeleden was de haremvrouwen gevraagd om een deel van hun kostbaarheden in de schatkist te storten. Iedereen had iets bijzonders gegeven. Nakshidil droeg een spiegel met juwelen bij, anderen gaven manden en schalen van gevlochten goud; bekers en borden met gouden randen; met parelmoer ingelegde kandelaars; zilveren koffiebladen; inktpotten, wierookbranders, waterkruiken, vazen, opscheplepels en pijpen die afgezet waren met sieraden... en dat alles om wapens te kunnen kopen.

'Maar er is meer dan het Russische gevaar alleen,' vervolgde de zwarte oppereunuch. 'Gisteren, toen we elkaar troffen in de raad, arriveerde de Franse ambassadeur Choiseul met slecht nieuws uit Frankrijk. Daar is een revolutie uitgebroken, op grote schaal.'

'Wat heeft dat met ons te maken?' vroeg ik.

'Het Franse streven naar een constitutionele monarchie geeft de sultan reden tot bezorgdheid. Als dat nieuws tot in het Oosten doordringt, zou de heersende klasse zich tegen hem kunnen keren. Een paar dagen geleden is de padisjah in het geheim de stad ingegaan. De vorige keer ging hij als koopman en trof hij Choiseul in een koffiehuis. Deze keer vermomde hij zich als zeeman, liep langs de kraampjes van de grote bazaar en luisterde naar de roddels. De rijke standen zijn niet blij dat hij een deel van hun land in beslag heeft genomen en de belastingen heeft verhoogd. En nog ernstiger is dat de boeren zich bij hen zouden kunnen aansluiten in een opstand.'

Om heftige reacties bij zijn onderdanen te voorkomen, zocht Selim naar steeds andere wegen om zijn regering te hervormen en de macht weer stevig in handen te krijgen. Hij had nieuwe zedelijkheidswetten afgekondigd met strenge kledingvoorschriften om het onderscheid tussen de klassen duidelijk te maken. De invoer van buitenlandse stoffen, zoals alpaca, werd verboden om de Ottomaanse boeren te beschermen. En hij voerde economische veranderingen door die de grote massa ten goede kwamen.

Het belangrijkste waren zijn inspanningen om de janitsaren te moderniseren. Deze elitetroepen, ooit de trots van het rijk, dateerden uit de begintijd, toen jonge christenen uit de veroverde gebieden naar het paleis werden gebracht om als soldaten te worden opgeleid en de tradities van de islam te leren. Met slechts een vage herinnering aan hun verleden en een toekomst die het huwelijk verbood, hadden ze weinig anders in het leven dan hun trouw aan de sultan. Zo werden ze loyale volgelingen van de padisjah.

Maar in de loop der jaren had die zuivere mentaliteit plaatsgemaakt voor corruptie. De jongens waren nu vaak moslims die hun positie met geld hadden gekocht. Ze mochten trouwen en kinderen krijgen, ze raakten hun fanatisme kwijt en ze waren meer in hun familie en hun boerderijen geïnteresseerd dan in de strijd voor de padisjah. Bovendien verkochten ze dikwijls hun erfrecht aan anderen, vroegen smeergeld in ruil voor protectie en intimideerden de bevolking door branden te stichten.

De rol van de janitsaren als verdedigers van het rijk was essentieel, maar als militaire macht stelden ze niet veel meer voor. Even belangrijk was hun loyaliteit aan de sultan. Ze vormden de ruggengraat van de troon. Zonder hun steun en bescherming kon de padisjah geen vuist meer maken. Iedere Ottomaanse heerser wist dat zijn troon verloren was als de janitsaren zich tegen hem zouden keren. Geen wonder dat het gezegde luidde: 'De sultan beeft als de janitsaren bedenkelijk kijken.'

De zwarte oppereunuch vertelde me dat Selims vader Mustafa III toen hij nog leefde zijn zoon had voorgesteld aan zijn militaire adviseur, de Franse expert Baron de Tott. 'De laatste drie jaar voordat hij sultan werd, correspondeerde Selim met de Franse koning en smeekte hem om hulp bij de wederopbouw van het verzwakte Ottomaanse leger. Na hernieuwd overleg heeft Lodewijk XVI hem nu beloofd een groep officieren en deskundigen naar Istanbul te sturen om verbeteringen door te voeren binnen het leger.'

'Dus daarom noemt hij de nieuw infanterie Nizami Cedit, naar Frans voorbeeld, de Nieuwe Orde.'

'Precies,' zei de zwarte oppereunuch. 'Selim heeft ook andere Europese systemen bestudeerd en een combinatie van technieken toegepast ter verbetering van de exercities en examens. De janitsaren zagen dat als een gevaar. Aangespoord door reactionaire religieuze leiders, protesteerden ze tegen de gedachte dat ongelovigen hen moeten trainen. De onvrede van de janitsaren is inmiddels tot het paleis doorgedrongen.'

Als staatszaken alle aandacht van de sultan opeisten, was dat heel begrijpelijk. Maar er zat meer achter. Roddels gonsden als vliegen door de gangen van de harem en Nakshidil verbleekte elke keer als ze hoorde dat er weer een andere odalisk bij de sultan was ontboden. Toen ze me vroeg wat ze moest doen, antwoordde ik dat er maar weinig was wat ze kón doen, behalve bidden dat de sultan haar niet vergeten zou.

Op een ochtend toen we weer zo'n gesprek hadden werd er op de deur geklopt. Narcissus, Aysha's favoriete eunuch, stond op de drempel met een pakje.

'Kom binnen, alsjeblieft,' zei ik.

Hij wierp zijn vreemde hoofd in zijn nek en zei nee. Toen stak hij me het pakje toe. 'Dit is van de goede vrouwe Aysha,' zei hij, struikelend over zijn hazenlip. 'Ze heeft gehoord van Nakshidils droevige situatie en wilde iets sturen om begrip te tonen. Neem dit aan als gebaar van vriendschap.'

Zodra hij was vertrokken haalde ik de geborduurde doek eraf en vond een selectie snoep. Ik vertrouwde Aysha niet, dus rook ik er eens aan en nam een hapje. Nakshidil keek argwanend toe.

'Ze zijn heerlijk,' zei ik verbaasd. 'Misschien is ze echt veranderd.'

Nakshidil nam een snoepje en at het langzaam op. 'Best lekker,' zei ze, 'maar ik ben niet in de stemming voor snoep. Neem jij ze maar, Tulp. Ga je gang.'

Ik nam er nog een. En nog een. Later die nacht kreeg ik buikpijn. Ik hoopte maar dat het door te veel suiker kwam.

11

We wandelden door de tuin. De zomerzon scheen helder op de bloemen toen Nakshidil een chrysant plukte en zich afvroeg of ze de sultan spoedig weer zou zien. Besme, haar favoriete slavin, vroeg of ze haar de toekomst mocht voorspellen.

Nakshidil glimlachte. 'Ik vraag me af hoe het Rose is vergaan,' zei ze bijna dromerig.

'Roos? Die is naar het ziekenhuis gebracht, maar het gaat alweer wat beter,' zei ik.

'Nee, niet de zwarte eunuch, maar mijn nicht, die koningin had moeten worden.'

'O, neem me niet kwalijk. Heel verwarrend als iedereen bloemennamen heeft.'

'Zou ze nog in Frankrijk zijn? Misschien is ze wel slachtoffer geworden van de revolutie. Ik ben bang dat ik het nooit zal weten.' Ze zweeg en er kwam een glinstering in haar ogen. 'Denk je...?'

'Wat?' vroeg ik.

'Denk je dat ik een brief zou kunnen sturen?'

'Hoe wil je die verzenden?'

'Ik weet het niet. Maar jij hebt altijd goede ideeën, Tulp.'

Ik dacht een paar minuten na. 'De jodin,' zei ik ten slotte. 'Zij is een *kira*, een vrouw die haar goederen komt verkopen bij het paleis. Vorige week heeft ze wat van haar prachtige zijde voor me meegebracht, afkomstig uit de werkplaatsen van haar familie. Ze heeft me eens verteld dat ze familie heeft in heel Europa.'

'Misschien zou zij een brief kunnen versturen aan mijn familie op Martinique.'

'Het is heel gevaarlijk,' waarschuwde ik haar. 'Eunuchen zijn onthoofd en slavinnen in zakken verdronken om minder ernstige vergrijpen.'

'Het is het risico waard,' hield ze vol. 'Ik weet dat jij het een slecht idee vindt, maar nu ik geen rol meer speel in Selims leven, droom ik weer van mijn eigen familie. Zou het niet geweldig zijn als ze Mahmoed konden zien!'

Ik keek haar aan alsof ze gek geworden was. Maar het enige wat ze deed, was nog een bloem plukken en de blaadjes eraf trekken.

'Zal ik u de toekomst voorspellen?' vroeg Besme nog eens.

'Ja, natuurlijk. Doe dat maar.' Nakshidil glimlachte. 'Maar vertel het me alsjeblieft niet als het te akelig is.'

Net als in Afrika en op Martinique deden sommige slavinnen in het paleis aan waarzeggerij. Anderen beoefenden zwarte magie en weer anderen geloofden zelfs in de kabbala. Met hun vreemde levens kon niemand het hun kwalijk nemen dat ze naar antwoorden zochten op deze illusoire manier. De meisjes waren als strootjes in de wind, door de sultan gevangen voor zijn nukken en grillen. Ze hadden geen wortels meer om op terug te vallen, geen toekomst om op te bouwen. Het leven in de harem was in het beste geval onzeker, met veel valse beloften – voorspelbaar onvoorspelbaar. Handlezen, numerologie, toverdrankjes, tarotkaarten, theebladeren, het boze oog en andere vormen van bijgeloof fungeerden als een versluierd antwoord op onoplosbare vragen. Zoals de meesten van ons accepteerde Nakshidil deze mystieke praktijken met wantrouwen, maar ook met de behoedzaamheid van iemand die weet dat er meer is tussen hemel en aarde.

Besme had een reputatie gevestigd met haar voorspellingen. Ze boog zich naar Nakshidil toe. 'Geef me uw hand, alstublieft,' zei ze, en langzaam trok ze de lijnen van Nakshidils slanke handpalm na. Een glimlach verscheen op haar lippen. 'U zult een zee van geluk vinden,' riep ze uit. Maar toen betrok haar gezicht.

'Wat is er? Wat is er?' vroeg Nakshidil.

'Ik mocht u geen akelige dingen vertellen.'

Nakshidil maakte een wegwerpgebaar. 'Ga maar door, alsjeblieft,' zei ze.

'Die zee van geluk wordt verstoord door golven, zware golven...'

'En dan?'

Het meisje had moeite de lijnen te volgen.

'Niet stoppen,' smeekte Nakshidil haar.

'Ik kan het niet zien. Nee, ik weet niet hoe het verder gaat,' zei de handlezeres. 'Het tij verandert, misschien ten goede, misschien ten kwade. We moeten maar afwachten.'

Nakshidil trok haar hand terug. 'Kom me niet meer aan met je voorspellingen, Besme. Wat een onzin allemaal. Ga weer aan je werk. De meisjes zullen je wel nodig hebben in het bad.'

De hamam was een gezellige afleiding voor de meisjes, maar Nakshidil zag het bad meer als een gouden kuip met schorpioenen. Ze begreep wel dat de sultan een groot aantal echtgenotes en concubines nodig had, omdat de schrikbarend hoge kindersterfte veel nakomelingen noodzakelijk maakte om de opvolging veilig te stellen. Maar toch deed het pijn dat Selim twee kadins had genomen en tien keer zoveel concubines. Ze vond geen troost bij de andere gunstelingen, hoewel die elkaar vaak als zusters beschouwden, noch in de geruchten dat Selim zich soms achter een geheim rooster verborg om de naakte meisjes te zien spelen in de baden. Ook een ontmoeting met Aysha op een dag in het vroege najaar bood weinig soelaas.

Overmand door eenzaamheid zat Nakshidil op een marmeren rand van het bad te wachten op een ontharing. Ik zag Aysha vlak bij haar staan en wilde mijn vriendin waarschuwen om voorzichtig te zijn. Maar omdat ik net op weg was om iemand anders te helpen, was Aysha me al voor. Toen ik terugkwam zag ik Nakshidils geschrokken gezicht. Ze vertelde me dat ze bijna was verbrand. Ik probeerde haar te kalmeren en vroeg haar wat er was gebeurd. Blijkbaar had een slavin de arseenpasta over haar armen, haar benen en haar intieme delen gesmeerd om haar vervolgens te vergeten.

'Dat kan gebeuren,' zei ik.

'Dat smeersel heeft veel te lang op mijn huid gezeten,' zei ze. 'Ik voelde het branden.'

'Wat deed je toen?'

'Ik keek rond of iemand me kon helpen, toen ik Aysha naar me toe zag komen. Blijkbaar merkte ze hoe ik eraan toe was, want ze vroeg wat eraan scheelde. Toen ik het haar vertelde, haalde ze meteen een slavin om de crème weg te halen, goddank nog net op tijd. Een minuutje langer en ik zou voor het leven getekend zijn geweest.'

'Waar was dat eerste meisje?'

'Ze was weggeroepen door Aysha.'

Ik maakte een grimas en Nakshidil keek me aan. 'Je denkt toch niet dat Aysha haar opzettelijk heeft afgeleid?'

'Dat zullen we nooit weten,' zei ik. 'Maar één ding staat vast: je kunt beter uit haar buurt blijven.'

'Je zult wel gelijk hebben, Tulp. Deze keer dacht ik echt dat ze me wilde helpen. Het dringt altijd veel te laat tot me door dat ze niet te vertrouwen is.'

Een ander meisje zag hoe van streek ze was en kwam naar haar toe. Onder het lopen viel haar handdoek open en ik zag het hennamotiefje dat op de gladde huid boven haar opening was geschilderd. Ik trok me terug, maar bleef binnen gehoorsafstand omdat ik Zeynabs reputatie kende.

'Kind, waarom kijk je zo ontsteld?' vroeg Zeynab, en ze streek met haar vingers door Nakshidils lange blonde haar. 'Ik zou niets liever willen dan je lieve vriendin te zijn.'

Nakshidil glimlachte. 'Je vriendschap is welkom. Maar de liefde van een man is het geschenk waar ik naar verlang.'

De donkerharige vrouw sloeg een arm om haar heen. 'Ik kan je veel meer liefde geven dan welke man ook,' koerde ze. Nakshidil sloot haar ogen en slaakte een zucht. Van dat moment maakte Zeynab gebruik om haar borst te liefkozen. Nakshidil schrok en deinsde haastig terug.

'Ben je bang, *hemshirem*?' vroeg de vrouw met een onaangenaam lachje. Nakshidil was te ontdaan om antwoord te geven. 'Denk maar niet dat je mij je zuster kunt noemen,' zei ze slechts.

'Er zijn genoeg anderen die me willen,' snoof Zeynab. Ze liep weg en gooide haar haar in haar nek.

Ze had gelijk. Zo waren er genoeg. De gangen en zalen weergalmden van de lege levens van de meisjes. Sommigen probeerden die leegte te vullen met vriendschap van welke aard dan ook. Maar voor Nakshidil zou de liefde van een vrouw nooit haar verlangen naar Selim kunnen verdringen. Ze werd steeds triester en wanhopiger.

Een paar dagen later zaten we weer in de muziekkamer, waar we de ontluikende romance tussen Perestu en haar leraar volgden. Opnieuw nam Nakshidil haar vriendin apart.

'Hoe zit dat tussen jou en de muziekleraar?' vroeg Nakshidil.

'O, Nakshidil! Sadullah Agha heeft me gezegd dat ik de liefde van zijn leven ben. Ik voel me zo gelukkig, woorden schieten tekort. Alsjeblieft, wees ook blij voor mij,' smeekte Perestu haar. Toen ze glimlachte leken de kuiltjes in haar wangen groter dan ooit.

Maar ik besefte de diepte van Nakshidils verdriet toen ik zag hoe ze tegen haar tranen vocht.

Even later kwam de duivelse Aysha binnen, met Narcissus als haar schaduw. 'Walgelijk, die Europese herrie,' zei ze luid. Ze keek om zich heen alsof ze de gezichten van de ketters in haar geheugen wilde prenten. Opeens zag ze Perestu en haar blik bleef op het meisje rusten.

'Er moet worden ingegrepen,' snauwde Aysha tegen mij.

'Ik vind het wel mooie muziek,' zei ik.

'Ik heb het niet over de muziek. Die is al erg genoeg. Maar ik heb gehoord over Perestu en haar romance met de muziekleraar.'

'O, dat zijn geruchten, meer niet,' antwoordde ik. Ik begon me nu toch zorgen te maken om het meisje.

'Die verhalen komen niet uit de lucht vallen. Er zit altijd een kern van waarheid in. De zwarte oppereunuch moet worden ingelicht.'

'Maar dan wordt ze... dan wordt ze gedood,' stamelde ik. 'En hij ook.'

'Dat is een risico dat ze willens en wetens hebben genomen.'

'Alleen als iemand erachter komt. Per slot van rekening doen ze niemand kwaad,' protesteerde ik.

'Mij wel,' verklaarde ze. En met die woorden stapte ze op Perestu toe, wees met haar vinger en zei: 'Smerige meid! Dat stiekeme gedoe met een man. Wie denk je wel dat je bent?' Ze stak een hand uit en trok Perestu aan haar haren.

Voordat we het wisten begon Perestu ook aan Aysha's haar te rukken. Narcissus wilde zich ermee bemoeien, maar Sadullah Agha hield hem tegen, terwijl de twee vrouwen op de grond lagen, schoppend, schreeuwend en klauwend naar elkaars haar. Nakshidil smeekte me er een eind aan te maken, maar dat was alsof je met rauw vlees een leeuwenkooi zou binnenstappen. Ik had nog nooit zoiets meegemaakt in de harem. En het ergste moest nog komen.

Perestu probeerde op te staan, maar meteen trok Aysha haar

weer omlaag en beet haar in haar gezicht. Als ik niet zo begaan was geweest met Perestu, zou ik hebben gezegd dat het nog een betere voorstelling was dan de worstelpartijen van de met olie ingesmeerde janitsaren. Maar in werkelijkheid was het gruwelijk om deze explosie van jaloezie te moeten aanzien. Ik wist dat Perestu grote problemen zou krijgen omdat ze Aysha aangevallen had, ook al was dat uit zelfverdediging. Toen ze bleef liggen, kreunend van pijn en met bloed op haar wang, rende Nakshidil naar haar toe, terwijl Aysha wegliep en mij opnieuw bevel gaf om Bilal Agha te waarschuwen. Ik had geen keus. Niet alleen zou ze mij ook kunnen aanvallen, maar bovendien was ze de moeder van prins Mustafa, de troonopvolger. Ik smeekte de zwarte oppereunuch om genade te hebben met Perestu en de muziekleraar.

'Hij zal onmiddellijk gevangen worden gezet,' zei Bilal Agha.

'En zij?' vroeg ik.

Als antwoord rolde hij met zijn ogen. De volgende morgen kwam het bericht dat Sadullah Agha door de sultan ter dood was veroordeeld. Meer hoorde ik niet, tot twee dagen later, toen Selim – nog steeds verwikkeld in staatszaken – een amusementsavond aankondigde als voorbereiding op ramadan. Een marionettenvoorstelling en een concert zouden de sultan wat afleiding bieden.

Zoals altijd bij deze feestelijke gelegenheden in de toneelzaal waren de vrouwen prachtig gekleed in zijde, met een overdaad aan juwelen. De lucht van hun zware parfums vermengde zich met de wierookdampen in de zaal. We gingen naar binnen, met sultane walidé Mirisjah aan het hoofd van de prinsessen, de kadins, de concubines, de haremmeisjes en de zwarte eunuchen. Toen Mirisjah op de verhoging had plaatsgenomen, lieten de anderen zich aan haar voeten zakken. Toen ik me achter Nakshidil opstelde, die aan de andere kant van Aysha zat, herinnerde ik me de eerste keer dat Nakshidil

157

deze zaal was binnengekomen en voor Abdül-Hamid had gedanst. Wat was er in de tussentijd veel gebeurd, dacht ik terwijl we gespannen op de komst van de sultan wachtten.

De opperkamenierster sloeg met haar zilveren staf, iedereen stond op en de sultan kwam binnen met de twee prinsen, geescorteerd door een falanx van eunuchen. Zodra Selim zijn plaats op de troon had ingenomen en Mahmoed en Mustafa op kussens naast hem waren gaan zitten, begon de *karagoz*.

De pogingen van de sultan tot hervormingen hadden al enig effect en in het paleis ging het gerucht dat zijn populariteit onder het volk begon te stijgen. Maar de uitgesneden poppen die we aan touwtjes zagen dansen, vertelden een ander verhaal. Zij beeldden een koning af die de oude tradities wilde veranderen en daarom door een boze bevolking werd belaagd. De meute schold en tierde. De janitsaren maakten ketelmuziek. En de oelema gingen tekeer tegen de christelijke invloed. Toen ik de voorstelling zo zag, vroeg ik me af hoeveel waarheid erin school. Selim staarde roerloos naar de dansende poppen, zonder enige uitdrukking op zijn gezicht.

Wierpen de poppen hun schaduw vooruit? Ik zag Aysha giechelen toen de meute de sultan aanviel, en ik herinnerde me het gerucht dat ze zelf bij een vreemd complot betrokken zou zijn geweest. Jaren geleden had Aysha geprobeerd om Selim de schuld te geven van een moordaanslag op sultan Abdül-Hamid. Die zaak was gesust, maar het was bekend dat Aysha alles wilde doen om haar eigen zoon op de troon te krijgen.

Na afloop van het poppenspel werd er eten en drinken rondgebracht en kwamen de musici binnen. Het was een warme avond, de ramen stonden open en in de stilte tussen het einde van de marionettenvoorstelling en het begin van de muziek hoorden we buiten iemand schreeuwen. Ik schoof naar de getraliede ramen en keek omlaag. Paleiswachten roeiden voorbij in een sloep, gevolgd door een eunuch in een kleinere roeiboot. Toen ik me omdraaide zag ik nog net dat de bewakers een zware zak optilden en in zee gooiden. Op dat moment wist ik waar het geschreeuw vandaan kwam. Maar het gejammer van het meisje verstomde toen haar lichaam onder het water van de Bosporus verdween. 'Arme Perestu. Moge God haar genadig zijn,' mompelde ik huiverend. Ik zag tranen in Nakshidils ogen en draaide me om naar Aysha, maar die deed alsof ze de doodskreten niet had gehoord.

Als op een teken pakten de musici hun instrumenten. De bekkens klonken en het publiek zweeg om te luisteren. Na een paar traditionele Turkse nummers verraste het orkest ons met een nieuwe compositie. Een verbaasde stilte daalde over het publiek neer voordat de mensen elkaar fluisterend vroegen wie dit briljante stuk geschreven had. Hoofden draaiden zich naar de sultan toe, maar hij staarde nog steeds onbewogen voor zich uit op zijn parelmoeren troon.

Eindelijk wendde Selim zich tot de zwarte oppereunuch en vroeg hem wie deze prachtige muziek had gecomponeerd. 'Sadullah Agha, majesteit,' antwoordde de man. 'Hij heeft het een paar dagen geleden geschreven.'

De sultan kreeg tranen in zijn ogen en het was duidelijk dat hij verdriet had om de man die hij zelf ter dood had laten brengen. 'Allah zij geprezen,' riep Selim. 'God vergeve me voor zijn dood. Hij was een briljant musicus. Ik had niet het recht zijn leven te nemen.'

De zwarte oppereunuch keek op en zei: 'Maar majesteit, Sadullah Agha is nog in leven!'

Ik vroeg me af of de sultan nu de zwarte oppereunuch zou laten executeren. Hoe had Bilal Agha de orders van de vorst in de wind kunnen slaan? Maar toen legde hij uit: 'Sadullah Agha, de musicus, zou vanavond worden terechtgesteld, onmiddellijk na het concert.'

Tot onze grote verbazing riep Selim uit: 'Breng hem hier. Nu meteen!'

Er steeg een geroezemoes op toen de arme man uit zijn cel naar de toneelzaal werd gebracht. Bevend op zijn slippers, zonder enig idee wat hem te wachten stond, bleef hij voor de sultan staan. Op dat moment sloeg Selim zijn armen om hem heen, wenste hem geluk met zijn compositie en zei hem dat hij alles mocht vragen wat hij wilde.

'O, majesteit, dat Allah u zegene. Het is Perestu die ik wil. Ik mis haar meer dan wat ook.'

De sultan keek vragend naar Bilal Agha, maar de zwarte op-pereunuch rolde met zijn ogen en zei bedroefd: 'U kunt zoveel vrouwen krijgen als u wilt, Sadullah Agha, maar Perestu is er niet meer. Vanavond is haar lichaam in zee gegooid.'

'Mogen de hemelen onze zonden vergeven en glimlachend neerzien op uwe majesteit,' zei Sadullah Agha met tranen in zijn ogen, en ik wist dat hij de enige vrouw had verloren van wie hij werkelijk hield.

De volgende dag kreeg Nakshidil bericht dat de sultan haar wilde zien. Ze besprenkelde zichzelf en haar kleren met Selims favoriete luchtje. Toen we het bad verlieten huppelde ze de gang door in een wolk van ambergrijs. 'Ik ben zo gelukkig, Tulp,' zei ze. 'En tegelijk ben ik zo verdrietig om die arme Perestu. Konden we maar allemaal gelukkig zijn op hetzelfde moment.'

Ik schudde mijn hoofd en zuchtte. 'Dat zal niet gebeuren, vrees ik, zolang Aysha er nog is.'

Bij de vertrekken van de sultan aangekomen, wenste ik haar het beste en bleef buiten staan. Ik betaalde wat gouden muntjes aan de eunuchen en boog me naar het kijkgat in de deur. Eigenlijk wilde ik alleen even kijken om te zien of de hereniging goed verliep. Ik zag Selim in bed liggen met een warme glimlach op zijn gezicht. Nakshidil gleed naar hem toe, stapte langzaam uit haar zijden kleren en knielde om zijn voeten te kussen. Ik hoorde een luide kreet van passie, maar de rest kon ik niet verdragen, dus draaide ik me om, bedankte de eunuchen en vertrok.

Selims aandacht was net zo kortstondig als het zonlicht in de winter. 'Ik mis hem zo,' zei Nakshidil een paar weken later tegen Mirisjah. Het was de vijftiende dag van ramadan. De walidé was die ochtend met haar zoon en zijn hoogste functionarissen naar het Paviljoen van de Heilige Mantel geweest voor een bijzondere ceremonie. Daar werden heilige relikwieën van de profeet bewaard en vereerd. Inmiddels had iedereen in de harem zich verzameld voor een laat feestmaal. Mirisjah troostte Nakshidil, maar maakte zich grotere zorgen om een troonopvolger.

'Het gaat om het belang van het Ottomaanse rijk, dat moet je goed begrijpen,' zei Mirisjah. 'Nog geen enkel meisje is zwanger van een erfgenaam. Stel dat er iets met Mustafa en Mahmoed zou gebeuren! Mijn zoon moet al zijn attenties richten op vrouwen die de voortzetting van de Ottomaanse staat kunnen garanderen. En één vrouw kan slechts verantwoordelijk zijn voor één prins. Wees blij dat hij je zo nu en dan nog bij zich roept.'

'Het is niet alleen dat ik hem mis,' vertrouwde Nakshidil haar toe, 'maar ik voel me een gevangene. Het is al zo lang geleden dat ik buiten het terrein van het paleis ben geweest.'

'Misschien kunnen we een picknick houden,' opperde Mirisjah.

Op de dag van het uitstapje dribbelden vier kadins en Nakshidil, in roze feraces en behangen met parels en robijnen, achter de koningin-moeder aan als kuikens achter de moederkloek. Aan de rand van de serailkade was een klein deel van de steiger afgezet. Daarachter werden de vrouwen door de eunuchen in de sloep geholpen.

'Waar is dat gordijn voor?' vroeg Nakshidil verbaasd.

Ik legde uit dat de roeiers de haremvrouwen niet mochten zien. 'Wat een gedoe,' mompelde ze vanachter haar chiffonnen sluier toen ze voorzichtig in de met satijn gevoerde kuip van de sloep stapte.

De roeiers brachten ons naar die mooie inhammen van de Bosporus die wij het Zoete Water van Europa noemden. Ergens langs de kust wees Mirisjah naar de plek van de fonteinen die ze kortgeleden aan het volk had geschonken. Zonder die fonteinen hadden de mensen geen bron van vers drinkwater. Ze keek de meisjes een voor een aan.

'Als jullie ooit koningin-moeder worden, moet je het volk met gulle hand bedelen,' zei ze. 'Het is onze plicht als goede moslims om bij te dragen aan het welzijn van anderen.' Er werd beweerd dat Mirisjah onder de invloed van de soefi's was geraakt en haar religieuze taken bijzonder serieus nam. Het afgelopen jaar had ze een nieuwe gaarkeuken geopend voor de armen en een moskee voor het leger, om de militaire steun aan haar zoon te verstevigen. Ik hoopte vurig dat de janitsaren hem niet zouden laten vallen.

Wat verderop langs de kust legden we aan bij een omheind park. Enkele zwarte eunuchen hielden de wacht terwijl de dames hun sluiers afdeden en zich ontspanden. Een paar uurtjes dartelden ze door de pleziertuin als een wervelende roze wolk. Ze speelden krijgertje, zaten op de schommels en staken hun tenen onder de waterval. Toen spreidden we wat vrolijke kleden uit en genoten ze van een picknick van gevulde aubergines, geroosterd lamsvlees, yoghurt, kebab, maïs, amandelroompudding en allerlei zoetigheid. Voor het eerst in lange tijd zag ik Nakshidil weer lachen. Ze lag onder de dichte bladeren van een lindeboom op een kasjmieren deken en een Perzisch kleed, met zijden kussens onder haar hoofd.

'Weet je, Tulp,' zei ze, 'jij bent de enige op de hele wereld die ik kan vertrouwen.'

'Je hebt toch je slavinnen?' wierp ik tegen.

'Ach, die zijn lief en ze bedoelen het goed, maar ze begrijpen me niet echt, chéri. Jij en ik komen uit vooraanstaande families. We zijn geestverwanten.'

Het is een zeldzaam voorrecht om de vertrouweling van een concubine te mogen zijn en ik bewaarde haar geheimen dan ook goed. Het was natuurlijk niet de eerste keer dat we zo samen praatten. Meestal roddelden we over mensen in het paleis, maar soms, in de beslotenheid van haar kamers, spraken we ook over haar verleden. Nu ze in de zomerzon lag en peinzend op een vijg kauwde, vertelde ze me dat ze de vorige nacht badend in het zweet wakker was geworden. Toen ik haar vroeg waarom, zei ze dat ze soms nog nachtmerries had over de piraten. 'Vertel me daar eens over,' zei ik. 'Het is beter om je hart te luchten.'

12

Nakshidil legde de vijg neer en doopte haar vingers in een kommetje rozenwater. Ze droogde haar handen af en begon: 'Ik vertrok uit het klooster en ging aan boord naar Martinique. We hadden een veel kleinere hut dan drie jaar tevoren op de heenreis. Mijn kinderjuf Zinah en ik moesten ons met al onze extra bagage – de geschenken die we voor thuis hadden meegenomen – in een kleine kooi wringen.

Twee dagen kwamen we onze krappe hut niet uit, ten prooi aan zeeziekte door het slechte weer. De kapitein reefde de zeilen in de zware storm, maar hij vertelde ons niet dat er nog een veel groter gevaar loerde dan de elementen: de vloek van de Barbarijse zeerovers.

Ik lag op mijn smalle bed, misselijk door de deining van het schip, totdat de zee eindelijk wat rustiger werd en me in slaap wiegde.'

'Goddank,' zei ik.

'Ik werd wakker van het geluid van mannenstemmen, die riepen en schreeuwden in een taal die ik niet verstond. Later begreep ik dat de kapitein de riemen van een piratensloep had ontdekt.'

'Waarom sloeg hij niet op de vlucht?'

'Het was nu bijna windstil en een zeilboot kon niet ontsnappen. De piraten haalden ons in en enterden het schip.'

'En toen?'

'De deur van mijn hut werd opengegooid en twee stinkende kerels sleurden me uit mijn kooi. Voordat ik een woord kon zeggen, deden ze zware kettingen om mijn voeten en ijzeren boeien om mijn polsen.

Machteloos moest ik toezien hoe een van de piraten met ontbloot bovenlijf en krullend zwart haar op zijn borst, als dikke wurmen, de hele hut doorzocht, laden openrukte en onze koffers en dozen opende, op zoek naar buit. Opeens draaide hij zich om en kwam met glinsterende ogen naar me toe. Ik sloeg mijn armen om me heen, maar het was al te laat. Hij had de gouden hanger om mijn hals gezien. Ik legde mijn vingers tegen mijn keel, maar zijn harige knuist sloeg mijn hand weg en rukte het kettinkje van mijn hals. Ik voelde mijn huid branden.'

'Ik herinner me nog dat je me over die hanger vertelde, Nakshidil,' zei ik.

'Ik mis hem nog steeds,' mompelde ze, en onwillekeurig ging haar hand naar haar keel. 'Ik dacht aan Cervantes en zijn verhalen over zijn gevangenschap bij de Moren. Dat gedicht kwam als vanzelf bij me boven: "O, dat mijn ziel had kunnen ontsnappen naar een veilige plek, hoog aan de hemel." Ik was doodsbang voor wat me kon overkomen.'

'Hoe lang heb je op die boot gezeten?' vroeg ik haar.

'De dagen en nachten regen zich aaneen. Na een tijdje duwde een van de piraten me een bajonet in de rug en dwong me de ladder te beklimmen naar het dek. Ik had al dagenlang geen daglicht meer gezien en tot mijn verrassing voelde ik de warmte van de ochtendzon. In de verte glinsterden de witte gebouwen aan de kade van Algiers. De zon klom nog hoger en ik zag stenen huizen met dakterrassen, als de rijen van een jongenskoor tegen de heuvels boven de kust. Die aanblik gaf me hoop.'

'Wat gebeurde er toen je aan land kwam?'

'Ze brachten ons naar de kade, waar ik achter de bemanning en de mannelijke passagiers moest blijven staan, die nog steeds geketend waren. Mijn blauwe jurk was gescheurd en mijn armen en benen zaten onder de kneuzingen. Maar gelukkig kon ik weer vrij ademen. Ik keek of ik Zinah ergens zag, maar ik kon haar niet ontdekken.'

'Hoe is het haar vergaan?'

'Daar denk ik liever niet over na. Ik heb nog maanden over haar gedroomd, met haar lieve ronde gezicht en haar heldere ogen, maar ik heb haar nooit teruggezien.'

'Wat deden ze met jou?'

'We werden meegenomen in een grote groep, totdat een van de piraten me tussen de anderen vandaan haalde. Hij drukte een scherp wapen tegen mijn rug, legde een gespierde hand op mijn arm en sleurde me een steile trap van vijfhonderd treden op. Ik voelde me geradbraakt als een schipbreukeling toen ik wankelde door het labyrint van smalle stegen dat zich over de Oude Stad uitstrekte. Ik had moeite om op de been te blijven, maar toen hij zijn hand tegen mijn borst legde werd ik woedend en probeerde hem te bijten...'

'Goed zo.'

'Het was maar een zwakke poging. Ik kwijlde op zijn hand. De piraat sloeg me in mijn gezicht en ik zakte in elkaar op de keien. Maar ten slotte bereikten we de top van de heuvel en zag ik de muren van de grote, gemetselde kashba en het paleis.'

'Net zoiets als dit?' vroeg ik.

'Hij sleepte me zo snel naar binnen dat ik er niet veel van gezien heb. Eenmaal in het paleis, werd ik voor de voeten van de bei neergegooid.'

'Het eenogige monster, zo noemen ze hem,' zei ik.

'Ik was vast van plan geen angst te tonen tegenover die afschuwelijke man. Dus krabbelde ik overeind en legde uitdagend mijn hoofd in mijn nek. Als deze engerd hun leider was, dacht ik, zal ik niet voor hem door het stof gaan. Ik sperde mijn blauwe ogen open en lachte zo stralend als ik kon.'

Nakshidil wachtte even en nam een slok van haar sorbet.

Ik zei haar dat de bei bin Osman onder het gezag van de Turken stond en daarom had geprobeerd zijn beschermheer, sultan Abdül-Hamid, met geschenken gunstig te stemmen. 'Bin Osman wist dat de oude Turk een cadeautje zoals jij wel op prijs zou stellen. Wat zei hij toen hij je zag?' vroeg ik.

'Hij nam me met zijn ene oog van hoofd tot voeten op en wees met een knokige vinger. "Dit meisje moeten we nuttig gebruiken," gromde hij naar zijn loerende bedienden. Ze sloegen me weer in de boeien en brachten me naar de kade terug.'

'Dus je ging weer aan boord?'

'Het was nu een schip met christelijke roeiers. De piraten spoorden ze aan met zweepslagen en ze roeiden alsof hun leven ervan afhing. De dagen verstreken, tot ik weer door de piraten aan dek werd gebracht. In de verte zag ik Constantinopel met zijn gedraaide minaretten en de glinsterende koepels van de moskeeën in de zon. "Istanbul, de Stad van de Zeven Heuvels," riepen ze juichend toen we tientallen sloepen voorbij voeren en de wilde eenden voor ons uit vluchtten. Ons schip gleed door de smalle zeestraat tussen Europa en Azië. Toen we eindelijk aanlegden aan de voet van het paleis werd ik door vier hellebaardiers bij de arm gegrepen. Ik moest denken aan de woorden van Dante: "Toen kwamen we bij de kust van een woestijn waar nog niemand naartoe was gevaren die ooit teruggekomen was."'

'Die Dante had gelijk.'

'Nee, dacht ik, hij heeft juist níét gelijk! Ik zál terugkeren. "Waar brengen jullie me naartoe?" riep ik tegen de soldaten, maar ze gaven geen antwoord en sleurden me mee. Even later zag ik een bizarre groep naar ons toe komen en wist ik dat ik verloren was.'

'Een bizarre groep?' vroeg ik.

'De eunuchen,' zei ze, met neergeslagen blik.

'We hebben allemaal een zware reis gehad,' zei ik.

'Net zo zwaar als ik?' vroeg ze.

'Nee,' zei ik, en ik wendde me af.

Ik deed vaak boodschappen voor Nakshidil in de grote bazaar. Door de smalle, drukke steegjes slenterde ik naar de kraampjes die crèmes verkochten of naar de boekenstalletjes bij het Beyazit-plein, waar ik met de Armeense kooplui onderhandelde over de prijs van Franse boeken die waren afgedankt door een of andere diplomaat voordat hij naar huis was teruggekeerd. De stroom van Franse adviseurs had de belangstelling voor de Franse cultuur – Franse kleren, Frans eten en zelfs Franse boeken – flink gestimuleerd, en de concurrentie tussen de Ottomaanse kooplui en de leden van de heersende elite had de prijs nog opgedreven.

Maar zelfs onder Selim was het niet eenvoudig om boeken de harem binnen te smokkelen. De godsdienstleraren stonden huiverig tegenover westerse ideeën en soms moest ik de bewakers bij de poort omkopen. Maar Nakshidil en ik hadden een systeem bedacht. Ik wikkelde de kleinere boeken in een geborduurde bocha en hield ze nonchalant onder mijn arm als een bundel zware zijde. Voor Nakshidil was het veel lastiger om ze te verbergen. Ondanks het feit dat ze nu haar eigen appartement en haar eigen personeel had, was haar privacy nog niet gegarandeerd. De opperkamenierster had sleutels van al haar kamers en kasten, zodat ze op elk moment een inspectie kon uitvoeren. En niemand wist aan wie ze haar ontdekkingen zou verklappen.

Nakshidil gebruikte de boeken om Mahmoed les te geven. Als jochie van negen las hij al gedichten en historische verhalen. In de beslotenheid van haar kamers nestelde hij zich tegen haar aan en luisterde naar haar gekuiste versie van haar afschuwelijke zeereis hiernaartoe. Mahmoed was geïnteresseerd in kaarten en volgde met zijn vinger graag de lijnen van de bergen of de kusten van de zeeën tussen Frankrijk en Turkije. Zo stak hij 'met de hand' de Middellandse Zee over, langs Tunis en Tripoli, naar de Egeïsche Zee en de Griekse eilanden in het noorden, dan naar de Zee van Marmara en door de Bosporus. 'Het is een eenvoudige reis,' zei hij dan, en Nakshidil glimlachte, zonder hem te vertellen hoe verschrikkelijk het was geweest. Soms deden ze spelletjes, schaken of backgammon, en niets deed haar zo'n plezier als hem te zien winnen.

's Middags vertrok haar 'leeuw' naar zijn godsdienstleraar. Hij moest Arabisch leren lezen, belangrijke gedeelten van de koran uit zijn hoofd leren en de geschiedenis van de islam bestuderen. Hij was zelfs al bezig met kalligrafie en kopieerde letters uit zijn geïllumineerde alfabet, hoewel zijn kalligrafieleraar, de imam Muhammad Rakim, tot Nakshidils grote verdriet een verklaard tegenstander was van westerse invloeden. Toen Rakim met zijn kraaloogjes op een keer binnenkwam, zaten ze Voltaire te lezen. 'Ik heb van hem gehoord,' gromde de imam. 'Hij is nog erger dan een ongelovige. Die man is goddeloos!' En vanaf dat moment trad hij Nakshidil met achterdocht tegemoet.

Zo was Mahmoed weer met zijn leraar Rakim vertrokken toen Narcissus bij Nakshidil aanklopte. Ze schrok van de eunuch met zijn mismaakte mond en zijn misvormde neus, die al te vaak gebroken was. Voor mij waren het symbolen van zijn verwrongen geest.

'Het zou mijn meesteres Aysha een grote eer zijn u vanmiddag om vier uur te ontvangen in haar appartement,' zei hij moeizaam. Zijn tong gleed uit over zijn verhemelte. 'Ze verheugt zich op uw komst.'

'Wat aardig,' antwoordde Nakshidil, verbaasd over de uitnodiging.

Ik huiverde bij de naam en dacht aan vorige ontmoetingen:

haar dreigement aan Nakshidil dat een kind van de sultan zou worden geaborteerd; de henna die ze over Nakshidils handen en armen had gemorst in het bad; de ontharingscrème die bijna Nakshidils huid had verbrand. De dood van Perestu... Wat was Aysha nu weer van plan?

'Wil ze het verleden goedmaken of is het een list? Voert ze iets in haar schild?' vroeg ik.

'Moeilijk te zeggen,' mompelde Nakshidil. 'Het was wel een héél beleefde uitnodiging. En dat incident met de ontharings-crème is alweer een jaar geleden. Ik geloof niet dat ze mij de schuld gaf van Perestu's flirt. Misschien wil ze echt vriendschap sluiten. Weet je,' zei ze spijtig, 'ik heb best geluk gehad dat ik naar het bed van de sultan ben ontboden, maar ik heb hem nu al zes maanden niet meer gezien. Als Aysha nog steeds met Selims zuster Beyhan omgaat, heeft ze misschien nieuws over hem.'

'Het zal in elk geval een interessante middag worden.'

Nakshidil maakte zich gereed voor het bezoek, knoopte de pareltjes van haar kaftan dicht en sloeg een zijden sjaal om haar hals, iets dat ik nog nooit iemand anders had zien doen. 'Je ziet er goddelijk uit,' zei ik, terwijl ze wat sieraden voor haar oren en vingers koos. Ze stak een kanten zakdoekje in de plooien van haar zachte ceintuur en zocht er nog een als cadeautje voor Aysha. Ze aarzelde, omdat ze niet graag afstand wilde doen van de stof die ze met zoveel zorg had geborduurd. Maar toen dacht ze aan haar eenzaamheid, vouwde de zakdoek op en keek me aan. 'Het zal best gezellig worden,' zei ze.

Aysha's appartement, twee kamers en een badkamer, lag aan de binnenplaats van de sultane walidé. Net als Nakshidils ver-trekken werd het niet alleen verwarmd door een brander, maar was er ook een haard, als statussymbool. Maar ondanks de met kasjmier overtrokken divans en de fraaie kleden vond ik het appartement toch donker en onheilspellend.

Omringd door haar personeel en de eunuch Narcissus lag Aysha tegen de kussens, half verstrengeld in de slangetjes van een nargileh. Ze was onberispelijk gekleed, met een weelde aan sieraden. Haar woorden waren vriendelijk genoeg, maar ik voelde de messcherpe blikken van de slavinnen als het bewijs van hun achterdocht.

Nakshidil glimlachte en kuste de zoom van Aysha's zijden jurk als teken van respect. 'Heel vriendelijk van je om me uit te nodigen, hemshirem,' zei ze.

'Je bent van harte welkom, zuster. Ik ben blij dat je wilde komen.' Aysha wees haar een plaats aan de *tandour*, terwijl ik achter hen bleef staan, naast Narcissus. 'Steek je voeten er maar onder, dat is lekker warm op zo'n koude dag. Misschien kan dat onze vriendschap ook wat warmer maken.' Ze nam een trek van de fruitige tabak. Ik keek naar Narcissus, maar hij wierp me een ijzige blik toe.

'Het leek me een goed idee om elkaar wat beter te leren kennen,' vervolgde Aysha. 'We hebben nog nooit vertrouwelijk met elkaar gesproken. Soms heb ik zelfs het gevoel dat je probeert me te ontlopen.' Ze stak een hand op en kromde haar vingers, als teken aan de slavinnen om koffie, thee, sorbets en wat eenvoudig gebak te brengen.

'Ik voel me vereerd door je gastvrijheid,' antwoordde Nakshidil, die het aanbod van tabak afsloeg. 'Die verwarmt me net zo als de tandour. En voel je niet gekwetst omdat ik niet veel zeg. Ik ben van nature nogal gereserveerd.'

Ze praatten beleefd over koetjes en kalfjes, roddelden over de nieuwe kadins en concubines, merkten op dat geen van de meisjes nog zwanger was en schudden hun hoofd om het pijnlijke incident dat een van de kadins de komst van een baby had aangekondigd, terwijl dat verhaal achteraf verzonnen bleek. Nakshidil liet niet merken hoe leeg ze zich voelde of hoe graag ze een kind van de sultan zou krijgen. Aysha vroeg een slavin om haar sieradenkist te brengen en als twee harts-vriendinnen doken ze in Aysha's collectie parels en edelstenen.

Maar algauw gleed er een ernstige uitdrukking over het ge-zicht van de roodharige vrouw en liet ze de kist weer wegha-len. 'De sultan heeft grote problemen, schijnt het,' zei ze.

Nakshidil zuchtte. 'Ja, dat is waar. Het valt niet mee om de corruptie uit te bannen.'

'Nee. Ik weet dat hervormingen soms noodzakelijk zijn, maar Selim is te ver gegaan. Wat weet hij nou van het leger? Het enige wat hij doet is gedichten schrijven en fluit spelen. De koran zegt: "Er is verschil tussen gelovigen die thuisblijven en zij die erop uitgaan om te strijden voor de zaak van Allah."'

Het viel moeilijk te ontkennen dat Selims hartstocht meer bij de muziek lag dan bij de krijgskunst. In Nakshidils ogen maak-te hem dat nog aantrekkelijker. 'Hij is een wijze sultan,' ant-woordde ze. 'Hij zal wel beter weten dan wij wat goed is voor het volk.'

Aysha trok haar wenkbrauwen op en gooide haar hoofd in haar nek, zodat de grote smaragd in haar hals nog extra fon-kelde. 'Wees daar maar niet zo zeker van. Macht kan een hel-der oordeel soms in de weg staan.' Rookwolkjes kringelden omhoog langs haar lippen.

'Wat bedoel je daarmee?' vroeg Nakshidil.

'Ik heb gehoord dat de heersende klasse klaarstaat om in op-stand te komen tegen hem. Er hangt een sfeer van revolutie. De oelema hebben genoeg van zijn geflikflooi met de Euro-pese ongelovigen, en je weet dat zij een belangrijke macht vor-men. Als religieuze leiders maken ze deel uit van elke moskee: het zijn moëddzins, imams en sjeiks die preken houden. Hun wet, de sharia, is de wet van het land.'

'Maar de oelema hebben geen militaire macht,' wierp Naks-hidil tegen.

'Je vergeet de janitsaren. Zij zijn woedend over dat nieuwe

leger, de Nieuwe Orde. Ze vinden het geldverspilling en een gevaar voor hun eigen systeem. Met de oelema achter zich zouden ze Selim kunnen afzetten. Mijn zoon Mustafa is de oudste prins en dus de volgende in de lijn van de troonopvolging. Daarna komt Mahmoed. Verder is er niemand, mijn zuster. Selim zelf heeft geen nakomelingen. Hij heeft te veel aandacht voor de paleisbedienden.'

Nakshidil luisterde zwijgend. Ze schrok van het verhaal over de janitsaren en de oelema. En de suggestie over de paleisbedienden was als zout in een open wond. Het gerucht ging al langer dat de sultan net zoveel belangstelling had voor de jonge jongens in het paleis als voor de meisjes uit zijn harem. En het was vreemd dat Selim al zoveel vrouwen naar zijn bed had ontboden zonder dat er maar één kind geboren was.

'Je moet kiezen, Nakshidil,' ging Aysha verder. 'Ooit komt de dag. Dan zal Mahmoed worden verdreven, samen met Selim, of zich aansluiten als bondgenoot bij de volgende vorst. Mustafa wil hem graag aan zijn kant.'

Het waren harde woorden, maar Nakshidil moest de waarheid onder ogen zien. Hoeveel ze ook van Selim hield, hij had anderen naar zijn bed ontboden en haar ter zijde geschoven als een koud kliekje. Maar Mahmoed dan? Als Selim inderdaad werd afgezet en Mustafa aan de macht zou komen, kon hij zijn broertje laten doden. Ongetwijfeld zou Mustafa geliefder zijn met Mahmoed aan zijn zijde. Als Nakshidil zich nu loyaal verklaarde aan Mustafa, zou haar zoon in de toekomst veel macht kunnen verwerven. Maar dan moest ze zich wel tegen Selim keren.

Toen Aysha uitgesproken was, zweeg Nakshidil een hele tijd. De spanning was te snijden. Ten slotte zette ze haar kopje met muntthee neer. 'Het was een verhelderende middag,' verklaarde ze.

Met die woorden stond ze op, draaide zich om en vertrok,

zonder de zoom van Aysha's jurk te kussen. Ik volgde, nog met de zakdoek in mijn hand die ze als cadeautje had willen geven. Zodra we buiten gehoorsafstand waren, draaide ze zich naar me om. 'Ik weet zeker dat Bilal Agha dit met belangstelling zal aanhoren. Denk je ook niet, Tulp?'

Ik glimlachte en draaide zwijgend de ring met de robijn rond mijn vinger die ik pas van haar had gekregen. Ja, de zwarte oppereunuch zou grote interesse hebben voor dit verhaal.

13

De week van de besnijdenis was de hele harem in rep en roer. Twee prinsen, de negenjarige Mahmoed en de veertienjarige Mustafa, zouden tegelijkertijd worden besneden, samen met nog duizenden andere jongens verspreid over het rijk. Er waren allerlei festiviteiten georganiseerd: een groot banket voor duizend gasten in het paleis; een bloementapijt in de stad; gouden munten die als snoepgoed zouden worden uitgedeeld; concerten en fanfares; artiesten overal. Het Topkapi had nog nooit zoiets meegemaakt sinds de besnijdenis van de vier zonen van Ahmed III, bijna vijftig jaar geleden.

Er werd een troon neergezet op At Meydani, het plein tussen de Blauwe Moskee en de Aya Sofia, waar de oude Romeinen hun wagenrennen hadden gehouden. Gasten uit de hele wereld maakten twee ochtenden lang hun opwachting bij de sultan. Met een stugge kaftan om zijn schouders, de lange mouwen bungelend op de grond, zat Selim op zijn ceremoniële troon, terwijl de koningin-moeder vanuit een naburig paviljoen toekeek, samen met Selims zussen Beyhan en Hadice. Ook Aysha en Nakshidil waren erbij, als moeder en voogdes van de beide prinsen.

Die arme Mirisjah had het druk genoeg om te voorkomen dat de twee vrouwen elkaar de ogen uit zouden krabben. Aysha had alles in het werk gesteld om te voorkomen dat Mahmoed op hetzelfde moment zou worden besneden als haar zoon Mustafa. Ze had speciale geschenken gestuurd aan de sultane walidé, geld aangeboden voor een fontein en geprobeerd de zwarte oppereunuch om te kopen met juwelen. Nakshidil had voor de koninklijke weg gekozen en zelfs aangeboden Mahmoeds besnijdenis nog even uit te stellen.

Maar Selim wilde er één groot feest van maken, waar allebei zijn erfgenamen bij betrokken waren. Dus moesten de twee vrouwen nu beleefd naast elkaar blijven zitten terwijl de echtgenotes van de hoge gasten een voor een hun respect kwamen betuigen en de provinciale gouverneurs, de buitenlandse ambassadeurs, de geestelijken en de viziers zich tegen de grond wierpen en de zoom van de mantel of de mouw van de sultan kusten als knieval voor de padisjah op zijn vergulde troon.

De derde middag van het feest verzamelden de vrouwen van het paleis, in doorschijnende gewaden met veel glitters, zich in de ontvangstkamer van Mirisjah. Ze zaten met gekruiste benen aan de voeten van de sultane walidé en rookten met juwelen bezette pijpen, terwijl slavinnen bladen met sesamsnoep en kleine gouden kopjes met schuimende koffie ronddeelden. De walidé had erop gestaan dat Nakshidil en Aysha naast elkaar in het midden zouden zitten, maar op de een of andere manier was Aysha naar Beyhan opgeschoven en had haar naar links getrokken, ongetwijfeld in de hoop dat haar honingzoete gemeenplaatsen haar vriendschap met de prinses zouden verstevigen.

De opperkamenierster kwam de rococokamer binnen en zei: 'Jullie moeten de prachtige geschenken zien die we ter ere van de besnijdenis hebben gekregen.' Daarna volgden de slavinnen, met bladen die zo hoog met cadeaus waren opgetast dat ze er nauwelijks overheen konden kijken. Met blije verwachting keken we hoe ze de mooiste blauw-witte porseleinen vazen uit China uitpakten, schitterende kristallen glazen uit Oostenrijk, eindeloze lappen van de fijnste stoffen uit Egypte, zacht damast uit Syrië en robijnen zo groot als walnoten uit

176

India. 'Die zijn voor mij, natuurlijk,' fluisterde Aysha tegen Nakshidil toen ze de bloedrode stenen zag fonkelen in het licht.

Nakshidil keek haar zuchtend aan. 'Ze zijn voor ons allebei,' zei ze. 'Allebei de jongens worden besneden.'

'Doe niet zo belachelijk,' zei Aysha, en ze blies Nakshidil een wolkje rook in haar gezicht. 'Dit is het feest van mijn zoon, Mustafa. Hij is veertien. Mahmoed is nog veel te jong, en bovendien niet eens je eigen zoon. Als jij niet zo had geïntrigeerd, zou Mahmoed zijn feest pas over twee jaar hebben gekregen. Je bent een indringster en je verdient die cadeaus helemaal niet. Trouwens,' voegde ze eraan toe, 'jij bent niet eens geïnteresseerd in juwelen – alleen in westerse boeken.'

Nakshidil schrok. 'Hoe weet Aysha iets over mijn boeken?' fluisterde ze tegen mij. 'Muhammad Rakim,' mompelde ik terug. De kalligrafieleraar was bevriend met Aysha.

Ongelovig zag ik hoe Aysha haar eunuch een knikje gaf, waarop Narcissus de hele stapel robijnen in zijn sjerp bond. Toen hij naar de deur liep, sneed ik hem de pas af, staarde hem in zijn lelijke smoel en liet hem struikelen. Boem! Hij sloeg tegen de grond en de robijnen vlogen alle kanten op. Hier en daar klonken kreetjes toen iedereen zag dat hij de juwelen stiekem had meegenomen. Mirisjah gaf hem bevel de stenen weer op te rapen en bij haar te brengen. Daarna stuurde ze hem weg voor een afranseling met de bastinado.

Die avond lichtte de hemel op met vuurwerk, en de volgende dag ging het feest gewoon door: een militaire parade; schermwedstrijden; een worstelcompetitie onder de janitsaren, waarbij de soldaten met hun ontblote, geoliede bovenlijf en hun in leer gestoken benen zich kronkelden als slangen; en een circus, compleet met leeuwen, een luipaard, hanengevechten en dansende honden. Maar het hoogtepunt was toch een partij cirit tussen twee teams met Mustafa en Mahmoed.

Tot Nakshidils ergernis verloor Mahmoeds team met zeven punten.

'Jammer, Nakshidil. Ik weet hoe graag je Mahmoed had zien winnen,' zei Aysha, zogenaamd troostend. Op waarschuwende toon voegde ze eraan toe: 'Je moet echt beter opletten. Mahmoed heeft de neiging de verkeerde kant te kiezen.'

'Tulp, ik weet niet wat ik moet doen,' zei Nakshidil later tegen me. 'Ik kan toch geen verbond sluiten met die vrouw? Maar als ik het niet doe, zal ze proberen Mahmoed en mij kapot te maken.'

'Blijf zo ver mogelijk uit haar buurt,' raadde ik haar aan. 'Maar als je door omstandigheden toch met haar samen bent, gedraag je dan als haar vriendin. En laat je vooral niet op de kast jagen.' We zaten in de tuin en ik zag dat zelfs de jongleurs, de clowns of de levende piramide van negen mannen geen lachje op haar gezicht konden brengen. Eindelijk kreeg ik een idee.

Er was bericht gekomen dat de sultan een spel van de harem wilde zien. Het eerste spel dat de meisjes deden was 'Mooi of lelijk'. Hadice, de zus van de sultan, kreeg een blinddoek voor en koos twee mensen uit. Toen riep ze 'Mooi!' en de meisjes poseerden. Daarna trok Hadice haar blinddoek weg, keek naar de kandidates en besliste wie de mooiste pose had. Daarna werd de winnares geblinddoekt. Dat ging zo even door, totdat Aysha aan de beurt was. Tot mijn verbazing koos de vrouw met het rode haar Beyhan, de zus van de sultan, als de ene kandidate en Nakshidil als de andere. Maar zodra ze 'Lelijk!' riep begreep ik het.

Nakshidil en Beyhan namen hun pose aan. Aysha deed haar blinddoek af, keek naar Nakshidil en begon luid te lachen. 'Dat is geen pose,' riep ze, zodat sultan Selim haar kon horen, 'dat is je eigen lelijke kop.' Ik zag Nakshidil ineenkrimpen en zou het liefst mijn armen om haar heen hebben geslagen, maar

178

natuurlijk kon dat niet. In plaats daarvan knipoogde ik tegen haar toen Selim de andere kant op keek.

Toen Beyhan Sultan aankondigde dat ze het onnozele spelletje 'Tuinen van Istanbul' gingen spelen, besloot ik mijn plan uit te voeren. De prinses stapte naar buiten in een binnenstebuiten gekeerde mannenbontjas met een snor op haar gezicht getekend. Ze klom omgekeerd op een ezel, balanceerde een meloen op haar hoofd, greep de staart van het dier in haar ene hand en een bos knoflook in de andere en riep lachend: 'Pak me dan!' De meisjes renden achter haar aan toen ze op de ezel over het grasveld reed. Na een paar minuten kreeg Aysha haar te pakken, zodat het haar beurt was.

Beyhan gaf haar de jas en de meloen, terwijl een van de slavinnen een snor op Aysha's gezicht tekende. Toen, net op het moment dat Aysha 'Pak me dan!' riep, rende ik naar haar toe. 'U vergeet de knoflook,' zei ik. En terwijl ik haar de bos gaf, struikelde de ezel over mijn voeten. Daar begon ik aardig bedreven in te raken. De ezel ging onderuit, Aysha vloog door de lucht en kwam plat op de grond terecht. Wat sneu. Ze mocht van geluk spreken dat ze geen been gebroken had. Ik verontschuldigde me uitvoerig en hoopte dat de sultan mij niet de schuld zou geven en mijn voetzolen zou laten afranselen. Maar Selim scheen de zaak te negeren. De rest van die feestweek lag Aysha in bed, bont en blauw, niet in staat om te lopen.

De volgende dag was het grote evenement. In hun mooiste geborduurde kaftans – Mahmoed in geel brokaat, Mustafa in het blauw – verschenen de twee prinsen voor de sultan in de besnijdeniskamer. Vandaar werden ze naar een speciale ruimte gebracht waar de procedure plaatsvond. Ik was bij Nakshidil, die eenzaam en nerveus in haar appartement zat te wachten. Eindelijk kwam er een imam, gevolgd door een eunuch die een gouden blad bij zich had.

'Eerwaarde vrouwe,' zei hij, 'omdat u het dichtst bij Mahmoed staat, moet ik u het bewijs overleggen dat de behandeling is geslaagd. Het is me een grote eer u dit te tonen.' Daarmee tilde hij de fluwelen lap op. Ik voelde mijn knieën knikken en ging van mijn stokje. Het volgende dat ik me herinner is dat Nakshidil over me heen gebogen stond en me koelte toewapperde met een waaier.

'Tulp!' riep ze. 'Gaat het weer?'

Ik keek om me heen en zag dat ik op haar divan lag. 'Ja, ik geloof het wel.'

'Je viel flauw,' zei ze. 'Weet je waarom?'

Ik dacht terug aan het moment waarop de imam de fluwelen doek had opgetild en ik het mes met het stukje voorhuid op het gouden blad had zien liggen.

'Het deed me ergens aan denken,' zei ik, nog een beetje zwakjes. 'Iets van heel lang geleden.'

'Vertel het me dan, chéri. Denk aan wat je me zelf hebt gezegd: het is goed om je hart te luchten.'

'Dit is geen verhaal dat jij wilt horen.'

'Ik heb jou ook mijn eigen onheilsverhaal verteld,' wees ze me terecht.

'Het kwam door dat blad,' fluisterde ik.

'Het blad?'

'Ja, het blad met het mes en de voorhuid.'

'Ga door.'

'Ik had je toch verteld dat mijn vader me had verkocht voor goud? Toen die transactie plaatsvond, zat ik buiten onze lemen hut een mes te slijpen. Een paar onbekende mannen kwamen naar me toe en net op het moment dat ik hallo wilde zeggen, grepen ze mijn handen en bonden ze vast. Daarna legden ze een ketting om mijn enkels, sleurden me overeind, en voordat ik het wist hadden we ons dorp verlaten en liepen we naar het noorden. Zo heb ik dagen, misschien wel weken gelopen, totdat ze halt hielden bij een christelijke buitenpost, ergens in de Egyptische woestijn. Ik herinner me nog het grote kruis en de twee monniken in bruine pijen die naar me toe kwamen met een vreemde blik in hun ogen. Ze namen me van de anderen over, brachten me naar een kale tent, en bonden me met mijn armen en benen op een tafel vast.'

Nakshidil kromp ineen en ik zag dat ze moeite had om het aan te horen. Maar het was nu te laat en ik ging door met mijn verhaal.

'Ze bonden niets voor mijn ogen, zodat ik gedwongen was om toe te kijken. Ik zag het mes omlaag komen en ik gilde, eerst van angst en toen van pijn. Ik bloedde als een geslacht varken. Blijkbaar raakte ik bewusteloos, want het volgende dat ik weet, is dat ik tot aan mijn borst in het zand begraven lag. Zo bleef ik dagen liggen. Dat was tegen het bloeden, zeiden ze. Maar de pijn was zo verschrikkelijk dat ik niet eens wist of ik wel verder wilde leven. Wat had het leven voor zin tussen die paar mensen die zo'n barbaarse daad hadden overleefd, die afschuwelijke castratie hadden doorstaan? Dan kon je maar beter sterven. God, wat kan de dood soms een troost lijken!'

Nakshidil kon haar walging niet verbergen, maar ze wist dat ik het uit moest spreken. Haar gezicht verwrong tot een grimas toen ze bevend vroeg: 'Was je de enige?'

'Nee. Er waren heel wat jongens in het zand ingegraven, als een rij cactussen in de woestijn. Ik hoorde ze kreunen en ik zag ze langzaam sterven. Ten slotte, na zeven dagen en nachten, zei een van de blanken dat ik genezen was en nam me mee. Toen we vertrokken, zag ik nog meer lijken in het zand begraven.

Ze brachten me naar Cairo en zetten me op een boot, met tientallen anderen. We waren geboeid met ijzeren kettingen en we lagen als lepels tegen elkaar aan, zo dicht opeen dat je het zweet van de volgende man inademde. Zo bleven we dagen liggen. Ik had vreselijk veel pijn. Mijn huid was rood en beurs.

Steeds als ik moest plassen wilde ik liever dood. Toen we in Istanbul aankwamen en de zwarte oppereunuch ons opwachtte, zag ik zijn verminkte gezicht en zijn dikke lijf en wist ik dat mijn lot bezegeld was.'

De herinneringen werden me te veel. Ik begon te snikken en hoorde Nakshidil ook huilen. 'Wat erg, Tulp,' zei ze door haar tranen heen. 'Het spijt me zo.'

'Het is jouw schuld niet,' zei ik. 'Jij zou mensen nooit zo beestachtig behandelen.'

Ze keek me aan en zei niets.

Zes maanden na de besnijdenis, in de winter van 1794, kondigde de sultane walidé aan dat ze het paleis ging verlaten. Als soefi-mystica, legde ze uit, had ze meer tijd nodig voor gebeden en meditatie. Haar vroomheid vroeg om een rustige plek aan de Bosporus. In het Topkapi verstreek de tijd als een lege vaas die wachtte om gevuld te worden, nog wat holler geworden door het vertrek van Mirisjah.

Er heerste stilte, zoals altijd, maar de klaterende lach die soms die stilte had verstoord was nu verdwenen. De dagen kenmerkten zich door de rituelen van maaltijd en gebed, en de verandering van kleding die daarbij hoorde. De seizoenen kwamen en gingen als herinnering aan het feit dat de natuur haar eigen agenda had: de platanen trokken hun jas van groene bladeren aan, om dan opeens hun takken te ontbloten; tulpen, hyacinten, anjers en rozen dansten in de warme tuinen totdat ze in de kille, harde grond verdwenen; een warm briesje kwam over de Bosporus, totdat het werd verjaagd door een ijzige wind. En terwijl de lente overging in de zomer en het najaar in de winter, wachtten de concubines op de sultan, half verdoofd door hun hasjiesj of opiumpilletjes. Nakshidils kleine genoegens beperkten zich tot een boek lezen, een handwerkje voltooien, een kleine sonate spelen, of roddelen met mij.

'Wat zeggen ze in de harem?' vroeg ze toen ik op een middag binnenkwam. Ik had haar al een tijdje niet gezien en ze verlangde naar nieuws.

'Blij dat je het vraagt,' zei ik.

'O?'

'De zwarte oppereunuch vertelde me gisteravond dat Selim hem bij zich had geroepen omdat hij genoeg had van Aysha.'

'O, Tulp!' zei ze. 'Dat is geweldig nieuws. Waarom heb je me dat niet meteen gezegd?'

'Ik ga net zitten,' wees ik haar terecht.

'Waarom heeft de sultan genoeg van haar? Heeft Bilal Agha je dat ook verteld?'

'Ik denk dat het iets te maken heeft met een bericht van Mirisjah. Hoewel ze niet meer in het paleis woont, hoort ze toch wat er gebeurt. Je weet dat de sultane walidé haar eigen netwerk heeft in het Topkapi.'

'Wat zou ze hebben gehoord?'

'Er gingen geruchten dat de janitsaren een opstand voorbereiden. Ook de oelema maken er deel van uit. De imams, de sjeiks en de moëddzins hitsen het leger op en noemen Selim een verrader omdat hij een verbond met de ongelovigen heeft gesloten. Steeds als er iets verandert, zoals die nieuwe genieschool van het leger, met Europese docenten, of de drukpers die de Fransen in Pera hebben geïnstalleerd, wijzen ze dat af als het werk van duivelse ongelovigen. Je weet hoe dicht Aysha bij Muhammad Rakim staat. Bij de oelema heeft Aysha steun gezocht voor haar en haar zoon Mustafa.'

'Dat is ernstig. Al voor veel minder zou ze in een zak verdronken kunnen worden.'

'Je hebt gelijk. Maar Selim is zo mild geweest om haar slechts naar het Oude Paleis te verbannen.'

'Misschien moeten we haar een afscheidsfeestje geven,' grijnsde Nakshidil.

'Met giftig snoep,' opperde ik.

Daar was niet eens tijd voor. De volgende morgen zagen we Aysha en haar eunuch Narcissus in een ossenkar klimmen, die rammelend vertrok naar het Eski Saray.

14

Drie kira's mochten naar het paleis komen om hun waren te slijten. Twee van hen, een Griekse vrouw die juwelen verkocht en een Armeense die bont te koop had, waren door de wol geverfd. Maar de derde, een jodin, was veel boeiender. Esther Kamona was nog jong, een tenger meisje met dik golvend haar, een hoog voorhoofd en donkere ogen die meer leken te weten van de wereld buiten Istanbul.

Toen ik haar die zomerse ochtend begroette in de kamer bij de woonverblijven van de eunuchen die speciaal voor de kira's was bestemd, wees ze met glinsterende ogen op een fluwelen bocha. 'Ik heb iets voor je,' plaagde ze. 'Zal ik het openmaken?'

'Graag,' antwoordde ik, nieuwsgierig naar wat ze had meegebracht.

Ze knikte naar haar slavin en de zwarte vrouw opende het pakje. Esther trok de dunne stof eruit, zodat zich een soort slang ontvouwde in de prachtigste kleuren: helder roze, turkoois en oranje, mooier dan ik ooit had gezien. Anemoon, de paleiseunuch die hen had binnengelaten, kwam een stap dichterbij. Zijn ogen straalden toen hij de gladde zijde tussen zijn goudgeringde vingers nam en voor zijn borst hield, met zijn heup naar voren, alsof hij er wel een jurk van wilde.

'Dat zal ze mooi vinden,' zei ik, en ik kocht de stof.

'Berg het maar op in de bocha,' zei Esther, en ik wist dat zich in die zachte tas nog iets anders moest bevinden.

Haastig liep ik naar Nakshidils kamers. Ze sloeg haar hand

voor haar mond toen ze de stoffen zag. 'Die vrouw is geniaal! Hoe kan ze aan stoffen komen die mijn stoutste dromen nog overtreffen? O, wat kun je daar prachtige jurken van maken.' Toen ze de zijde uitvouwde, viel er een brief uit de plooien. Nakshidil verbrak het zegel van de envelop en samen lazen we de brief.

25 juni 1795

Mijn lieve nicht Aimée,

Wat een geluk om jouw brief aan te treffen toen ik terug-
kwam uit Martinique. Maar wat vreselijk dat ik je al die
tijd niet hebben kunnen terugschrijven. De ellendige om-
standigheden van de revolutie stonden het schrijven van
brieven niet toe. Een kwaadwillende verrader had me
kunnen laten executeren vanwege één of twee verkeerde
woorden!
Ach, mijn arme nicht. Hoe heeft het lot ons naar zulke
plekken kunnen brengen? Waar moet ik beginnen? Mijn
huwelijk met Alexandre de Beauharnais was, kort ge-
zegd, een ramp. Helaas was hij al verliefd op een andere
vrouw toen hij met mij in het huwelijksbed stapte.
Een flirt kan ik wel begrijpen, een discrete romance is tot ·
daaraan toe – welke man komt immers het leven door
zonder maîtresse? – maar onze eigen relatie stond me zo
tegen. In plaats van goed voor me te zorgen als zijn toe-
gewijde creoolse vrouw, behandelde hij me koud en kil,
alsof ik zijn huissloof was.
Ik had geen andere keus dan naar een klooster te ont-
snappen. Gelukkig trof ik in Penthemont niet alleen de ·
meest goddelijke dames (vergeef me de woordspeling,
maar ik bedoel zowel de gasten als de nonnen), maar ik

maakte er ook mijn schoolopleiding af. Zo kon ik een leven voor mezelf opbouwen dat aan mijn eigen verwachtingen beantwoordde.

Maar helaas, na het klooster was ik een vrouw van vijfentwintig zonder man. Mijn echtgenoot was vertrokken en had mijn lieve zoontje Eugène met zich meegenomen. Omdat ik mijn ouders wilde zien, stapte ik in een opwelling op de boot naar Martinique. Niet te geloven, het schip heette de Sultan *en we vertrokken bijna op hetzelfde moment in 1788 dat jij vertrok uit Nantes. Onze schepen hadden elkaar op volle zee kunnen tegenkomen!*

Helaas waren mijn ouders er nog slechter aan toe dan ik. Toch had ik het er naar mijn zin, tot aan de volgende zomer, toen er bericht kwam over de onlusten in Parijs. Het duurde niet lang voordat de slaven op Martinique de wapens opnamen en hun vrijheid opeisten. Omstreeks augustus, toen de Nationale Assemblée in Parijs de Verklaring van de Rechten van Mens en Burger uitvaardigde en ons eigen eiland volgde met een Koloniale Assemblée, vond ik het tijd worden om Martinique te verlaten en naar Frankrijk terug te keren.

Ik neem aan dat je inmiddels hebt gehoord dat het gepeupel de Bastille heeft bestormd. Ik kan nog steeds niet geloven dat er menselijke hoofden en harten op palen gestoken door de straten werden gedragen! Hoe diep de beschaving zinken kan. Ik kon nog maar weinig eten vinden en nog minder brandstof voor mijn huis. Ratten liepen over straat en de mannen en vrouwen zagen er niet veel beter uit met hun lelijke koppen en hun smerige boerse kleren. Van mijn mooie Parijs was niets meer over. Ik genoot van de salons bij Germaine de Staël, maar ik zei niet veel en luisterde naar de roddels. Je weet dat ik te lui ben om partij te kiezen.

Natuurlijk heb ik altijd graag mensen geholpen. Nu ik schulden maakte, hielpen ze mij op hun beurt met hun gulle gaven. Sommigen werden zelfs geliefden.

Wie zegt immers dat een vrouw maar één man in haar leven zou mogen hebben? Hebben wij dan geen recht op vrijheid, net als onze mannen? Waar is die strijd voor on-afhankelijkheid anders om begonnen? En bovendien, wie weet een man beter te behagen dan een vrouw met enige ervaring?

Maar dat was allemaal van geen belang meer toen die boef van een Robespierre aan de macht kwam. Als nachtvlinders op het licht kwam het gepeupel op de exe-cuties met de guillotine af. Mijn arme Alexandre stierf ook door de hand van de beul. Zelf werd ik in de smeri-ge Karmelieten-gevangenis gegooid. Slechts door Gods genade en de hulp van mijn vrienden wist ik te overleven. Gelukkig werd Robespierre zelf ook onthoofd, zodat het land nu wat rustiger kan ademhalen. Zoals ik onlangs bij het avondeten tegen mijn vrienden zei, terugdenkend aan de woorden van die waarzegster in Fort-de-France: 'Die griezel van een Robespierre had nog bijna de voor-spelling doorkruist.' Nou ja, het nieuwe jaar nadert en wie weet wat het zal brengen?

Ik heb een bijzonder interessante man ontmoet. Een beetje klein en gedrongen, maar met een glimlach die vreugde brengt in mijn hart en blauwe ogen die me ra-ken in mijn ziel. Hij kan zelfs handlezen! Iedereen zegt dat hij de beste militair is die Frankrijk in jaren heeft ge-kend. Hij is iemand om rekening mee te houden. Je zult ooit nog eens van hem horen, zelfs in dat verre Constan-tinopel. Zijn naam is Napoleon Bonaparte. Het vreemde is dat hij nooit mijn eigen naam gebruikt, maar me al-tijd Josephine noemt.

Ik bid dat jij het geluk zult vinden dat ik bij hem gevonden heb. Ik weet zeker dat we binnen het jaar getrouwd zullen zijn!
Mijn lieve Aimée, ik verzeker je dat ik alles heb geprobeerd om je familie van je verblijfplaats op de hoogte te brengen. Maar vanwege de Britse blokkade is er geen contact meer tussen Frankrijk en Martinique.
Weet dat je altijd in mijn gedachten bent.

Je trouwe en oprechte nicht,
Rose

Rose's brief was als een favoriet parfum, dat herinneringen opriep aan andere tijden en plaatsen. Nakshidil las de velletjes steeds opnieuw, tot ze de hele tekst uit haar hoofd kende. Ze vroeg me een kopie te maken en die in mijn kamer te verbergen. Als iemand het origineel vond, had ze in elk geval nog een ander exemplaar. Ze moest toegeven, zei ze, dat ondanks de onafhankelijke houding van de Franse vrouwen het leven in Frankrijk niet veel beter leek dan dat in het serail.

Uit het met inlegwerk versierde schrijfkistje dat ik voor haar had moeten kopen in de bazaar haalde Nakshidil een nieuw roze velletje, doopte haar rietpen in de inkt en schreef een briefje aan Rose. Ze vertelde haar de laatste nieuwtjes en eindigde met een aansporing: *Ik wil zo graag iets van mijn familie horen. Probeer me alsjeblieft te helpen.* Toen sloot ze het velletje met geparfumeerde was en gaf het aan mij. 'Wil je het aan de kira geven?' vroeg ze. 'Samen met deze sjaal die ik heb geborduurd. Als een cadeau voor Rose.'

'Zou het niet geweldig zijn als het haar lukte je familie te bereiken?' zei ik.

Nakshidil drukte haar handen tegen elkaar. 'In elk geval heb ik mijn best gedaan.'

Meer dan een jaar bewoog Nakshidil zich moedeloos door het leven, als een schim die werd gekweld door herinneringen. Maar toen veranderden de omstandigheden. Eind 1796 bereikten berichten het Topkapi dat Catharina van Rusland gestorven was. De nieuwe Russische tsaar wilde geen oorlog met Turkije en bood de sultan zelfs vrede aan. Goed nieuws ook uit het Westen. De nieuwe Franse ambassadeur in Istanbul bracht zware wapens mee en meldde het Ottomaanse bewind dat het revolutionaire regime op vriendschappelijke voet wilde blijven met Istanbul. Gerustgesteld door die berichten gingen Selim en zijn viziers ervan uit dat de nieuwe Franse bevelhebber positief stond tegenover de Turkse troon. Het leek alsof Allah in één keer alle donkere wolken boven het Ottomaanse rijk had weggeblazen. En ook Nakshidil kwam weer tot leven. Opnieuw beleefde ze het geluk met een man zoals haar nicht Rose het had beschreven.

Verlost van zijn grootste zorgen had Selim meer tijd voor poëzie en muziek, en voor Nakshidil. 'Mijn sultan, licht van de wereld, je weet niet hoe ik je heb gemist en hoe verdrietig ik was omdat ik je nooit zag,' zei ze tegen hem toen ze eindelijk weer samen waren.

'En wat zei hij?' vroeg ik haar de volgende dag.

'Hij zei: "Alleen hij die echte liefde voelt, kent de vreugde en het verdriet van het leven."'

'Aha,' zei ik. 'Want de liefde kent het bitter en het zoet.'

'Hoe weet jij dat hij dat zei, Tulp?'

'Omdat het de woorden zijn van een dichter uit de achtste eeuw,' antwoordde ik.

Twaalf maanden lang was het leven zo goed dat de sultan het tijd vond voor een tulpenfeest. Dat was voor het laatst gehouden door sultan Ahmed III, die helaas van de troon was gestoten vanwege zijn excessen. Maar Selim had veel te vieren, en bij het licht van de vollemaan installeerde hij zich die avond in april op zijn troon in het tuinhuis, terwijl zijn gasten zich verzamelden achter de ramen van de paviljoens. Na veel aandrang was Mirisjah uit haar paleis aan de Bosporus naar ons toe gekomen. Samen met Selims zusters en de vrouwen aan haar voeten zat ze naast de sultan in een getraliede kiosk, waar ze snoepjes aten en koffiedronken uit met diamanten bezette kopjes, terwijl de natuur een spectaculaire voorstelling gaf.

Tulpen in alle afmetingen en kleuren stonden in vazen op planken die op verschillende hoogten in de tuin waren aangebracht. Branders met gekleurd water verlichtten de hemel. Kanaries en nachtegalen zongen een lieflijk lied; schildpadden liepen met toortsen op hun rug; en overal bloeiden die duizenden tulpen. De gasten deden zich te goed en de slavinnen dansten. 'Laat ons lachen en spelen, laat ons genieten van 's werelds heerlijkheden,' had de dichter Nedim geschreven, en dat deden we. 'Hoe anders is het zonder Aysha,' fluisterde Nakshidil, en ik knikte blij en instemmend.

Bij andere gelegenheden speelde Selim op de ney als begeleiding van Nakshidils viool, of las hij zijn gedichten voor. Weer nam hij haar mee op zijn boot voor excursies langs de Bosporus. Met niemand anders aan boord, behalve de eunuchen, vertrouwde hij haar toe hoe opgelucht hij was over de politiek van de nieuwe Russische tsaar en vertelde hij dat er nog meer Franse militairen op weg waren om te helpen bij de modernisering van het leger. Zijn enige teleurstelling was dat een briljante officier, die had aangeboden om te komen, niet meer beschikbaar was. Toch gedroeg de man, generaal Bonaparte, zich heel correct tegenover de Turken.

'Bonaparte, zei je?' vroeg Nakshidil, verbaasd die naam te horen.

'Ja,' antwoordde hij. 'Waarom vraag je dat? Zegt je dat iets?'

De verleiding was groot hem te vertellen dat haar nicht Rose met de man zou trouwen, maar ze zei niets. En toen ze later mijn advies vroeg, raadde ik haar aan te zwijgen.

'Stel je voor dat hij ontdekt dat jij brieven het paleis uit hebt gesmokkeld! Er zijn zoveel meisjes geweest die dachten dat ze de gunstelinge van een sultan waren, om er te laat achter te komen dat één misstap voldoende was om te worden verbannen of geëxecuteerd. Zeg er maar niets over,' waarschuwde ik haar. 'Hij vindt het prachtig dat je Frans bent. En met die Bonaparte aan het roer kan het alleen maar beter worden.'

Hoe kon ik me zo vergissen.

15

De eerste problemen dienden zich aan in maart 1798, toen de raad te horen kreeg dat Napoleon tot admiraal van het Oosten was benoemd. Waarom het Oosten, vroegen de ministers zich af, terwijl zijn troepen toch in Europa hadden gevochten? Al-gauw kwam het bericht dat zijn leger naar het oosten voer. De sultan eiste een onderhoud met de Franse ambassadeur. De bespreking stond op de agenda voor een week later, op de be-taaldag van de janitsaren, een goede gelegenheid om indruk te maken op buitenlandse gezanten met de omvang en slagkracht van de speciale eenheden van de sultan. Zoals altijd was het een lust voor het oog. De zwarte oppereunuch vroeg me hem te vergezellen naar de bespreking van de raad.

Er werden gebeden gezegd in de Aya Sofia, waarna we in een grootse stoet terugreden. Via de Eerste Hof en de Fontein van de Scherprechter bereikten we de Tweede Hof en de Diwan, het gele gebouw van de ministerraad, waar tientallen jonge paleisbedienden al klaarstonden en duizenden janitsaren met hun gele tulbanden de tweeëntwintig marmeren zuilen flankeerden. De blanke en de zwarte oppereunuchen, het hoofd van de admiraliteit en de hoogste schatbewaarder – al-lemaal getooid met tulbanden van verschillende hoogte om hun rang aan te geven, en gekleed in groene satijnen mantels, afgezet met marterbont – stapten de fraai beschilderde raads-zaal binnen en namen plaats op de zijden sofa die de hele achtermuur besloeg. Toen, geëscorteerd door honderden sol-daten, arriveerde grootvizier Ibrahim Pasha. De hoge witte tulband van de eerste minister had banden van goud, zijn witte satijnen mantel was gevoerd met marterbont, en hij droeg diamanten, parels en edelstenen om zijn hals en op zijn borst. Hij beklom de marmeren treden naar de deur. Bij de ingang van de zaal maakte de hoofdwaterdrager een buiging en mompelde: 'Uwe excellentie, komt u binnen.'

Iedereen stond op om de grootvizier te verwelkomen. Ibrahim Pasha maakte zich los van de soldaten die buiten bleven en richtte zich tot zijn ministers 'Ik wens u een voorspoedige ochtend,' zei hij, en ging zitten in het midden van de sofa. De *sjeik-ul-Islam*, ons hoogste religieuze gezag, ging de viziers met hun groene tulbanden voor in het gebed, terwijl de rest van ons aan de zijkant van de zaal bleef staan. De sultan was boven. Hij zat recht boven de grootvizier, aan het oog onttrokken door de kooi van filigreinwerk.

De Franse ambassadeur, monsieur Dubayet, een kleine, magere man met een monocle, arriveerde met veel pracht en praal en tientallen adjudanten. Tot zijn ongenoegen (zoals ik aan zijn frons zag) kreeg hij een kruk zonder rugleuning aangewezen. Zulke kleine ongemakken moesten ongelovigen in het Topkapi wel vaker verdragen.

Terwijl hij toekeek, brachten blanke eunuchen een voorbeeld van het voedsel van de janitsaren, om de viziers te laten proeven: een terrine met soep, pilav en saffraanrijst die gezoet was met honing. Toen de ministers klaar waren, schudden ze hun met paarse tulbanden gedekte hoofden om aan te geven dat er niets mankeerde aan het eten. Daarop renden de janitsaren die langs de trappen stonden naar de binnenplaats. De stilte werd ruw verstoord toen ze over de open vlakte stormden, gevolgd door de herrie waarmee ze met hun lange metalen lepels tegen de grote gamellen met soep en rijst sloegen. De aanblik en het geluid van die tienduizend soldaten met hun hoge tulbanden zou iedereen angst hebben ingeboezemd.

Nadat ze hadden gegeten en tot rust waren gekomen, verschenen er op de vloer bergen leren beurzen, gevuld met munten, vanaf de voeten van de grootvizier tot aan de deur. Ibrahim Pasha kreeg een keizerlijk bevel, kuste het zegel van de sultan en las hardop de toestemming voor om de munten te verdelen. Meteen werden enkele janitsaren uitgenodigd de zware zakken over te nemen en het geld aan de speciale troepen van de sultan te betalen. Allah zij geprezen: ze waren tevreden. Anders hadden ze hun soepketels kunnen omgooien en de zaal kunnen binnenstormen om ons aan te vallen!

Inmiddels hadden we een flinke honger en juichten in stilte toen ons eten werd binnengebracht. Ik weet niet meer hoeveel tientallen gangen we kregen voorgezet, maar de Franse ambassadeur leek overdonderd toen de ene na de andere schaal met geroosterd lamsvlees, kebab van rundvlees, gebraden kip, gegrilde kwartel, pasteitjes met gehakte spinazie, biefstuk en kalfsvlees, gepocheerde vis, gevulde aubergines, gestoofde zucchino's, gesneden tomaten, grote augurken, yoghurt met knoflook, gestampte bonen, gestoomde gierst, gebakken pilav en linzenballetjes voor hem werd neergezet. Als dessert kreeg hij rijpe meloenen, grote bessen, vruchtensap, geconfijte abrikozen, verse perziken, dikke dadels en bergen honingsnoep. Hij scheen het lastig te vinden om met zijn vingers te eten en ze daarna af te spoelen in rozenwater, maar zo te zien kreeg hij genoeg naar binnen.

Eindelijk was het moment aangebroken voor de ambassadeur om zijn argumenten naar voren te brengen. Terwijl de sultan naar zijn troon ging, kreeg monsieur Dubayet een hermelijnen mantel omgehangen en zijn adjudanten een jas van kamelenhaar. Toen alles gereed was, pakten de bewakers de gezant onder zijn armen, tilden hem op en droegen hem naar de troonzaal.

Ik liep achter hem aan en stapte de zaal binnen, waar de sultan al op een fluwelen sofa troonde. De rode bekleding was afgezet met parels en de kussens met smaragden, terwijl het kleed onder zijn voeten met gouddraad was gestikt. Boven zijn hoofd hing een baldakijn, met daarboven drie globes die zijn wereldlijke macht symboliseerden.

De Franse ambassadeur liep over de zijden kleden op de marmeren vloer, boog drie keer voor de sultan, kuste de zoom van zijn met gouddraad geborduurde kaftan en trok zich toen terug naar de muur. De grootvizier begroette de buitenlandse gezant en de Fransman nam het woord. Ik trad als tolk op. Ahmed Bey, de secretaris van de sultan, maakte aantekeningen. Nog onlangs had Ahmed Bey in de raad verklaard dat de onlusten in Frankrijk aan atheïsten als Rousseau en Voltaire te wijten waren. Hun antireligieuze geschriften waren volgens hem verantwoordelijk voor de ketterij en verdorvenheid die zich in het land verbreidde.

'Het is algemeen bekend dat orde en samenhang binnen een natie zijn gebaseerd op een goed besef van de wortels van de heilige wetten, de religie en de leerstellingen,' verklaarde Ahmed Bey, die daarmee het standpunt van de oelema in de raad verkondigde. Hij zei tegen de zwarte oppereunuch dat hij hoopte dat de Franse revolutie 'zich als syfilis over de vijanden van het rijk zou verspreiden' en niet alleen Frankrijk maar álle tegenstanders van Turkije in het conflict zou storten. Maar de zwarte oppereunuch vertrouwde me toe dat anderen binnen de raad van mening verschilden en sympathiek stonden tegenover Frankrijk.

'De verwerping door de ongelovigen van het christendom is een aanwijzing dat ze beseffen dat de islam de ware godsdienst is,' had een van de viziers gezegd bij wijze van uitleg.

Nu ik zo vlak bij de sultan stond, zag ik de bezorgdheid in zijn ogen. Naar welke van zijn eigen fracties moest hij luisteren? Kon hij de ambassadeur vertrouwen of niet? Maar voorlopig zweeg hij en luisterde aandachtig naar de woorden van de diplomaat.

'Hooggeëerde sultan, vorstelijke padisjah, Gods glorieuze schaduw op aarde,' zei monsieur Dubayet in een opeenvolging van beleefdheden. Om te beginnen wilde hij de sultan laten weten dat hij hem de oprechte goede wensen overbracht van het Directoire, de nieuwe regering van Frankrijk, en dat hij hoopte dat de grote sultan in blakende gezondheid verkeerde. 'Moge de kalief een lang en vruchtbaar leven gegund zijn,' zei hij. Hij hoopte dat de sjah der sjahs tevreden was met de vele geschenken die hij had meegebracht: het geglazuurde porselein, de dure parfums, de zilveren warmhoudbladen, de koffiekopjes met gouden rand, de gouden kandelaars, de gouden horloges en het goudbronzen bureau. Zoals hij ook hoopte dat de sultane walidé, de grootvizier en de zwarte oppereunuch hun cadeaus konden waarderen. Hij bedankte Zijne Majesteit uitvoerig voor hun gulle ontvangst, deed toen zijn monocle in en kwam ter zake.

Het was waar, bevestigde hij, dat het Franse leger naar het oosten oprukte, maar het was op weg naar India om de Britse handelsroutes te vernietigen. Natuurlijk zou de grote, wijze sultan dat begrijpen. Per slot van rekening was Engeland ook al lange tijd een vijand van de Turken. Wees ervan verzekerd, zei hij met klem, dat de Fransen het grote Ottomaanse rijk willen helpen, niet tegenwerken. Frankrijk wil uw vriend zijn, herhaalde hij, om u op alle mogelijke manieren tegen de Engelse vijand te steunen.

Daarna maakte hij de voorgeschreven buigingen en liep achterwaarts de kamer uit. Ik hoopte dat de ambassadeur de waarheid sprak. Anders zou hij, zoals andere leugenachtige gezanten vóór hem, als gevangene in de Zeven Torens kunnen belanden.

In juni van datzelfde jaar brak de hel los.

De beloften van de ambassadeur waren niets dan leugens. Bonapartes troepen waren geland in Egypte, een van onze belangrijkste provincies, en het was nu wel duidelijk dat de generaal van plan was eerst het Ottomaanse rijk te vernietigen en vervolgens de Britten in India aan te pakken. Kort nadat zijn soldaten in de baai van Aboekir bij Alexandria waren aangekomen, rukten ze op naar Cairo in het zuiden en brachten de Turkse troepen een zware klap toe. De Slag bij de Piramiden liep rampzalig af. Omstreeks augustus 1798 was Cairo in Franse handen.

In het algemeen wist Turkije het evenwicht goed te bewaren. Zodra we ons in het nauw gebracht voelden door een Europees land, gingen we een verbond aan met de vijand van dat land. Daarom zeggen ze natuurlijk dat 'de vijand van mijn vijand mijn vriend is'. Soms sloeg de weegschaal naar alle kanten door als we te snel van bondgenoten – Britten, Fransen, Russen of Oostenrijkers – wisselden. Was Frankrijk niet gisteren nog onze beste vriend geweest? Deze keer waren het de Britten die ons te hulp snelden. Het ging admiraal Nelson weliswaar meer om de verdediging van India tegen de Fransen dan om de handhaving van de Ottomaanse macht in Egypte, maar *malesh*, gelukkig wist de Britse admiraal Bonapartes vloot te verslaan.

Nu hij het grootste deel van zijn schepen kwijt was, stippelde de Franse generaal een landroute uit, en in 1799 marcheerden zijn troepen naar het oosten, door de Sinaï naar Palestina. Daar, in Jaffa, werden onze soldaten overvallen en gaven zich over, maar de barbaarse Fransen doodden hen toch. Drieduizend mannen, vrouwen en kinderen verdronken in zee. Maar toen de Fransen drie maanden later langs de kust naar Syrië trokken, kreeg ons leger van de Nieuwe Orde plotseling goddelijke inspiratie. Bij Akko werd de Franse troepenmacht vernietigd. Tweeduizend Fransen vonden de dood, hun hoofden gekliefd door onze zwaarden; de rest blies de aftocht.

De Fransen keerden terug naar Aboekir. Daar werden ze opgewacht door een Ottomaans leger, dat deze keer helaas niet tegen de vijand was opgewassen. De kansen keerden op tragische wijze en onze troepen werden door de vijand de zee in gedreven. Duizenden van onze soldaten verdronken in de baai, en Bonaparte vestigde zijn heerschappij over Egypte.

Aan het thuisfront ontstond groot tumult toen het nieuws van de nederlaag onze kusten bereikte. Het vernederende verlies van zo'n belangrijke provincie was nog schrijnender door de dood van zoveel Ottomaanse soldaten. Onmiddellijk nam de sultan wraak op de Fransen en alles wat met Frankrijk te maken had. Niet alleen werden de Franse ambassadeur en zijn adjudanten in de cel gegooid, maar alle Franse adviseurs in Istanbul moesten het land verlaten; Franse commerciële bezittingen werden in beslag genomen; alle Franse burgers in het Ottomaanse rijk moesten zich laten registreren bij de mosliminstanties; alle pro-Franse viziers werden gevangengezet; en alle verwijzingen naar Frankrijk in het paleis moesten verdwijnen. Ik hoef niet uit te leggen wat dit betekende voor Nakshidil.

Natuurlijk werden er geen westerse dansen meer uitgevoerd, werd er geen westerse muziek meer gespeeld en zelfs geen Franse wijn meer gedronken, ook niet in het geheim. Maar erger nog was dat Nakshidils naam nooit meer uitgesproken werd en dat ze geen uitnodigingen meer kreeg. Alleen al haar aanwezigheid was pijnlijk genoeg.

Nakshidil huilde zo lang en zo hevig dat ik bang was dat de zakdoeken zouden opraken. 'Wat moet ik doen?' snikte ze. 'Hoe moet ik nu leven? Dit is zo vernederend allemaal! Ik kan nergens mijn gezicht meer laten zien.'

'Je moet je niets aantrekken van wat de mensen vinden,' zei ik, hoewel ik wist dat de geruchten al de ronde deden en dat de hele harem over haar onmogelijke situatie praatte.

Bang om te worden opgemerkt, meed ze zo veel mogelijk het bad van de concubines en gebruikte de hamam alleen als er niemand was. Ze ging niet langer naar de muziekkamer en haalde slechts zo nu en dan haar viool uit de kast om de snaren te stemmen. Ze durfde haar lievelingsstukken niet meer te spelen en beperkte zich tot een melancholieke Turkse melodie. Ze verborg haar Franse boeken nog dieper in haar kasten en las ze alleen als ik de wacht hield. In de tuin wandelde ze in haar eentje, tussen vallende bloemblaadjes als even zovele tranen. En als ze zat te borduren, was elk prikje van de naald een steek in haar hart.

Je hebt geen idee hoe zwaar het voor mij was om haar steeds opnieuw te moeten melden dat haar op last van de sultan aan de zwarte oppereunuch weer bepaalde voorrechten waren ontnomen. Eerst werden haar verstrekkingen beperkt; ze kreeg nog maar half zoveel brood, boter, suiker, honing, koffie, thee, bloem, vlees, groente en fruit. Een paar weken later kwam het bericht dat haar toelage met tweederde was verminderd. En de maand daarop moest ze het grootste deel van haar sieraden – halssnoeren, oorbellen, ringen en ceintuurs met diamanten, robijnen, parels en saffieren – aan de schatkist teruggeven. Ook de meesten van haar slavinnen moest ze laten gaan. Slechts twee meisjes, Besme en Hurrem, bleven achter.

Erger nog, in augustus 1798 was prins Mahmoed dertien geworden. Zoals gebruikelijk in het Topkapi, moest hij een paar maanden later uit de kinderkamer vertrekken naar de medresse van het paleis, een school onder toezicht van de oelema. Nu hij in de Prinsenkooi woonde, samen met zijn broer Mustafa, werd hij onder leiding van de sjeik-ul-Islam en de religieuze hiërarchie officieel klaargestoomd voor het ambt van sultan van het Ottomaanse rijk en kalief van de moslimwereld.

Vroeger hadden Mahmoeds grote glinsterende ogen en zijn jeugdige levenslust Nakshidil altijd kunnen opbeuren. Nu werd hij overspoeld met de leer van de islam. In de Prinsenkooi zag de oelema erop toe dat de moslimtraditie overal aanwezig was: in de blauw-witte zeshoekige tegels met hun geometrische motieven, in de strak geknoopte gebedskleedjes, in de gedetailleerde kaart van Mekka en in de houten plafonds met hun gouden inscripties uit de koran. Het strenge lesprogramma van de imams omvatte alles, van kalligrafie en muziek tot religie en wetgeving, strikt gebaseerd op de islam.

'Hoe konden ze me Mahmoed afnemen!' klaagde Nakshidil. 'Ze houden hem opzettelijk bij me vandaan.'

'We zijn allemaal onderworpen aan de nukken van de sultan,' zei ik. 'Het is een grote eer om de Prinsenkooi te mogen betreden. Dankzij Selims tussenkomst is het in elk geval niet langer een enclave van hardvochtige afzondering, zoals vroeger, maar een comfortabel nest. Bedenk eens dat Mahmoed ooit sultan zal worden!'

'Zolang Aysha nog in de buurt is, loopt zijn leven groot gevaar,' zei ze. 'En als de dag komt waarop Mustafa de troon bestijgt, is het afgelopen met Mahmoed en mij.'

'Dat betwijfel ik. Mustafa is niet erg slim. Zelfs áls hij sultan wordt... en God vergeve me, maar ik hoop dat Selim op de troon blijft totdat zijn kleinzoons wit haar hebben... zal hij zich niet lang kunnen handhaven.'

Maar niets van wat ik zei scheen haar gerust te kunnen stellen. 'En mijn slavinnen dan?' vroeg ze. 'Hoe moet ik me redden zonder hen?'

'Ik ben er nog, en ik zal mijn uiterste best doen om je te verzorgen. Je zult denken dat je nog honderd slavinnen hebt. En hoe dan ook,' voegde ik eraan toe, 'het is hier beter dan in het Paleis van Tranen.'

'Dat is wel zo. Maar weet de sultan niet dat ik hem niets dan goeds wens?'

'Dat weet hij wel,' antwoordde ik. 'Volgens de zwarte oppereunuch wordt hij woedend bij alles wat hem herinnert aan wat de Fransen met Egypte doen. Toch heeft hij het risico genomen om jou hier in het Topkapi te laten. Na een tijdje zal hij wel bedaren en bij zinnen komen. Dit kan nooit lang duren.'

Maar hoe had ik kunnen weten dat Muhammad Ali, de provinciale gouverneur in Egypte, de situatie zou misbruiken om zich onafhankelijk te verklaren van de sultan? En ook ontstonden er weer problemen met Rusland. Selim had een nieuw verdrag getekend met de tsaar, maar de inkt was nog nauwelijks droog toen de Russen al onrust stookten in Griekenland, Anatolië en Bulgarije, waar ze de provinciale gouverneurs aanspoorden de onafhankelijkheid uit te roepen. En bij elk incident legden de oelema de schuld bij Selim en zijn banden met de ongelovigen.

16

Toen ze Mahmoed in haar deuropening zag staan, kreeg Naks-hidil tranen van vreugde in haar ogen. 'Ach, mon chéri,' riep ze, zonder te denken aan het verbod op alles wat Frans was. Ze omhelsde de jongen, smoorde hem met kussen en nam hem mee naar binnen.

'Nadil, alsjeblieft,' smeekte hij haar, en legde een vinger tegen zijn lippen. 'Je moet geen Frans tegen me spreken, an-ders komen we allebei in grote moeilijkheden.'

'Maar niemand kan ons hier toch horen, mijn kleine leeuw? Alleen Tulp is er maar.'

'Je weet het nooit,' zei hij, terwijl hij mij begroette. 'Als ie-mand het toch verraadt, zijn we er gloeiend bij.'

'Neem me niet kwalijk. Ik was zo blij dat ik je zag,' zei Naks-hidil. 'Maar hoe is het je gelukt om hier te komen?'

'Het is nu zes maanden geleden dat ik hier ben weggegaan naar de Prinsenkooi. Ik heb tegen de imams gezegd dat jij ziek was en dat ik je moest zien.'

'En hoe behandelen ze je daar?' Ze liep haastig rond om schalen met fruit en snoep te halen.

'Heel goed. Maar ik weet dat het een moeilijke tijd voor je was, net als voor mij. De imams hebben de woede van de sultan tegen Frankrijk gebruikt om hun eigen positie te ver-sterken.'

Nakshidil knikte en schoof nog een blad met eten naar hem toe.

'En wist je,' vervolgde Mahmoed, terwijl hij een stuk halvah naar binnen werkte, 'dat Selim de sjeik-ul-Islam heeft vervangen door een veel conservatievere figuur? Als de hoogste godsdienstige leider een reactionair is, redeneert hij, kan dat de janitsaren verzoenen met hun kritiek op het leger van de Nieuwe Orde en hen motiveren in de oorlog.' De stem van de jongen brak – niet door emotie, maar omdat hij in de puberteit was.

'Nog voordat deze problemen ontstonden, waren de imams al tegen het Westen,' zei Nakshidil. 'Ik heb altijd geprobeerd ze te negeren.'

'Ja, maar nu loopt het uit de hand en kún je ze niet meer negeren. Ze gaan fanatiek tekeer en vertellen me elke dag dat het Westen verdorven is, dat het Westen corrupt is, dat het Westen duivels is. Neem me niet kwalijk, maar ze beweren dat de vrouwen van de ongelovigen zich prostitueren en hun lichaam en gezicht aan alle mannen laten zien; dat de ongelovigen alcohol drinken, gokken en valse goden vereren. Ze spotten met westerlingen die zich niet op het geloof beroepen maar op de wijsbegeerte. In hun ongeloof weten ze niets van Allah. Toen ik daar kwam hebben ze me al mijn Franse boeken afgenomen en die kapotgescheurd.'

'Maar hoe meer je van het Oosten én het Westen weet, des te wijzer je zult zijn.'

'Dat beseffen ze niet, lieve Nadil. Zij zeggen dat de hele islam maar met één tong spreekt, het Arabisch, een heilige taal, terwijl er in Europa allerlei talen worden gesproken. Dat bewijst volgens hen hoe innerlijk verdeeld en inconsequent het christendom is. Ze walgen van het voedsel van de christenen, vooral van varkensvlees. Iemand die zoiets smerigs eet, moet zelf een zwijn zijn. Europeanen wassen zich niet met water en zeep, zeggen ze, maar besprenkelen zich met parfum.'

'Lieve kind, je weet dat dat niet waar is.'

'Het maakt niet uit. Ze gebruiken het tegen mij.'

'Wat kan ik doen om je te helpen, kleine leeuw?'

'Niets. Ik wilde je alleen even zien en je zeggen dat ik van je hou.'

'Ik ben zo dankbaar dat je hier gekomen bent. Elke dag, elk uur, maak ik me zorgen om jou. Laat je niet intimideren door Mustafa of de oelema. Je weet hoe streng ze zijn in de leer. Probeer zelf flexibel te zijn en je weg te zoeken naar het licht.' Ze omhelsde hem nog eens, deed toen een stap terug en nam hem onderzoekend op.

'Je bent gegroeid en ik zie nog meer veranderingen. Denk nu niet aan hoe het was of hoe het ooit zal zijn,' zei ze. 'Onthoud de woorden van de mysticus Bedreddin: "Er bestaat geen verleden, geen toekomst; alles is in een voortdurende toestand van wording."'

Maar eerlijk gezegd werd de toestand wel steeds slechter.

Twee maanden na Mahmoeds bezoek kwam het bericht dat sultane walidé Mirisjah ziek was. De paleisartsen konden weinig voor haar doen. Zelfs de Engelse dokter Neale, ontboden uit Pera, stond machteloos toen hij haar onderzocht in haar retraiteoord. De zwarte oppereunuch verwelkomde hem met koffie, sorbets en snoep en stelde hem voor aan de Griekse arts die de koningin-moeder had behandeld. Blijkbaar had Mirisjah al wekenlang regelmatig hoge koorts. In die tijd had de brave Griek haar in ijswater gedompeld, waardoor de koorts was gedaald, om later weer op te lopen.

Ten slotte werd de Engelsman door de zwarte oppereunuch naar de patiënte gebracht. De verzwakte vrouw lag achter een gordijn. Zonder dat Neale het wist, had de sultan zich verborgen achter een zwaar scherm. De enige delen van Mirisjahs lichaam die de arts mocht zien waren haar handen, zodat hij haar pols kon voelen. De dokter deed zijn best, maar omdat haar ziekte al zo ver was voortgeschreden en hij haar niet echt mocht onderzoeken, kon hij weinig doen. Acht dagen na zijn bezoek hoorden we de moëddzins in de stad haar dood bekendmaken. De volgende dag was er een processie om haar te begraven in haar turbe. De bevolking liep uit om haar de laatste eer te bewijzen. Mirisjah had de Ottomanen altijd gul bedeeld met gaarkeukens, fonteinen, een ziekenhuis en een moskee. In haar nagedachtenis liet Selim geld en eten uitdelen onder de armen.

Haar dood maakte alles nog verdrietiger. 'Zij heeft me Mahmoed gegeven en daar zal ik haar altijd dankbaar voor zijn,' zei Nakshidil. 'Ze was een lieve vrouw en ze mocht me wel. Natuurlijk was ik soms teleurgesteld dat ze me niet beter hielp met Selim. Maar dat is begrijpelijk. Haar loyaliteit lag vooral bij haar zoon.'

'God weet,' zei ik, 'dat een sultan op zijn moeder moet kunnen rekenen. De anderen om hem heen zijn zo wispelturig als de wind.'

'Zij heeft ervoor gezorgd dat ik werd opgeleid voor Selim,' vervolgde Nakshidil. 'Ook daar ben ik haar dankbaar voor. Ik zal haar missen.'

En dat deed ze. Dagenlang was ze ontroostbaar. De weken regen zich aaneen tot maanden. Eindelijk kwam de kira, Esther, weer naar het paleis met stoffen voor de vijf kadins van de sultan. En hoewel Nakshidil niet langer het voorrecht had om iets te kopen, had ik Esther toch een brief in handen gesmokkeld. Nu kwam ze met het antwoord. Toen ze het Franse zegel zag, fleurde Nakshidil weer op, maar niet voor lang.

Oktober 1799

Dit jaar heb ik droevig nieuws gekregen, lieve nicht, dat jou ook zal verdrieten, ben ik bang. Eerst hoorde ik dat mijn arme moeder er slecht aan toe was, en voordat ik

*dat had verwerkt, kwam het bericht al van haar overlij-
den. Nu vernam ik van een reiziger dat jouw vader en
moeder ook zijn gestorven. Het is verschrikkelijk om afscheid te moeten nemen van je ouders op hoge leeftijd,
maar zo is het lot nu eenmaal.*
*Het spijt me dat ik de boodschapper van slecht nieuws
moet zijn, maar ik hoop dat dit korte briefje jou in goede
gezondheid aantreft.*

Je liefhebbende nicht,
Rose

Nakshidil gaf de brief aan mij. 'Wat akelig,' zei ik. 'Kan ik iets
voor je doen?'

Ze schudde haar hoofd. 'Nee, Tulp. Ik voel een leegte diep
in mijn buik die me heel droevig en eenzaam maakt,' antwoordde ze. 'Mijn ouders zijn er niet meer. Ik zal ze nooit meer
zien. De imams zijn zo wreed geweest om me bij Mahmoed
weg te houden sinds zijn laatste bezoek, zes maanden geleden. Ik voel me als een kleine kurk die heen en weer wordt
gesmeten op een grote zee.'

Het duurde nog twee maanden voordat Mahmoed weer
kwam. Ik schrok toen ik hem zag. Hij was minstens tien centimeter gegroeid en hij had een veel bredere borstkas, een
diepe stem en stoppels op zijn kin. Hoewel hij zelf zo was veranderd, was alles in de Prinsenkooi nog precies hetzelfde, vertelde hij. De sfeer was misschien nog wel slechter. De extre-
misten hadden de touwtjes stevig in handen en eisten een
strenge gehoorzaamheid aan de islam. Alles wat maar naar Europa riekte was taboe, *harem.*

'Zelfs mijn broer Mustafa gebruikt dat nu tegen mij. Hij herinnert me er voortdurend aan dat jij Frans bent en me Franse
dingen hebt geleerd.'

'En Mustafa's moeder?' vroeg ik. 'Ziet hij haar nog wel?'

'O, steeds,' antwoordde Mahmoed. 'Ze is zelfs in de Prinsenkooi geweest. Ze spoort Mustafa aan om goed te luisteren naar Muhammad Rakim, de kalligrafieleraar. Hij heeft ook veel contact met de sjeik-ul-Islam. Ze doen alles om mij zwart te maken. Heel dom, dat weet ik, omdat mijn broer immers ouder is dan ik. Maar niets kan hem ervan overtuigen dat ik hem het beste wens als hij de troon zal erven. Bovendien is Selim nog jong, zoals ik hem steeds zeg, en zal hij met Allahs hulp nog vele jaren regeren.'

De geestelijken vroegen zich af waarom Nakshidil in het Topkapi mocht blijven, vertelde hij. Alleen Mahmoeds smeekbeden bij Selim en Selims invloed op de oelema hadden haar een plaats in het paleis verzekerd.

'Dank je, mijn kind,' zei ze, 'dat je zo'n risico neemt om voor mij te zorgen. Maar wat zou ik voor jou kunnen doen?'

'Ik ben bijna vijftien,' antwoordde Mahmoed, 'en het wordt tijd dat ik een vrouw neem. Ik weet dat Mustafa zijn slavinnen heeft. Daar ben ik nu ook aan toe.'

'Ik zal je een van mijn eigen meisjes sturen,' zei Nakshidil, glimlachend bij de gedachte dat de kleine jongen een man was geworden. 'Ik heb er maar twee, maar zeg me wie van hen je bevalt, dan kun je haar krijgen.'

Mahmoed bekeek de meisjes toen ze in en uit liepen. Voordat hij vertrok, maakte hij zijn voorkeur bekend.

'Hurrem zal de jouwe zijn, Mahmoed. Maar wees voorzichtig. Je kent de regels van het paleis. Ze mag geen kind krijgen. Als dat gebeurt, zullen zij en de baby moeten sterven. Bovendien loop jij dan groot gevaar.'

Zodra Mahmoed was vertrokken, vroeg ik of de wulpse Hurrem wel een veilige keus was. 'Ze is nog zo jong,' zei ik. 'Waarom stuur je hem Besme niet? Zij is ouder en zal niet meer zwanger raken.'

'Dit is het meisje dat hij wil,' antwoordde ze. 'Ik zal met haar praten en haar laten beloven dat ze voorzorgsmaatregelen neemt.'

Dichter zou Nakshidil nooit bij een sultan komen. Ze had weinig kans om weer Selims gunstelinge te worden, of hem zelfs maar te amuseren of met hem te spreken. En zo verstreek de tijd met een slakkengang.

Zelf had ik het druk genoeg. Nu het rijk in oorlog was met Frankrijk en gezanten af en aan reisden, deed de tolk vaak een beroep op mij als vertaler voor de hoge buitenlandse bezoekers, die bijna allemaal Frans spraken. En de zwarte oppereunuch stuurde me naar de Avret Bazaar om de meisjes op de vrijdagmarkt te beoordelen op hun geschiktheid voor het paleis.

Ik werd altijd een beetje misselijk als ik op de slavenmarkt kwam. Een groep zwarte meisjes, net gearriveerd, stond tentoongesteld op een verhoging, terwijl oude mannen met vuile tulbanden en smerige nagels in hun borsten knepen of hun lichaamsholten inspecteerden, terwijl ze met het goud in hun zakken rammelden. Ik leerde mijn afkeer van dat mensonterende schouwspel te onderdrukken, haalde een paar keer diep adem en bedacht hoe gelukkig ik was dat ik de sultan hier mocht vertegenwoordigen.

De beste meisjes werden voor mij bewaard. Ik stapte een van de privé-salons binnen, ging op een comfortabele sofa zitten en nam een kop koffie van een blad. We wisselden de gebruikelijke beleefdheden uit totdat ik op mijn gemak zat, waarna een voor een de blanke meisjes werden binnengebracht. Het waren voornamelijk jonge boerendochters met ruwe handen en een slecht gebit, zodat ik hen meteen kon afschrijven. Maar soms beoordeelde ik een van hen, keek in haar mond, inspecteerde haar lichaam en glimlachte in de wetenschap dat ik een donkerharige schoonheid had gevonden met een gladde huid. Na enig onderhandelen kocht ik haar dan voor een goede prijs.

Natuurlijk zorgde ik ook voor Nakshidil en de kadins. De sultan had er nu zes, die me van alles lieten doen: stoffen kiezen bij de kira als ze naar het Topkapi kwam, snuisterijen kopen in de grote bazaar, of zalfjes op de kruidenmarkt. Het enige waar ze allemaal naar zochten was een toverdrank om zwanger te worden. 'Vraag of dit werkt,' fluisterde een kadin me toe als ze weer over een nieuw wondermiddel had gehoord. 'Vraag wat ze hebben,' zei een ander. 'Misschien wel iets wat de ongelovigen gebruiken.'

Zo liep ik door de smalle paden van de grote bazaar, tussen de gretige kopers door, in het besef dat er bij die duizenden kraampjes van alles te koop was – wapens, boeken, kleden, zijde, tulbanden, sieraden – maar zelden van een kwaliteit die het paleis waardig was. In de loop van de jaren was ik bevriend geraakt met sommige kooplui van de Oude Bedestan. Zodra ik de hoge hallen binnenkwam waar de beste spullen te krijgen waren, werd ik buigend begroet. Het is geen geringe status om inkopen te mogen doen voor de harem van de sultan. Ik ging hier en daar langs, dronk een kop koffie, luisterde naar de roddels van de dag en onderhandelde over iets op mijn lijst.

Daarna ging ik naar de *misir carsisi* en slenterde langs de duizenden felgekleurde zakken met kruiden en geneeskrachtige middelen: hasjiesj, henna, hyacint, karwij, sandelhout, kaneel, lijnzaad, pepermunt, witte papaver, opium, ambergrijs, gember, nootmuskaat en duizendblad. Bij mijn favoriete adresjes dronk ik weer koffie, praatte over het nieuws en kocht het nieuwste elixer voor de wanhopige meisjes. Maar tevergeefs. De sultan had nog steeds geen nakomelingen.

Zelfs Nakshidil stuurde me naar de bazaar, maar met een ander doel. 'Ik heb mijn boeken goed verborgen, maar toch ben ik bang dat Muhammad Rakim ze zal vinden en me zal laten straffen,' zei ze. 'Ik vind het vreselijk om er afstand van te doen, maar kijk wat je ervoor krijgen kunt. Het geld zal in elk geval welkom zijn.'

De markt voor Franse boeken was volledig ingestort. Alles wat met Frankrijk te maken had was verdacht. Toch deed ik mijn best en vleide de handelaren alsof ze jonge maagden waren, zodat ik geleidelijk alles kwijtraakte en ik nog maar één of twee boeken overhad.

Toen ik op een winterse middag van de bazaar terugkwam, sloeg ik de sneeuw van mijn kaftan en ging bij Nakshidil langs. 'Er heerst grote opwinding in Pera, aan de overkant van de rivier,' meldde ik haar.

'Waarom?' vroeg Nakshidil.

'Voor ons is dit het jaar 1214, maar voor de ongelovigen het einde van de oude eeuw en het begin van de nieuwe.'

'Mijn god,' zei ze. 'Is het echt 1800? Dan zit ik hier al twaalf jaar, Tulp.'

'En ik zelfs vijfentwintig.'

Het was in december van datzelfde jaar, twaalf maanden nadat Hurrem door Nakshidil naar Mahmoed was gestuurd, dat het meisje buiten adem voor de deur van het appartement stond. Het was laat in de middag en ze had een dikke bocha onder haar arm. 'Alstublieft, alstublieft,' fluisterde ze zodra ik de deur achter haar had gesloten.

'Wat is er?' vroeg Nakshidil ongeduldig.

De mollige Hurrem legde het bundeltje op een divan en sloeg het voorzichtig open. Tussen een paar lagen kasjmier lag een pasgeboren baby. Een lapje in haar mond moest haar geluiden smoren.

'Mijn god, Hurrem! Ben je gek geworden?' vroeg Nakshidil.

'O, mevrouw, ik ben zo blij,' riep Hurrem uit. 'Toen ik begreep wat er met me aan de hand was, had ik het wel kunnen uitschreeuwen.'

'Ik hoop dat je het geheimgehouden hebt,' zei ik.

'Heeft niemand je buik gezien?' vroeg Nakshidil.

Ik keek eens naar Hurrems vlezige figuur en wist het antwoord al.

'Dat viel niet op,' zei ze eerlijk. 'Ik ben niet een van de dunsten en onder een paar lagen kleren zat die buik goed verborgen.'

'Wanneer ben je bevallen?' vroeg Nakshidil.

'Vanochtend vroeg.'

'Weet iemand ervan?' vroeg ik.

'Ik geloof het niet. Ik heb mijn best gedaan om het stil te houden. Het... het heeft wel even gehuild voordat ik het de borst gaf.'

'Als iemand het kind ziet, zal het gewurgd worden,' zei ik. 'Je moet het afstaan.'

Het meisje was te emotioneel om daarnaar te luisteren. 'Stel je voor, een dochter van de sultan!' zei ze.

'Hij is nog geen sultan en dat zal hij ook nooit worden als dit uitkomt,' zei Nakshidil. 'Mahmoed kan hiervoor worden terechtgesteld, net als jij.'

Hurrem wilde protesteren, maar Nakshidil legde haar het zwijgen op. Ze had gelijk. Het risico was veel te groot. Ze wenkte me om mee te komen naar haar slaapkamer. Ze was zo gespannen als een veer, met kromme schouders en haar armen strak voor haar borst gekruist. 'Wat doen we nu, Tulp?' kreunde ze. 'We kunnen die baby hier niet houden.'

'Ik heb nagedacht,' zei ik, 'en misschien weet ik een oplossing. Morgen komt de kira, Esther. Hurrem blijft vannacht hier om het kind te voeden. Morgen wikkelen we het in de bocha en hopen maar dat het geen kik zal geven. Dan geef ik het kind aan Esther en kan zij er een familie voor zoeken.'

'O, Tulp, jij weet altijd iets te bedenken,' zei Nakshidil, en ze kuste mijn hand. 'Maar Hurrem dan? Als ze het aan iemand vertelt zijn we allemaal verloren. Dat is precies het excuus dat Mustafa nodig heeft om Mahmoed uit te schakelen. Hij zal het de imams vertellen en zij zullen de scherprechter waarschuwen.'

'En jou wacht hetzelfde lot, omdat Hurrem jouw slavin was,' voegde ik eraan toe.

'We kunnen het meisje niet toestaan...' begon Nakshidil.

Ik knikte en hief een hand op om te voorkomen dat ze verder ging. Ik wist wat me te doen stond.

De volgende morgen werd ik wakker en stond op om het kind in doeken te wikkelen en naar de kira te brengen. Ik stapte de kamer in waar Hurrem sliep. Het meisje lag huilend op de grond geknield. 'Je komt er wel overheen,' zei ik. Maar toen ik omlaag keek, zag ik niets anders dan een opgevouwen deken.

'Ik heb haar melk gegeven. Ik heb alles gedaan wat ik kon,' snikte Hurrem. 'Ze is er niet meer,' jammerde het meisje. 'Dood.'

Ik bukte me en sloeg het kasjmieren dekentje open. De baby lag roerloos, stijf, zonder te ademen. Ze had de nacht niet gehaald. Ik was ten prooi aan tegenstrijdige emoties. Eén moment ging mijn hart uit naar het slavinnetje, dat een kind op de wereld had gezet, dat nu alweer dood was, vierentwintig uur na de geboorte. Maar ik moest ook toegeven dat ik opgelucht was. De goden hadden hun werk gedaan.

'Mijn baby, mijn baby,' jammerde Hurrem, terwijl ze het levenloze kindje in haar armen wiegde. 'Hoe kon dit gebeuren?'

'Het komt wel vaker voor. Het leven is kwetsbaar,' zei ik schouderophalend. 'Alleen de sterksten overleven.' Ik trok Hurrem overeind van de vloer en schudde haar door elkaar. 'Vertel nooit iemand over dit kind. Nooit!' waarschuwde ik haar. 'Zweer je dat?'

213

Ze aarzelde even, maar knikte toen. 'Dat zweer ik,' fluisterde ze zacht. 'Dat zweer ik.' Maar het klonk niet overtuigend.

Ik nam het dode kind in mijn armen, wikkelde het weer in de kasjmieren bocha en bracht het naar de tuinmannen, die ook als scherprechters van het paleis optraden. Zij zouden wel weten wat ze moesten doen.

Later, toen ik terugkwam, vond ik Nakshidil eenzaam in haar kamer. 'Ik hoorde haar huilen,' zei ze, 'maar ik dacht dat het was omdat wij haar kind zouden weggeven. Ik had geen idee...'

'Het is wel gemakkelijker zo,' zei ik. 'Waar is ze nu?'

'In de andere kamer,' antwoordde Nakshidil, wijzend naar de kleine ruimte waar het meisje had geslapen. 'Ik weet dat ze gestraft moet worden, maar misschien heeft ze haar lesje geleerd.'

'Het is nu te laat,' zei ik, terwijl ik me omdraaide en vertrok, in de wetenschap dat de tuinmannen hun werk deden.

17

Zoals de kleuren van een gebedskleedje mettertijd verbleken,
zo vervaagde ook de herinnering aan Hurrem en haar baby.
Nakshidil schikte zich weer in de saaie routine van de harem:
's ochtends opstaan, je gebeden zeggen, ontbijten en je aan-
kleden. Soms las ze de kleine boekjes die ze had verborgen in
een bocha in de kast, en na het middagmaal deed ze wat naaiwerk. Ze speelde geen viool meer, maar van laat in de middag
tot vroeg in de avond zat ze te roddelen met mij of met Besme,
de enige slavin die ze nog had. Soms bood Besme aan haar
hand te lezen of spreidde ze haar kaarten uit, maar Nakshidil
voelde daar niets voor. Niemand zou ooit haar toekomst zo
goed kunnen voorspellen als die waarzegster op Martinique:
'Ik ben in aanraking gekomen met een koningshuis, precies
zoals ze had gezegd,' zei Nakshidil. 'En nu weet ik hoe moeilijk dat kan zijn.'

Misschien was het de nieuwe eeuw die de kansen deed keren.
Het duurde nog een jaar, maar eindelijk zag het er wat beter
uit. De Ottomanen, die zich weer bij Engeland hadden aange-
sloten, wisten de Fransen uit Alexandrië te verdrijven. Bonaparte werd verslagen in het oosten, en in maart 1802 tekende
Turkije het Verdrag van Amiens om de vrede met Frankrijk te
bevestigen en onze macht over Egypte te herstellen.
    Niet lang daarna werd de Franse ambassadeur vrijgelaten en
weer in zijn ambassade geïnstalleerd. Franse kooplui kregen
toestemming de handel weer op te vatten en Nakshidil was

niet langer een paria. Niet dat ze meteen naar het bed van de sultan werd ontboden; dat voorrecht bleef beperkt tot anderen, als Selim tijd voor hen had. Maar in elk geval kon ze weer genieten van haar boeken, haar muziek en het gezelschap van de andere vrouwen.

Ik had het druk, niet alleen met mijn dagelijkse werk, maar ook als tolk voor bezoekende delegaties. Elke week maakte wel een andere buitenlandse diplomaat zijn opwachting bij het paleis. Zoals de zwarte oppereunuch Bilal Agha een keer opmerkte toen hij onderweg was naar een vergadering van de raad, had niemand ooit beweerd dat het eenvoudig was om een rijk te besturen. Zoals hij uitlegde, moest de sultan het evenwicht bewaren tussen de grootmachten Frankrijk, Engeland, Oostenrijk en Rusland, die allemaal op een deel van het Ottomaanse rijk aasden. Kort daarvoor had de tsaar wat meer invloed gekregen in Moldavië, en slechts met de hulp van een van onze beste bevelhebbers, Alemdar, konden we voorkomen dat ze het gebied annexeerden.

'Selim moet het ene land tegen het andere uitspelen, zoals een jongleur zijn ballen in de lucht houdt,' zei Bilal Agha. 'Steeds als er één hem uit zijn evenwicht probeert te brengen, moet de sultan de andere als tegenwicht gebruiken.'

Toen Bonaparte op 18 mei 1804 tot keizer van Frankrijk werd gekroond, besloot Selim de Britten en de Russen te vriend te houden en weigerde hij hem als de nieuwe keizer te erkennen. Dat bleek een vergissing. Een jaar later vernietigde het Franse leger de Russen bij Austerlitz in Moravië en zag de sultan zijn jongleerballen allemaal op de grond vallen. Napoleon was weer op veldtocht en deze keer leek het de sultan beter om het hoofd te buigen. In februari 1806 erkende hij de Franse keizer.

Niet lang na ons nieuwe verbond met Frankrijk, in maart 1806, kwam er een brief van Rose.

Mijn lieve nicht,

*Het doet me geweldig veel plezier dat jouw sultan de
vriendschap met Frankrijk heeft hernieuwd. Hoewel ik je
moet vertellen dat mijn eigen relatie met Bonaparte niet
meer is wat hij ooit was.*

*Sinds onze laatste correspondentie is er veel gebeurd. Je
hebt natuurlijk gehoord van mijn huwelijk en mijn kro-
ning tot keizerin in december 1804. Zie je, de waarzegster had gelijk!*

*Maar ik kan jou, mijn eigen vlees en bloed, wel bekennen
dat ik genoeg begin te krijgen van het onnozele geflirt
van mijn echtgenoot met de dames van het hof. God weet
dat ik mijn best doe om Bonaparte tevreden te houden.
Toch hoor ik steeds meer geruchten dat hij zou willen
scheiden. Nou ja, ik leg me er maar bij neer, wat er ook
gebeurt.*

Na zonneschijn komt regen.

'Ik weet er alles van,' zei Nakshidil toen we allebei de brief
hadden gelezen.

'Je kunt het ook van de andere kant bekijken,' vond ik. 'Jij
hebt je jaren van verdriet nu wel gehad. Het wordt tijd voor
wat geluk.' Maar de toekomst voorspellen is nooit mijn sterk-
ste punt geweest.

Naast zijn jongleernummer met de buitenlandse mogendheden
moest Selim ook nog een oogje houden op zijn eigen bezittingen. Op elk moment konden lokale bestuurders, daartoe
opgehitst door de Russen, de Britten of de Fransen, een opstand beginnen tegen de Turken.

'Het Ottomaanse rijk is misschien niet zo machtig als het ooit
was,' zei de zwarte oppereunuch op een middag toen we weer

op een ambassadeur zaten te wachten, 'maar het strekt zich nog altijd uit van Servië, Roemenië en Griekenland in het westen tot aan Syrië, Arabië en Egypte in het oosten. De sultan is voortdurend bezig provinciale gouverneurs en troepen heen en weer te schuiven om opstanden neer te slaan.'

In het oosten waren er problemen geweest in Damascus. De Mamelukken, de militaire klasse die ooit Egypte en Syrië bestuurde, had een greep naar de macht gedaan, maar de gouverneur had orde op zaken gesteld. In Arabië echter vormden de wahabieten een ernstig gevaar. Deze conservatieve sekte, die de islam wilde zuiveren van alle afwijkingen van de rechte leer, weigerde de sultan te erkennen als kalief en beschermer van de heilige plaatsen. Deze reactionairen, die zichzelf de 'ware gelovigen' noemden, hadden onze mensen verslagen en het gezag in Mekka en Medina overgenomen.

'Het is een belediging voor ons allemaal dat de wahabieten de heilige steden in handen hebben,' zei Bilal Agha. 'Vergeet niet dat ik als zwarte oppereunuch ook belast ben met het reilen en zeilen in Mekka en Medina. Het is geen geheim dat de belastingen die we innen van de duizenden die op bedevaart gaan naar de geboorteplaats van de profeet een belangrijke bijdrage aan de schatkist leveren. Nu de wahabieten de gelden van de hadj in hun zak steken hebben wij niet genoeg geld meer om de janitsaren te betalen. De janitsaren hebben de sultan er al van beschuldigd dat hij het leger van de Nieuwe Orde voortrekt. Dat is weer een extra grief. Let op mijn woorden, Tulp, we krijgen grote problemen. Ik ben bang dat de janitsaren ketelmuziek zullen maken en in opstand komen.'

In Servië, vertelde de zwarte oppereunuch, hadden de janitsaren zich al verbonden met een groep corrupte moslims en met heimelijke hulp van de Russen zelfs hun eigen autocratische gezag gevestigd. De enige manier voor de sultan om de controle terug te krijgen, was steun te geven aan de plaatselijke christelijke boeren, die bereid waren tegen zijn eigen troepen te vechten. Dankzij hen en met de hulp van enkele loyale Ottomaanse officieren konden de janitsaren worden verslagen. 'We mogen ons gelukkig prijzen met Alemdar als een van onze Ottomaanse bevelhebbers,' zei Bilal Agha. 'Hij heeft zich ontpopt tot een ware hervormer. Maar de janitsaren zullen dit niet vergeten en ik vrees dat we de prijs zullen moeten betalen.'

Maar zo ver was het nog niet. Ondertussen verschoof het machtsevenwicht volgens de grillige wetten van de politiek. Of beter gezegd: de bedpartners wisselden. Rusland verklaarde zich tot onze vijand, de sultan verbrak de betrekkingen met Groot-Brittannië en Bonaparte was weer onze vriend. En zoals zo vaak verving de sultan de viziers binnen zijn raad. De pro-Russische en pro-Britse adviseurs werden afgedankt en de pro-Franse stroming zat weer in het zadel.

'Na alle problemen van de sultan in het buitenland, eerst met Rusland, toen met Frankrijk en daarna met Engeland, zou je toch niet hebben verwacht dat het grootste gevaar in eigen land loerde.' Ik was bezig Nakshidils kleren op te vouwen en in te pakken.

'Aan de andere kant,' ging ik verder, 'heeft Selim zich meer dan eens als zeeman of koopman vermomd om de roddels in de stad te kunnen horen. Hij had dus kunnen weten wat er zou gebeuren als hij de janitsaren bevel zou geven het uniform van de Nieuwe Orde aan te trekken.'

'Misschien hadden ze juist trots moeten zijn om deel te mogen uitmaken van zo'n modern leger,' zei Nakshidil.

'Hoe dan ook, de janitsaren hebben dat bevel aangegrepen als reden voor hun actie, en toen barstte de bom.'

'Eerlijk gezegd denk ik dat de oelema er ook veel mee te maken hadden. Zij ageren al zo lang tegen die westerse ideeen.'

'En economisch ging het ook niet goed,' merkte ik op. 'Hoge belastingen, de voedseltekorten, de torenhoge inflatie. En het volk gaf de schuld aan Selims Europese manieren. Vooral de janitsaren gingen daartegen tekeer. Ze hadden al twee jaar hun soldij niet op tijd gekregen, of te weinig, en ze waren ziedend.'

'Dat bevel om het uniform van een door Europeanen getraind leger aan te trekken was de laatste druppel, neem ik aan,' zei Nakshidil.

'Ja, maar vergeet Aysha niet. Zij heeft dit al heel lang voorbereid. Herinner je je nog haar waarschuwing toen je jaren geleden bij haar op bezoek was? En ze was bevriend met Muhammad Rakim en de oelema. Ze wilde maar één ding: haar zoon Mustafa op de troon. Daar heeft ze alles voor over.'

De opstand brak uit in februari 1807, toen een Britse vloot de haven van Istanbul binnenvoer. De Britten maakten zich blijkbaar zorgen over ons hernieuwde verbond met Frankrijk en stuurden daarom zeven oorlogsschepen, die in onze haven voor anker gingen. Ze hoopten zo onze vriendschap met de Fransen te ontmoedigen. Toen de schepen het Topkapi bedreigden, gaf de sultan zijn mannen bevel om de kade te verdedigen. Bij het zien van onze driehonderd kanonnen trokken de Britten zich weer terug en kon de stad opgelucht ademhalen. Maar niet voor lang. Door de Russische controle over Roemenië was de aanvoer van tarwe en ander graan naar de hoofdstad afgesneden. En omdat Russische schepen de Dardanellen blokkeerden, konden we over het water ook geen ander voedsel aanvoeren. De sultan had de janitsaren nodig in de strijd tegen het leger van de tsaar, maar daarvoor moesten ze wel modern bewapend worden.

In mei 1807 ging er een bevel naar de janitsaren. Ze zouden worden getraind in de technieken van de Nieuwe Orde. Een groep officieren van de Nieuwe Orde, onder aanvoering van een gezant van de sultan, arriveerde bij een fort aan de Zwarte Zee en eiste dat het garnizoen daar de westerse uniformen zou aantrekken. Woedend kwamen de janitsaren in verzet. Ze vielen de gezant van de sultan aan, vermoordden de nieuwe officieren die waren gekomen om hen te trainen en doodden zelfs enkelen van hun eigen bevelhebbers. In de wetenschap dat er nog meer eenheden op weg waren om andere garnizoenen van de janitsaren te trainen, verspreidden ze het bericht dat de officieren van de Nieuwe Orde moesten worden gedood.

Om de Janitsaren te verzoenen, stuurde de sultan het leger van de Nieuwe Orde naar de kazerne terug en hield het daar. Maar daarmee speelde hij de opstandelingen in de kaart. Honderden janitsaren vertrokken uit hun respectieve forten en gingen op weg naar Istanbul. Binnen twee dagen hadden zich duizenden soldaten in de stad verzameld, die steun kregen van de theologiestudenten van de medressen. Terwijl de bevolking zich angstig schuilhield, stelden de janitsaren een lijst met voorwaarden op. Zo eisten ze het ontslag van Selims hervormingsgezinde adviseurs.

Aangespoord door Aysha ging de sjeik-ul-Islam de volgende morgen zelfs nog verder. De hoogste religieuze leider vaardigde een fatwa uit om Selim van de troon te stoten. De janitsaren rukten naar het Topkapi op, als grommende tijgers, belust op prooi. We hoorden het geschreeuw aanzwellen toen ze de buitenste poorten hadden bereikt. 'Sultan Mustafa! Sultan Mustafa!' brulden ze, terwijl ze hun overwinning vierden en Selims aftreden eisten. Nog luider werd het gejoel toen de rebellen over de binnenplaatsen stroomden. Veel meisjes waren zo bang dat ze zich onder hun bed verstopten. Het gerucht ging dat de secretaris van de sultan, Ahmed Bey, was gedood, en voordat ik het wist stormde de zwarte oppereunuch mijn kamer binnen met het bericht dat het hoofd van

Ahmed Bey bij Selim was afgeleverd en dat Nakshidil zich moest verbergen.

'Waar is Mahmoed?' riep ze toen ik haar vertelde wat er was gebeurd. Ze was nu eenendertig, en de jaren hadden hun tol geëist. Haar gezicht was ingevallen en gegroefd, haar ogen stonden dof en haar blonde haar werd zilver.

'Nog steeds in de Prinsenkooi.'

'Ze zullen proberen hem te grijpen. Zeg maar dat ze mij kunnen krijgen. Ze mogen met me doen wat ze willen, als Mahmoed maar veilig wegkomt.'

'Bilal Agha bezwoer me dat hem niets overkomen zal.'

'En Selim? Zal hij worden geëxecuteerd?' Tranen stroomden over haar gezicht.

'De janitsaren, de sjeik-ul-Islam en drie van de onderviziers hebben hem de fatwa overhandigd. Ze beschuldigen hem ervan dat hij tegen de islamitische wetten heeft gehandeld. En ze zeggen dat hij als sultan heeft gefaald, omdat hij niet voor een troonopvolger heeft gezorgd. Dat is de sharia, het woord van de wet.'

'Hoe kunnen we hem redden? Wat kunnen we doen?' vroeg ze, terwijl ze haar armen om zich heen sloeg.

'Ze beseffen heus wel dat hij nog geliefd is bij heel veel mensen. Hij is een goede man. Toen hij te horen kreeg dat hij zou worden afgezet en vervangen door Mustafa, zei hij alleen: "Moge God de dagen van zijn leven verlengen." Selim zal wel toestemming krijgen zich in de Prinsenkooi terug te trekken met Mahmoed.'

'Goddank. Als Mahmoed en Selim veilig zijn, kan ik rustiger ademhalen.'

Ik staarde naar de grond.

'Wat is er?'

'Ik wilde het je eigenlijk niet zeggen, Nakshidil, maar met Mustafa op de troon wordt Aysha de nieuwe sultane walidé.

Morgen keert ze terug uit het Oude Paleis, en... het spijt me, maar ze heeft nu al bevel gegeven dat jij naar het Paleis van Tranen wordt verbannen.'

Ik kon niet veel doen toen ik Nakshidil hielp pakken voor haar aftocht. Ze had de afgelopen jaren maar een paar stel kleren gekregen en de rest was rafelig van ouderdom. Ze had nog een handvol juwelen, die ik voorzichtig in doeken wikkelde om de edelstenen niet te beschadigen. Nakshidil keek hoe ik een snoer van smaragden door mijn vingers liet glijden.

'Je mag ze hebben, Tulp,' zei ze.

'Wat bedoel je?'

'Ik wil ze jou graag geven. Ik heb ze niet nodig in het Oude Paleis.'

'Maar ze zijn een fortuin waard.'

'Het is mijn geschenk aan jou. Je bent zo goed voor me geweest, al die jaren.'

'Je hebt me al zoveel gegeven,' protesteerde ik. 'Een sjerp met parels, een ring met een robijn.'

'Maar daar stond veel meer tegenover,' zei ze. 'Je hebt geen idee wat het heeft betekend... alles wat je voor me hebt gedaan.'

Ik glimlachte. 'En ik ben dankbaar voor je vriendschap,' antwoordde ik.

'Ach,' zuchtte ze, 'ik heb geleerd dat echte vriendschap in dit paleis net zo zeldzaam is als een vlinder in december. Maar ik wist dat ik jou altijd kon vertrouwen, Tulp, zelfs al wilde ik soms niet horen wat je zei. Nu ik wegga, wil ik je dit graag geven als herinnering aan mij.'

Ik beet op mijn lip om mijn tranen terug te dringen. Niemand had me ooit zulke cadeaus gegeven. 'Ik weet zeker dat je gauw weer terug zult zijn in het Topkapi,' zei ik. 'En dan liggen deze smaragden op je te wachten.'

Nakshidil legde haar hand op de mijne. 'Dat oude gezegde

is waar: "Wat je weggeeft, hou je zelf." Ik geef je die smaragden, maar ik hou er veel meer aan over. Ja, we zullen elkaar gauw weer zien, *inshallah*.' We omhelsden elkaar en ik voelde dat ze beefde over haar hele lichaam. We zouden elkaar zelfs sneller terugzien dan ik had verwacht. De volgende dag kreeg ik te horen dat ik zelf ook naar het Eski Saray was verbannen.

18

Nakshidil en ik zouden samen vertrekken naar het Paleis van Tranen. We stapten in onze koets voor het Topkapi, net op het moment dat de processie van de nieuwe sultane walidé bij het paleis aankwam. Het deed me pijn om afscheid te moeten nemen terwijl Aysha – gekleed in satijn en met juwelen behangen – in het keizerlijke rijtuig arriveerde. 'De gedachte dat die vrouw nu de sultane walidé is!' riep Nakshidil uit. 'Onverdraaglijk om haar in die positie te zien.'

'En Narcissus als zwarte oppereunuch,' kreunde ik toen die walgelijke figuur voorbijkwam in de mantel en de tulband van de kislar aghasi.

'Arme Mahmoed, arme Selim,' zuchtte Nakshidil. 'Wie weet hoe het hun zal vergaan. Ik bid voor hen allebei. God zij ons allemaal genadig.'

We reden door de poorten van het Topkapi, namen afscheid van de Aya Sofia en ratelden over de keitjes langs de Blauwe Moskee en de bazaar. Op het plein waar Selim audiëntie had gehouden tijdens de festiviteiten rond de besnijdenis, dacht Nakshidil nog eens terug aan Mahmoeds feest.

'Dat is alweer dertien jaar geleden. Wat is er sindsdien veel gebeurd,' zei ze. 'Het lijkt wel een heel leven.'

Het duurde meer dan een uur voordat we bij de Derde Heuvel en het Eski Saray aankwamen. Toen we de hoge muren naderden, kreeg ik een treurig gevoel om alles wat we achterlieten en een akelig voorgevoel over wat nog komen ging.

'Ik zal altijd bij je in het krijt staan,' zei ik tegen Nakshidil.

'Ach, Tulp, overdrijf niet zo. Het is maar een halssnoer.'

'Nee, dat bedoel ik niet. Twintig jaar geleden heb jij voorkomen dat ik naar deze plek verbannen werd. Als jij geen beroep op de zwarte oppereunuch had gedaan om me in het Topkapi te laten blijven, zou ik al die jaren in het Oude Paleis hebben gewoond.'

'Ik zou niet weten hoe ik me zonder jou had moeten redden,' zei ze.

Op bevel van de opperkamenierster van het Eski Saray kreeg Nakshidil een kleine kamer en ik een nog kleinere in het oude houten gebouw. In plaats van de mooie kleden en comfortabele sofa's van het Topkapi vonden we kale muren met afbladderende verf, houten vloeren met splinters van ouderdom, en dunne, bobbelige matrassen op versleten divans. En zoals de muren, de vloeren en de inrichting hard aan vervanging en onderhoud toe waren, zo konden de norse bewoners wel wat meer liefde gebruiken. Droevige maagden die nooit de kans hadden gekregen een man te kennen, echtgenotes en concubines van dode sultans, verschrompelde zwarte vrouwen en verbitterde eunuchen dwaalden door de gangen als geesten uit onvervulde dromen.

Een groot aantal van hen vertoonde allerlei zenuwaandoeningen. Hun ogen knipperden, hun lippen trilden en hun handen beefden. Ze hadden pijn in hun maag en in hun rug, kramp in hun ledematen en hun nek, ontstekingen in hun darmen. En als de winter kwam waren hun kamers koud en vochtig. Met te weinig branders om het paleis warm te houden, hoorde je 's nachts het wanhopige hoesten van patiënten met tbc of longontsteking. In het harde daglicht staarden we naar de uitgeteerde lichamen die op brancards werden weggedragen, nauwelijks meer dan skeletten. Ooit waren ze jong en mooi geweest.

Ons menu beperkte zich tot yoghurt, pilav en brood. Ik herinner me heel wat middagen dat ik samen met Nakshidil onder de tandour zat, kauwend op ons schrale rantsoen, fluisterend over de nieuwe sultan Mustafa en terugdenkend aan die noodlottige dag waarop Selim was verdreven.

'Bijna al zijn goede adviseurs zijn vermoord,' zei Nakshidil, niet lang na onze aankomst, 'maar Mahmoed en Selim zijn in leven gelaten. God zij geloofd. Het lijkt een wonder.'

'Dat is waar,' zei ik. 'De enige hervormer die het heeft overleefd is Alemdar, maar alleen omdat hij zo ver van de hoofdstad zat.'

Mustafa had nog maar nauwelijks de troon bestegen toen het gerucht ging dat hij alle hervormingen ongedaan had gemaakt die door Selim waren doorgevoerd. De Nieuwe Orde was vernietigd, het nieuwe belastingstelsel afgeschaft, het land teruggegeven aan de grootgrondbezitters en de janitsaren waren hersteld in hun oude rol van corruptie en vriendjespolitiek.

Het enige hoopvolle nieuws was de afkeer onder het volk van de nieuwe sultan. Mustafa had niets gedaan tegen de Russische greep op onze graanschuur in de Balkan en de stad leed onder ernstige tekorten. Op een vrijdagmiddag toen de sultan naar de moskee reed, gevolgd door sultane walidé Aysha, werd hij opeens geconfronteerd met een woedende menigte vrouwen die protesteerden tegen de prijs van brood.

En dan waren er de eindeloze verhalen dat Mustafa te zwak zou zijn om de mensen onder de duim te houden die hem op de troon hadden gezet. Het hof werd beheerst door paleispolitiek, het leger was in fracties uiteengevallen en de geestelijkheid verviel in onderlinge ruzies. Muhammad Rakim, die tot sjeik-ul-Islam was benoemd, en de plaatsvervangend grootvizier beraamden een moordaanslag op de grootvizier. Kort daarna smeedden ze complotten tegen elkaar. Door het machtsvacuüm konden de janitsaren hun gezag vestigen, zodat rondtrekkende soldaten de winkels plunderden en de burgers molesteerden, of op jacht gingen om soldaten van de Nieuwe Orde te doden die zich op het platteland hadden verborgen.

We leefden al meer dan een jaar in ballingschap toen een boodschapper uit het Topkapi arriveerde met nieuws. Het was half juli 1808 en verstikkend heet in het Oude Paleis. We zaten in Nakshidils kamer. Het raam was kromgetrokken en kon niet meer open, en overal zoemden vliegen die door een open deur van het Eski Saray waren binnengekomen. Eerst dacht ik dat het de hitte was waardoor de zwetende boodschapper niet uit zijn woorden kon komen. Toen pas zag ik hoe ontsteld de man was.

'Mahmoed... Selim... Mahmoed... Selim,' stamelde hij steeds weer, terwijl Nakshidil hem handenwringend aanstaarde. 'Wat is er? Wat bedoel je nou?' snauwde ik. Toen vertelde hij ons eindelijk wat er was gebeurd.

'Er was een geheim comité gevormd om Mustafa af te zetten en Selim weer op de troon te brengen,' zei hij. 'Alemdar had de leiding van het complot. Begin juli marcheerde hij met zijn troepen, vijftienduizend man, van Edirne naar Istanbul onder het voorwendsel dat hij Mustafa te hulp wilde komen. Zijn werkelijke bedoeling was Selim te redden.'

'Hoe wilde hij dat dan doen?' vroeg ik, terwijl ik de vliegen wegsloeg.

'Kort nadat Alemdar bij de hoofdstad was aangekomen, gaf hij zijn mannen bevel de stadsmuren te omsingelen, terwijl hij de sultan te spreken vroeg. Hij wilde Mustafa duidelijk maken dat hij de orde alleen kon herstellen door af te treden.'

'En deed hij dat?'

'De sultan weigerde hem te ontvangen. Alemdar formeerde een kleine eenheid, die hij naar het nabijgelegen wachtlokaal stuurde om de commandant van de janitsaren te doden. Een andere groep moest de nieuwe grootvizier thuis gevangennemen. Met de rest van zijn troepen trok Alemdar naar het paleis en marcheerde door de poort van de Tweede Hof, waar hij de sjeik-ul-Islam, Muhammad Rakim, in de raadszaal aantrof. Hij beval Rakim de sultan te bewegen af te treden. Rakim gehoorzaamde, maar de sultan weigerde.'

'Ongehoord, een order van de sjeik-ul-Islam negeren!' zei ik.

'Ja, maar nog erger was dat de sultan zijn zwarte oppereunuch Narcissus bevel gaf om Selim en Mahmoed te vinden om ze te laten wurgen.'

'Dat verbaast me niets,' zei ik, terwijl ik nog een vlieg wegsloeg. 'Als er niemand meer was om hem op te volgen, kon Mustafa op de troon blijven. Dat wist hij ook wel.'

'Maar waar zijn ze nu?' vroeg Nakshidil in paniek. 'Waar is Mahmoed? En Selim? Wat is er met ze gebeurd?'

'Selim was in de muziekkamer van de harem toen Narcissus, de zwarte oppereunuch, met zijn beulsknechten binnendrong. Een paar van de meisjes die erbij waren vertelden dat Selim een groene tulband en kaftan droeg, terwijl hij rustig op de ney speelde en een eigen compositie zong:

"O Ilhami, wees niet lui en vertrouw niet op de dingen van deze wereld. De wereld stopt voor niemand. Het wiel draait altijd door."'

Heel ironisch, dacht ik. Van alle gedichten die Selim had geschreven waren dat zijn favoriete regels!

'Maar wat deed hij toen de mannen binnendrongen?' vroeg Nakshidil.

'Hij smeekte hun om iedereen ongemoeid te laten en beloofde dat hij zich zonder verzet zou overgeven. Maar toch vielen ze hem aan. Selim vocht terug, zo goed als hij kon, maar met alleen zijn houten fluit als wapen had hij weinig kans. De haremvrouwen keken toe en gilden van afschuw toen de mannen hem neersloegen met hun zwaarden. Twee meisjes vielen flauw bij het zien van al dat bloed. De mannen sleepten zijn aan stukken gehakte lichaam naar de Tweede Hof om het aan Alemdar te laten zien en schreeuwden: "Zie! Hier is de sultan die je zoekt!"'

'Mijn god,' kreunde Nakshidil, en ze sloeg haar handen voor haar gezicht. 'Die arme Selim. Hij was een lieve, vriendelijke man, iemand die zijn volk wilde helpen. Dit heeft hij nooit verdiend.' Een vlieg zoemde langs en ze sloeg hem dood. 'En Mahmoed?'

'Alemdar en zijn troepen bestormden het serail en vonden de sultan weggedoken achter zijn eunuchen. Ze grepen Mustafa en sloegen hem in de boeien. Alemdar gaf zijn mannen opdracht om Mahmoed te vinden en hem in veiligheid te brengen.'

'En slaagden ze daarin?'

'Ze wisten niet,' antwoordde de boodschapper, 'dat Mahmoed in zijn appartement was toen de zwarte oppereunuch en zijn mensen de deur intrapten. Goddank hoorde een van Mahmoeds slavinnen ze aankomen, greep een emmer met hete as van de brander en smeet die de boeven in hun ogen. Op hetzelfde moment duwden twee andere slavinnen Mahmoed naar een schoorsteen en trokken hem omhoog naar het dak, waar hij veilig was.'

'Allah zij dank,' zei ik.

'Nee, wacht.' De man hief zijn hand op. 'Een paar minuten later hoorden Mahmoed en de slavinnen weer het geluid van voetstappen. Ze knoopten hun sjerpen tot een touwladder. Mahmoed liet zich naar beneden glijden en landde bij een lege kamer. Hij rende naar binnen en verborg zich onder een stapel opgerolde kleden. Hij hoorde de mannen binnenkomen en kroop nog dieper weg, maar ze waren vastbesloten hem te vinden en doorzochten de hele kamer tot ze hem ontdekten.'

'Mijn arme Mahmoed,' jammerde Nakshidil.

'Het duurde wel even voordat de mannen Mahmoed ervan hadden overtuigd dat ze niet aan de kant van Mustafa stonden, maar juist waren gestuurd om zijn leven te redden. Eindelijk begreep hij het. Hij kwam uit zijn schuilplaats en volgde de mannen naar hun leider, Alemdar.

"Hier is onze heer, sultan Mahmoed," zeiden ze tegen Alemdar, zo enthousiast dat ze hem zijn nieuwe titel al hadden gegeven. Alemdar liet zich op de grond vallen en kuste Mahmoeds voeten.

"Maar waar is mijn broer, sultan Mustafa?" vroeg Mahmoed.

"Hij is gevangengenomen," antwoordden ze.

"En mijn neef Selim?" wilde Mahmoed weten.

Alemdar vertelde hem het slechte nieuws. Selim was dood. "Majesteit," zei Alemdar, "u bent nu onze nieuwe sultan.'"

'Godzijdank is Mahmoed ongedeerd,' zei Nakshidil. 'Moge hij nog een lang en vruchtbaar leven leiden.'

'De Ottomanen mogen zich gelukkig prijzen met hem als sultan,' voegde ik eraan toe. 'En wat gebeurt er nu?'

'De eerste daad van sultan Mahmoed was Alemdar te benoemen tot grootvizier,' zei de boodschapper. 'Morgen wordt Selim begraven – moge hij rusten in glorie. Daarna vieren we Mahmoeds troonsbestijging. Het zal druk worden op straat en op de Eerste Hof. De kapel zal de "Sultanmars" spelen en de menigte zal zingen: "Moge hij duizend jaar leven, opdat hij het haar van zijn kleinzoons wit zal zien worden als pasgevallen sneeuw." De volgende dag wordt het haar van de sultan voor het laatst geknipt. Dan brengt hij een bezoek aan het Paviljoen van de Heilige Mantel en kust de mantel van de profeet.'

En wat zou er met ons gaan gebeuren? Maar dat vroeg ik niet hardop. We zouden het snel genoeg horen. De volgende morgen kwam dezelfde boodschapper terug.

'Gisteravond, voordat de feestelijkheden begonnen,' zei hij, 'heeft de nieuwe, roemrijke sultan Mahmoed een besluit uitgevaardigd.'

'En wat stond erin?' vroeg ik.

De boodschapper verhief zich tot zijn volle lengte en sprak alsof hij een officiële verklaring voorlas: '"Laat het hele Ottomaanse volk weten dat Nakshidil mijn moeder is, en de nieuwe sultane walidé."'

'God zij geloofd,' zei Nakshidil, en ze sloeg haar hand voor haar mond. 'Ik kan het niet geloven. Tulp, zeg me dat ik droom.'

'Nee, nee,' protesteerde de boodschapper. 'Het is de waarheid. Over twee dagen wordt u officieel geïnstalleerd als sultane walidé.'

'*Inshallah,*' fluisterde ik.

'Zo God het wil,' herhaalde ze.

De man stond op om te vertrekken, maar op weg naar de deur draaide hij zich nog om en zei: 'Dat was ik bijna vergeten. U moet zich gereedmaken voor de Walidé Alay.'

Masha Allah! Iets meer dan een jaar geleden waren we verbannen naar het Oude Paleis. Elke dag hadden we ervan gedroomd om naar het Topkapi terug te gaan, maar nooit hadden we kunnen vermoeden dat we zouden terugkeren in een keizerlijke processie.

Drie

19

Een zacht klopje op de deur was al voldoende om Nakshidil te wekken. Ik bleef stralend in de deuropening staan. Dit zou een dag worden zoals er nog nooit een was geweest.

'Ik lig al een paar uur te woelen en te draaien,' zei ze, terwijl ze met haar vingers door haar zilverachtige haar streek. 'Ik probeerde me voor te stellen dat ik de gewone dagelijkse dingen deed, maar het enige wat ik zag waren gouden koetsen die over de weg gleden als zwanen over een vijver.'

Langzaam schudde Nakshidil de slaap van zich af, rekte haar armen uit en streek haar nachtgewaad glad. De zon had zijn felle licht nog niet over Istanbul geworpen, maar in de schemering van de vroege ochtend, toen ze als een klein meisje op de rand van haar bed zat, moest ik weer denken aan haar eerste dagen in de harem, als een boos kind, angstig en eenzaam, dat zich niet naar de regels van het paleis wenste te schikken. Nu was ze meesteres van alle slavinnen en de belangrijkste vrouw in het hele rijk.

We knielden samen, de toekomstige sultane walidé en ik, op het rafelige kleed, en zeiden onze gebeden tot Allah. Toen we klaar waren hield ze haar ogen dicht en bracht haar vingers naar haar voorhoofd, toen naar haar borst, links en rechts. Terwijl ze een kruis sloeg, hoorde ik haar bidden in een andere taal, en voor het eerst vroeg ik me af of ze al die jaren slechts had voorgewend moslim te zijn.

Zelf had ik de woorden die ik prevelde nooit erg serieus genomen. Ze gaven geen betekenis aan mijn leven. Wie is die Allah in wiens naam jongetjes worden gecastreerd, jonge meisjes worden verkracht en tienduizenden mensen van alle leeftijden tot slavernij worden gedwongen? Welke god kan zoveel kwaads in een mens naar boven brengen?

Niet dat Allah daarin de enige is. De christenen hebben ook heel wat slachtingen aangericht, de joodse bijbel staat vol oorlogsverhalen, en de Afrikanen noch de Aziaten aanbidden de ware god van de vrede. Nee, godsdienst kan mij geen troost bieden – behalve het besef dat degenen die het vurigst bidden het grootste gevaar voor de mensheid vormen.

Ik keek naar Nakshidil en vroeg me af in hoeverre ze deed alsof en in hoeverre ze echt geloofde. Ik herinnerde me het verhaal over Mehmed de Veroveraar, die zijn liefde voor zijn christelijke vrouw had beleden en haar had getoond op de Eerste Hof van het paleis – en toen, omdat ze een ongelovige was, haar hoofd had laten afhakken. Zouden anderen Nakshidil als een ongelovige zien? Zou Nakshidil zichzelf altijd christen blijven voelen, ook al had ze zich tot de islam bekeerd? Ik durfde het haar niet te vragen, uit angst haar in gevaar te brengen.

'Alsjeblieft, Tulp,' zei ze toen ze haar ogen weer opende en me zag staren, 'vertel niemand iets over mijn Latijnse gebeden. Ik heb mijn best gedaan om moslim te zijn en dat zal ik blijven proberen. Maar diep vanbinnen heb ik het gevoel dat ik God heb verlaten en daarvoor een prijs heb betaald.'

'Misschien was Hij het die jou heeft verlaten.'

'Zoiets kan ik nooit denken. Bovendien geloof ik dat Hij me een laatste kans gegeven heeft.'

'Waar heb je om gebeden?' vroeg ik. Het was geen theologische vraag, maar zuiver nieuwsgierigheid.

'Ik bad tot God om mijn zoon wijsheid te schenken en ons allemaal tegen boze krachten te beschermen. Ik bad dat mijn zoon de sultan mag worden die het land kan redden, en ik de koningin-moeder die het rijk nieuw leven in kan blazen. Ik bad dat mijn zoon veilig zal zijn voor boze janitsaren, veilig voor ruziënde viziers, veilig voor de fanatieke oelema. Ik bad dat de stad gespaard zal blijven voor branden en aardbevingen, dat het paleis geen plek zal zijn voor gefrustreerde moeders, en dat wij allemaal voor ziekten gevrijwaard zullen blijven. Ik bad dat jij, Tulp, niet het slachtoffer zal worden van afgunst en dat al mijn slavinnen loyaal zullen zijn.'

'Amen,' antwoordde ik.

Ze haastte zich niet door de dag, maar genoot ervan. Ze dronk haar ontbijtthee alsof het de warme chocola uit haar jeugd was. 'Ik wil ruim de tijd voor alles nemen,' zei ze, terwijl ze met haar vinger over de rand van haar kopje streek. 'Ik wil me bewust zijn van alles wat mijn pad kruist, zoals het schilfertje dat van dit kopje is gestoten, en die barst daar in dat bord. Het afgelopen jaar heb ik geprobeerd dit lelijke paleis – mijn gevangenis, mijn ondergang – te negeren. Ik heb meer dan eens met het lot gevochten, maar nu lacht het me weer toe. Ik wil elk moment kunnen proeven, zodat ik nog meer zal genieten van alles wat daarna gaat komen.'

In de baden zei ze iets over het marmer, dat vergeeld was van ouderdom en gebarsten door te grof gebruik. De handdoeken waren versleten en rafelig. Maar hoe aftands de omgeving ook was, de atmosfeer tintelde van opwinding, de odalisken fladderden heen en weer als jonge vogeltjes die leerden vliegen. Nakshidil keek oplettend hoe de slavinnen haar armen en benen insmeerden met arseencrème, haar huid met warm water spoelden, haar voeten met sponzen wreven en haar een bad gaven met haar nieuwe lievelingsluchtje, een mengeling van kaneel en vanille. Zuchtend snoof ze de geur op en liet de krachtige, zoete lucht tot zich doordringen als een wilde geest in haar ziel.

Slechts met een versleten linnen laken om zich heen liep ze op muiltjes naar de kleedkamer, waar andere slavinnen haar ogen opmaakten met kohlpotlood, haar wenkbrauwen doortrokken met Oost-Indische inkt en haar vingers verfden met henna. Ze volgde aandachtig hoe ze haar lange haar kamden en vlochten. 'Hier, niet daar,' zei ze meer dan eens toen ze sieraden door haar vlechten weefden en haar een tulband met een paisleymotief opzetten. Aan de achterkant stak een grote witte pluim omhoog en in het midden, boven haar voorhoofd, bevestigden ze een waaier van parels en edelstenen. Drie keer speldden ze hem op zijn plaats en drie keer moesten ze het overdoen, omdat Nakshidil met haar scherpe blik zag dat hij niet exact in het midden zat. Toen ze eindelijk tevreden was, leek haar hoofdtooi een schitterende explosie van vuurwerk aan een nachtelijke hemel.

De vorige dag was er een garderobe en een grote selectie sieraden uit het Topkapi gehaald. Nakshidil streek met haar hand over de zijde en inspecteerde de stoffen op kreukels of foutjes. Ze koos een satijnen kaftan in stralend roze, geborduurd met gouddraad, boven een jadegroen zijden vest en een gestreepte donkerrode rok over haar dunne, wijde harembroek. Toen alle diamanten knoopjes zorgvuldig waren vastgemaakt, bond ze een brede kasjmieren ceintuur om haar heupen, bezet met edelstenen. Met zorg koos ze de rest van haar sieraden, hield ze tegen het licht om hun kleur en textuur te controleren, en paste ze een paar keer om de vorm te beoordelen, totdat er de prachtigste diamanten en robijnen aan haar oren bungelden en haar hals en vingers glinsterden met diamanten, robijnen, saffieren, smaragden en parels.

Ze moest toegeven, zei ze lachend toen ze zichzelf in de spiegel bekeek, met al die rinkelende, kleurige armbanden en enkelbanden en de schitterende stenen om haar hals, dat ze er minstens zo mooi uitzag als wie van haar voorgangsters dan

ook. Ze wist dat de hele wereld naar haar zou kijken – tenminste, dat stelde ze zich voor – als ze van het Paleis van Tranen naar haar nieuwe appartement in het Topkapi zou rijden.
Want terwijl haar zoon, de sultan, opzettelijk wat op de achtergrond werd gehouden, moest zij juist zichtbaar zijn voor het
hele rijk.

'Ik ben er klaar voor!' verklaarde ze, met haar gezicht naar
de wereld. Ze knikte tegen haar gesluierde slavinnen en wenste hun een goede rit. Bij de voordeur van het Oude Paleis, in
de felle julizon, pakten we haar onder de armen, als een vogel
onder zijn vleugels, tilden haar de verbrokkelde treden af, over
de grasvelden aan de voorkant, en zetten haar voorzichtig bij
de keizerlijke koets. Nog eens zwaaide ze naar de anderen,
klom toen in het vergulde rijtuig en installeerde zich op de met
sieraden bestikte kussens op het paarse satijn van de vloer.
Heel even opende ze het tralieraampje en keek om. 'Op naar
het Topkapi!' beval ze.

Voor aan de stoet reden een paar honderd ruiters van de
keizerlijke cavalerie, in wapenrusting en korte tafzijden mantels, op paarden met vrolijk gekleurde sjabrakken. Achter hen
marcheerden driehonderd herauten, met kleurig geplooide
tulbanden met hoge pluimen op hun hoofd. Daarna volgden
tientallen keizerlijke tuinmannen – de scherprechters van de
keizer – met geplooide tulbanden en een grote groep moefti's
met de groene tulbanden van de geestelijkheid.

Vervolgens kwam de paleisadviseur van de sultane walidé.
Hij droeg een gouden scepter in zijn hand, een dikke, gevoerde tulband op zijn hoofd en een mantel met wijde mouwen,
afgezet met marterbont, het dubbele symbool van zijn hoge
status. Na hem kwam een dubbele rij harembewakers, ieder
gewapend met een bijl en een lange stok. Ik sloot me bij hen
aan en nam mijn plaats in de processie in. Met mijn hoge puntige tulband, mijn marterjas en mijn scepter met de drie staar-

ten liep ik trots in de stoet mee als de nieuwe zwarte opper-eunuch.

Toen ik even omkeek, onderdrukte ik een kreet bij het zien van de prachtige paarden, opgetuigd met schitterende zijde, parels en goud, die de koets van de nieuwe sultane walidé trokken. Nakshidils rijtuig werd geflankeerd door hellebaar-diers met lange speren, waaraan zes rode paardenstaarten wapperden (één minder dan voor de sultan) als teken van haar macht. Daarna kwamen de paleisfunctionarissen, die muntjes naar de toeschouwers gooiden. Jongens en meisjes renden heen en weer op straat, grijnzend van oor tot oor als ze het geld wisten te vangen.

Tachtig koetsen reden achter het keizerlijke rijtuig, met een groot gevolg van bedienden voor de prinsessen Hadice en Be-yhan en andere dochters van wijlen de sultans Mustafa III en Abdül-Hamid – mogen ze rusten in glorie. Zes koetsen hadden ijs en verfrissingen aan boord voor de sultanes tijdens de drie uur durende rit. In een van de rijtuigen zat Cevri, de nieuwe opperkamenierster. Als zij geen as in de ogen van de bandie-ten had gegooid, zou Mahmoed het niet hebben overleefd om sultan te worden. De stoet werd begeleid door loyale janitsa-ren, sommigen lopend, anderen te paard, die indruk maakten op de menigte met hun hoge hoofddracht en lange snorren, af-hangend als paardenstaarten aan weerskanten van hun mond.

De processie bewoog zich traag door de zomerhitte, krui-pend door de straten van de stad, langs een publiek van ge-zanten met tulbanden waarvan de kleuren door de wet waren voorgeschreven: zwart voor de Grieken, blauw voor de joden, violet voor de Armeniërs en groen voor de moslims. We hiel-den halt bij het wachtlokaal van Beyazit, waar de bevelhebber van de janitsaren naar voren stapte. Met een diepe buiging kuste hij de grond voor de voeten van de koningin-moeder, zodat de brede verenpluim van zijn tulband door het stof zwierde. In ruil voor de verwachte gehoorzaamheid en trouw van de agha legde de walidé hem een eremantel om zijn schouders en deelde geschenken uit aan hem en zijn soldaten.

Bij elk van de wachtlokalen van de janitsaren langs de route hield de stoet weer halt en herhaalde deze procedure zich. Steeds als ik zweetdruppeltjes zag glinsteren op Nakshidils voorhoofd of bovenlip, haastte ik me naar haar toe om haar een frisse, met parfum besprenkelde zakdoek aan te reiken.

Toen we de hoge muren van het Topkapi-paleis naderden keek ik op en kneep mezelf in de arm. Het was te mooi om waar te zijn. Op de Eerste Hof, voor de bakkerijen, zagen we Mahmoed, op zijn paard. Ik glimlachte toen ik hem zag en keek naar Nakshidil, die glom van trots. Nog maar drieëntwintig jaar oud en nu al sultan! Schitterend uitgedost in zijn stugge roodsatijnen kaftan, straalde hij al de macht van de Ottomanen en de ernst van het keizerlijke ambt uit.

Toen Nakshidils koets dichterbij kwam, steeg de nieuwe sultan af en bleef voor haar staan. De goudgeborduurde sterren en zilveren maansikkels op zijn ceremoniële mantel glinsterden in de middagzon, de diamanten waaier op zijn tulband brak het licht in duizend stralen en zijn donkere ogen fonkelden tegen zijn bleke huid. Hij maakte zijn opwachting bij zijn moeder en begroette haar drie keer met de vinger van zijn rechterhand omlaag vanaf zijn brede voorhoofd via zijn wipneus naar zijn zware borstkas. Toen pakte hij Nakshidils hand en kuste die. Met grote eerbied liet hij zich zakken en knielde voor haar op de grond.

'*Arslanum*, mijn leeuw,' fluisterde ze trots toen hij haar voorging over de binnenplaatsen, langs de haag van cipressen en de grijze gebouwen waar het Ottomaanse geld werd geslagen en bewaard; langs de tien keizerlijke keukens, waar honderdvijftig koks het eten klaarmaakten voor de duizenden mensen die in het paleis woonden en werkten. Heerlijke geuren zweefden naar buiten, en omdat ik sinds de vroege ochtend niets meer had gegeten liep het water me in de mond bij de gedachte aan halvah en met honing gezoet sesamsnoep.

We reden langs de keizerlijke divan en ik stelde me voor hoe de nieuwe sultan daar buitenlandse gezanten zou ontvangen of zich achter het hekwerk zou verbergen tijdens de vergaderingen van zijn staatsraad. Ik was zo overweldigd door alles wat er gebeurde, dat ik nauwelijks aandacht had voor de bloementuinen, de paviljoens met uitzicht op zee, de pronkende pauwen, de gazellen die dansten over het gras of de vogels die zich wasten in de fonteinen. Maar bij het ijzeren hek van het serail bleef ik stokstijf staan, bijna misselijk van wat ik daar zag. Drieëndertig afgehouwen hoofden, nog warm en druipend van het bloed, waren op palen langs het hek gestoken. Op een zilveren bord lag de afschuwelijke kop van Narcissus, de vorige zwarte oppereunuch.

Later hoorden we dat grootvizier Alemdar bevel had gegeven om tientallen van Mustafa's officieren te laten wurgen met zijden koorden. Ik moet bekennen dat ik een zucht van verlichting slaakte bij het bericht dat ook sjeik-ul-Islam Muhammad Rakim dat lot had ondergaan. De vrouwen uit de harem van de voormalige sultan waren in verzwaarde zakken in zee gegooid. 'Er zullen geen nakomelingen worden geboren uit deze boosaardige vrouwen die geen hand hebben uitgestoken toen Selim werd vermoord,' verklaarde Alemdar, de man die Mahmoed had gered. Maar ondanks de bloederige wraakactie koesterde Mahmoed nog altijd liefde voor zijn familie. De nieuwe sultan bepaalde dat zijn broer Mustafa in de Prinsenkooi mocht blijven wonen en dat Mustafa's moeder ongedeerd zou blijven. Op de een of andere manier wist Aysha altijd te overleven.

20

De officiële viering en het feestmaal waren achter de rug toen Nakshidil en ik naar de privé-vertrekken van de sultane walidé vertrokken. Ze liet haar blik door de ontvangstruimte glijden en leek nog meer onder de indruk dan twintig jaar geleden, toen Mirisjah haar had verteld dat ze sultan Selim welgevallig was.

'Weet je nog die eerste keer dat we samen naar het appartement van de walidé kwamen?' vroeg ik.

'Natuurlijk. Wat vreemd nu. Er zijn sindsdien zoveel prachtige – en verschrikkelijke – dingen gebeurd. En zelfs daarvóór was er al die afschuwelijke nacht met Abdül-Hamid! En daarna de mooie tijden met Selim. En toen ik voogdes werd van Mahmoed...' Ze zweeg een moment en opeens klonk haar stem veel vlakker. 'Ik zal nooit Perestu's dood vergeten, hoe vreselijk dat was. En al die confrontaties met Aysha.'

'Maar nu ben je officieel Mahmoeds moeder en sultane walidé,' merkte ik op, om haar mijmeringen geen bittere nasmaak te geven.

Ze liet sorbets en koffie komen toen we ons op een bank hadden geïnstalleerd en ik keek met genoegen naar de meisjes van de koffiedienst, die allemaal hun eigen dansje hadden. De een droeg het met fluweel bedekte blad, een ander de zilveren pot, een derde de kleine gouden kopjes. Ik vond het leuk om het meisje te zien knielen dat de koffie inschonk, met de pot heel hoog, zodat de straal als een waterval in het kopje kletterde en de koffie schuimend tot aan de rand steeg. Toen ze klaar waren, verhieven de slavinnen zich als sierlijke tulpen en vertrokken weer.

Ik nam een slok uit het kostbare kopje en dacht aan alle veranderingen in mijn eigen leven. 'Toen ik hier aankwam als een onschuldig joch, gecastreerd en angstig, was ik doodsbang voor de zwarte oppereunuch. Nu heb ik zelf die machtige positie. En iemand anders die net is gearriveerd, jong en angstig, zal ooit in mijn voetsporen treden.' Ik nam nog een slok en staarde in het donkere vocht. 'Een Perzische dichter heeft eens geschreven dat het leven een toevallige bries is, maar ik geloof meer in een constante cyclus,' zei ik. 'Het wiel draait maar door. Soms zitten we bovenaan, soms beneden, maar het rad draait verder en ons leven ook.'

Nakshidil roerde met een gouden lepeltje in haar koffie. 'Ja, ik begrijp wat je bedoelt. Wat er ook gebeurt, de cyclus gaat door. Eerst was dit Mirisjahs appartement en was ik een slavin. Nu zit ik hier zelf en zal ik andere slavinnen uitkiezen als gunstelingen en kadins.' Haar blik dwaalde door de rococokamer. 'Wat een voorrecht om hier te mogen wonen. Het is echt geweldig: de vergulde boiserie, de geschilderde landschappen.'

Ze stond op en liep over het gebloemde tapijt naar de betegelde fontein. 'Het heeft lang geduurd voordat ik het keramiek kon waarderen,' zei ze, terwijl ze met haar hand over de gladde wand streek. 'Toen ik als jong meisje in het Topkapi aankwam, zag ik nog geen verschil tussen Iznik-tegels, Italiaans aardewerk of Delfts blauw. Pas na een paar jaar begon ik te houden van die levendige kleuren en subtiele motieven.' Ze wees met een vinger naar de trap. 'Toen ik zonet in de slaapkamer kwam, was ik echt onder de indruk van de tegels: het pauwenpatroon en de bloemen. Denk toch eens aan het fijne schilderwerk dat daarvoor nodig is geweest en het glazuurproces om alles zo schitterend te krijgen.'

Ik zag dat haar ogen iets zochten op de muur boven de deur.

'Waar kijk je naar?'

'Weet je nog die inscriptie van Mirisjah op de muur? EEN ZEE VAN GOEDERTIERENHEID EN EEN BRON VAN STANDVASTIGHEID. Dat was een tekst van Selim en ik ben die woorden nooit vergeten. Jij wees me erop toen we hier voor het eerst waren. Maar ik zie hem nu niet meer.'

'Waarschijnlijk is hij weggehaald,' antwoordde ik. 'Op bevel van Aysha.' Later werden mijn verdenkingen bevestigd.

De eerste paar maanden ging alles in hoog tempo. In de harem werden de zwarte eunuchen ingedeeld naar anciënniteit, terwijl er ook een nieuwe vrouwelijke staf werd aangesteld. Er was een aantal meisjes gearriveerd als geschenken van pasja's en provinciale gouverneurs, maar er moesten nog anderen worden gekocht op de slavenmarkt. Verder moesten er meer dan tien meesteressen worden aangewezen, van hoofd Garderobe tot hoofd Ziekenboeg, ieder met haar eigen personeel.

Voor de staatsraad werden adviseurs opgeroepen uit alle hoeken van het rijk om de politieke toestand te beoordelen. De sultan, die persoonlijk met zijn raadgevers overlegde, zonder zich achter een hek te verbergen, stemde in met een eerlijk belastingstelsel voor het hele land. En de gouverneurs beloofden om de belastinggelden volledig en prompt aan de sultan uit te betalen. Op aandringen van Alemdar werden stappen ondernomen om de janitsaren te hervormen: er konden promoties worden verdiend, soldaten werden onderworpen aan discipline en militaire oefeningen verliepen in westerse stijl. Het leger van de Nieuwe Orde werd hersteld, maar onder een andere naam, om de troepen niet te provoceren. De Sekbans werden niet langer als een afzonderlijke eenheid gezien, maar als een toevoeging aan de janitsaren. Het gerucht ging dat er nog meer veranderingen op til waren.

Op een vroege ochtend werd ik bij de sultan ontboden. Toen ik binnenkwam zat hij in bad om zijn lichaamshaar te laten verwijderen.

'Aha, Tulp,' zei hij met een glimlach. 'In sommige opzichten hebben jullie het toch maar makkelijk als eunuchen.'

Ik keek hem een beetje verbaasd aan. 'Majesteit?' vroeg ik, zonder enig idee wat hij bedoelde.

'Ik wil je situatie niet bagatelliseren, maar in elk geval worden dit soort dingen je bespaard.' Hij wees op de stinkende crème die over zijn lichaam was gesmeerd. 'Het is eenvoudiger om een goede moslim te zijn zonder lichaamshaar.'

Ik knikte even. Hij had me voor belangrijker zaken laten komen, nam ik aan. Mahmoed gaf me een teken om te gaan zitten, en zodra de crème was weggeschraapt en zijn lichaam grondig was afgespoeld, stuurde hij de badslaven weg. Alleen een stomme zwarte eunuch mocht achterblijven om hem te helpen.

Toen de sultan het woord nam, zag ik een vermoeide blik in zijn ogen. Zijn schouders waren gebogen, alsof hij de last van de hele wereld torste. 'Morgen is het dinsdag, Tulp. Dan vergadert de diwan. Ik ben blij om jou erbij te hebben als zwarte oppereunuch.'

'Grote sultan, ik ben heel dankbaar en vereerd om tot kislar aghasi te zijn benoemd,' zei ik. Toen ik opkeek van mijn marmeren bank zag ik Nakshidil de kamer binnenkomen. De baden verbonden de suite van de walidé met die van de sultan, zodat ze met elkaar konden praten zonder anderen erbij.

De sultan verwelkomde haar en zei: 'Ik ben blij dat jullie er allebei zijn. Ik heb veel aan mijn hoofd, maar mijn grootste zorg is toch de janitsaren. Ze worden opgehitst door de geestelijkheid, die beweert dat de nieuwe Sekbans hun macht naar zich toe trekken.'

Ik knikte instemmend. 'Zoiets heb ik ook gehoord, majesteit. De sjeiks preken in de moskeeën dat de Sekbans gevaarlijk zijn en hun bevelen krijgen van de ongelovigen.'

'Dat is een schandelijke leugen,' zei Mahmoed.

'Het is hetzelfde probleem als Selim had toen hij het leger wilde moderniseren,' merkte Nakshidil op.

'Het zou me niets verbazen als Aysha erachter steekt,' voegde ik eraan toe, maar daar gingen ze niet op in.

De sultane walidé keek haar zoon aan. 'Mijn leeuw, grootvizier Alembar zal slimmer moeten opereren. Hij heeft immers de Sekbans geïnstalleerd. Daarom moet hij ervoor zorgen dat de janitsaren trots zijn om de Sekbans erbij te hebben, alsof zij zelf de eer verdienen voor het succes van de nieuwe eenheid.'

'Ik denk dat je gelijk hebt,' antwoordde de sultan.

'Als ik zo brutaal mag zijn, majesteit,' zei ik. 'Ik heb een idee.'

'De brutalen hebben de halve wereld. Laat maar horen.'

'We zouden een gebaar kunnen maken om de janitsaren te verzekeren van de steun van uwe majesteit.' Ik keek de kamer rond. 'Een fontein, misschien.'

'Ik weet nog iets beters,' zei Nakshidil. 'Mijn toelage is bijzonder genereus. Ik zal een deel ervan beschikbaar stellen voor de bouw van een moskee voor de janitsaren. Dat is niet alleen een gebaar naar hen toe, maar ook naar de oelema.'

'Een edelmoedige gedachte,' zei ik, 'in de ware geest van de islamitische barmhartigheid.' En met die woorden stond ik op, in de veronderstelling dat Nakshidil onder vier ogen met Mahmoed wilde praten. Maar de sultan vroeg me te blijven.

'Je bent nu de zwarte oppereunuch,' wees hij me terecht, 'en je bent altijd trouw gebleven aan mijn moeder. Ik stel je advies op prijs.' We liepen naar de afkoelruimte en Mahmoed vroeg de stomme eunuch hem een nargileh te brengen. We keken hoe de zwarte slaaf de amberen kop met appeltabak vulde en aanstak met stukjes gloeiende houtskool. De zoete geur van de tabak en het borrelen van het water in de pijp hadden een rustgevende uitwerking. Iedereen verzonk in gemijmer. Na een tijdje ontwaakte Nakshidil uit haar overpeinzingen en keek Mahmoed aan.

'Ik heb de zorgen in je ogen gezien, mijn zoon,' zei ze. 'Ik weet dat je onrustig bent en de hele last van het rijk op je schouders voelt drukken.'

'Er zijn veel zorgen,' beaamde de sultan. 'Het zal een groot leider vergen om de juiste koers uit te stippelen.'

'Bedenk dat grote leiders niet worden geboren, maar worden gemaakt,' zei Nakshidil. 'Ze groeien in hun ambt en dragen zo hun kracht over aan hun volk.'

Mahmoed trok aan zijn pijp. 'Ik heb bijna nergens anders aan gedacht sinds ik padisjah ben. Maar wie weet wat de geschiedenis mij in handen zal geven?'

'De geschiedenis wordt bepaald door mensen. God heeft ons deze wereld geschonken, maar ze is gevormd door ware leiders. Ik weet dat sommige mensen het leven als een aaneenschakeling van grillige stormen zien, maar het zijn de mensen zelf die de gebeurtenissen scheppen. En erop reageren.'

'Dat is waar,' zei ik. 'Denk eens aan Istanbul. Constantijn de Grote heeft deze stad gesticht, de enige die zich uitstrekt over twee continenten. Duizend jaar was Constantinopel de hoofdstad van Byzantium. Pas Mehmed de Veroveraar wist de stad voor ons in te nemen in 1453.'

'Of kijk naar het huidige Rusland,' zei Nakshidil. 'Catharina heeft de wereld getrotseerd en wij beefden bij het horen van haar naam. Sinds haar dood is onze angst verdwenen. Nu is het Napoleon die onze aandacht opeist, zodat alle ogen op Frankrijk zijn gericht. Sommige vorsten leiden de stormloop, anderen laten zich erdoor vertrappelen. Jij komt uit een geslacht van krijgers te paard, mijn zoon. Jij moet de weg wijzen.'

'Wat wil je daarmee zeggen?' vroeg Mahmoed peinzend. 'Toch niet dat ik andere landen moet binnenvallen?'

'Chéri, de Ottomanen zijn niet meer wat ze waren, niet langer de veroveraars uit de tijd van Suleiman de Grote, die het rijk wist uit te breiden van Belgrado tot aan Bagdad. Een deel van wat hij in de zestiende eeuw heeft veroverd, is helaas alweer verloren aan Rusland, Oostenrijk en Frankrijk. We moeten beschermen wat we hebben. Het is jouw opdracht om deze natie weer groot te maken.'

De sultan knikte en wachtte tot ze verder ging.

Nakshidil boog zich naar hem toe en legde haar hand op de zijne. 'Turkije is als een oude boom, diep geworteld in de grond. De stam is breed en sterk, met lange takken. De oosterse aarde voedt de wortels, maar de Europese zon koestert de knoppen. Laat die boom zijn takken naar het zonlicht wenden, zodat ze de bloesem van nieuwe ideeën kunnen dragen.'

De stomme eunuch bracht een blad met zoetigheid en de sultan nam een stukje halvah. Hij beet in de sesampasta en zei: 'Ga door.'

'Je moet verder kijken dan de horizon,' vervolgde de sultane walidé. 'Het zijn nu de Fransen die de juiste richting wijzen. De revolutie heeft grote verschrikkingen met zich meegebracht, zoals we allemaal weten, maar gaf ook ruimte aan nieuwe ideeën over vrijheid. En dan is er Bonaparte, een briljante militair. Zijn legers zijn geducht, maar de bevolking heeft het goed. Ik zeg je, mijn zoon, als het Ottomaanse rijk wil overleven, moeten we een voorbeeld nemen aan de Fransen.'

'Toch is het niet voldoende om het leger te hervormen, zoals Selim heeft ondervonden,' merkte ik op.

'Je hebt gelijk, Tulp. Mahmoed moet de mentaliteit van het volk veranderen.' Ze richtte zich weer tot haar zoon. 'Als sultan moet je de mensen opvoeden en hun de kans geven om te leren en vrij te denken.'

'Maar hoe pakt een padisjah dat aan?' vroeg ik. 'Niet via de medressen. De geestelijkheid heeft geen belang bij dat soort onderwijs.'

Mahmoed werkte het laatste snoep weg en veegde zijn handen af. 'We moeten beginnen met het leger,' zei hij. 'De militairen hebben een nieuwe opleiding en training nodig. De sultane walidé heeft gelijk. We zullen een modern leger moeten opbouwen om ons te verdedigen, maar tegelijkertijd moeten we ook de bevolking opvoeden. We weten allemaal hoe belangrijk een goede ontwikkeling is. Kijk naar jou, Tulp. Jij hebt jezelf verschillende talen geleerd en daarmee je blik op de wereld verruimd. Zonder een goede scholing voor het volk zullen we als blinden in het duister tasten.' Met die woorden stond de sultan op en kuste zijn moeder de hand. 'Laten we hopen dat we die veranderingen spoedig kunnen doorvoeren.'

21

De eerste twee weken van ramadan – door de maan bepaald op begin mei – volgden we de wetten van de profeet. We vastten van zonsopgang tot zonsondergang, om daarna, op het teken van een kanonschot, heerlijk te eten van zonsondergang tot de vroege ochtend. Vasten en feesten, elke dag, veertien dagen lang, waarbij we een gat in de dag sliepen, ons volpropten na de avondschemer, nog een hapje namen om drie uur 's nachts en vlak voor zonsopgang aan het ontbijt zaten.

'We zitten dringend te wachten op een troonopvolger,' zei Nakshidil op een middag plompverloren. We zaten midden in een spelletje backgammon om onze gedachten van eten af te leiden.

'Ik zou me geen zorgen maken,' zei ik. 'Het is nog geen jaar geleden. Die twee coups, eerst tegen Selim en toen tegen Mustafa, en daarna Selims dood, hebben de sultan behoorlijk aangegrepen. En dan zijn er nog de problemen met de janitsaren. Het leger tevreden houden en tegelijkertijd hervormingen doorvoeren, betekent een grote uitdaging voor iedere leider. Mahmoed gaat gebukt onder zijn zorgen en heeft de concubines niet genoeg aandacht gegeven.'

'Misschien heeft hij nog niet het juiste meisje gevonden dat hem inspireert.'

'Meisjes genoeg,' merkte ik op. 'Driehonderd vrouwen, die allemaal naar de gunsten van jouw zoon dingen.' Ik zweeg, kuste de dobbelsteen in mijn hand en gooide. 'Vreemd, is het niet? Nu heers je zelf over de harem, terwijl ik nog weet hoe vreselijk je het vond om met anderen om Selims affectie te strijden.'

'Maar, weet je, Tulp, in die tijd besefte ik het doel van de harem nog niet. Het duurde even voordat ik begreep dat dit geen gevangenis is, maar een toevluchtsoord; geen lustpaleis voor mannen, maar een heilige schoot die de nakomelingen van de Ottomaanse sultans moet voortbrengen.' Ze bestudeerde het bord en sloeg een steen. 'Selim kreeg geen kinderen, dus zijn er geen opvolgers meer voor de Ottomaanse troon. De lijn stopt bij Mahmoed. Het geslacht dreigt uit te sterven en de baarmoeders van de concubines zijn nog leeg. Mijn belangrijkste taak is het voortbestaan van het rijk te verzekeren.'

'Ik durf je te voorspellen, zelfs zonder de hulp van theebladeren, dat je een kleinkind zult krijgen zodra de situatie wat stabieler is.'

'*Inshallah*,' zei ze, terwijl ze mijn steen terugdrong, een drie gooide en haar laatste steen sloeg.

Het was mijn verantwoordelijkheid om de harem te amuseren tijdens de heilige maand. Op verzoek van de sultane walidé werden de vrouwen van vooraanstaande mannen uitgenodigd voor het avondlijke feestmaal in haar ontvangstruimte. De tweede week nodigde Nakshidil ook Selims zusters Hadice Sultan en Beyhan Sultan uit. Na een maaltijd die bijna alles omvatte, van soep en kaviaar tot kebab en zoet ramadangebak, lieten de vrouwen zich op zachte kussens zakken terwijl slavinnen dansten, vertellers hun verhalen voordroegen, waarzegsters de tarotkaart legden en musici ons ontroerden met aangrijpende Turkse melodieën. Sommige vrouwen glimlachten toen Nakshidil een stuk van Mozart op de viool speelde, maar ik zag ook afkeurende blikken en zure gezichten bij de conservatieven.

Maar niets vonden ze zo schokkend als de aanwezigheid van Beyhan Sultan. De dochters van de sultans leidden een bevoorrecht leven met een ruime toelage, een groot paleis en slaafse echtgenoten over wie ze de baas waren. Maar hoe machtig ze ook leken, zelfs prinsessen konden niet alles bepalen, en kortgeleden was Beyhans echtgenoot overleden. Sinds de dood van de pasja had ze de bijnaam *delhi sultane* gekregen vanwege haar krankzinnige gedrag.

De prinses had de gewoonte opgevat om met haar ossenwagen vanaf haar paleis in Ortakoy naar de Europese wijk te rijden, gezeten in haar *araba*, hobbelend door de straten van Pera, waar ze aantrekkelijke mannen probeerde in te palmen zoals een slangenbezweerder zijn dieren verleidt. De mannen die in haar ban raakten, volgden haar naar haar paleis, waar ze werden geschoren en opgemaakt om in vrouwenkostuum te dansen, of haar op een andere manier mochten plezieren.

Die escapades waren de sultane walidé ter ore gekomen en Nakshidil probeerde de wellustige vrouw een beetje in te tomen. 'Te bedenken dat ze ooit een vriendin van Aysha was!' fluisterde de walidé tegen mij. 'Ik weet niet wat erger is, dat Beyhan Sultan zich zo gedraagt of dat ze één front vormt met dat andere mens.'

'Ik geloof dat ik het wel weet,' mompelde ik.

Ook prinses Hadice was dol op het Westen. Ze was erg gesteld op de architect Antoine Melling en vond voortdurend projecten voor hem, van de bouw van haar paleis aan de Bosporus tot het ontwerp van haar borden en bestek. Deze avond had ze plannen meegenomen voor de nieuwste veranderingen aan haar paleis, dat uitzicht had op zee. Een ervan, een doolhof in de tuin, vermaakte ons allemaal met zijn kronkelende routes en doodlopende gangen. Maar hoe interessant dat Europese doolhof ook was, het tweede idee was nog intrigerender. De prinses wilde een geheim paneel op de benedenverdieping van haar paleis.

'Kijk,' zei Hadice, met grote ogen van plezier toen ze ons de tekeningen liet zien. 'Een deel van de houten vloer is in feite een luik met een veer. Ik hoef het alleen maar omlaag te duwen, hier, en het springt open. Dan kunnen we zo de Bosporus in zwemmen.'

Beyhan bekeek de ontwerpen aandachtig. 'Geweldig!' riep ze uit. 'Misschien kunnen onze mannelijke vrienden het wel van onderaf openen, zodat ze naar ons toe kunnen zwemmen.'

Op dat moment zette het orkest in en kwamen de danseressen. 'Kijk eens goed,' fluisterde ik tegen Nakshidil, die veelzeggend knikte. Toen de slavinnetjes een voor een uit de cirkel stapten, was ik niet ontevreden over onze laatste aanwinsten. Het eerste meisje toonde haar volle borsten; het tweede flirtte met haar amandelvormige ogen; en een ander had benen zo lang als cipressen. Maar pas toen Fatma naar voren kwam, was mijn belangstelling écht gewekt. Haar ver uiteen geplaatste ogen en haar pruilmondje gaven haar een onschuldige uitstraling, maar haar wiegende heupen maakten duidelijk dat ze een man veel genot zou kunnen geven. Ik keek naar Nakshidil en zag dat zij ook onder de indruk was van het meisje. Na afloop van de avond gaf ze me opdracht om Fatma gereed te maken voor de sultan. 'Ik geloof dat we de inspiratie hebben gevonden,' fluisterde ze met een glimlach.

Op de vijftiende dag van ramadan stond ik vroeg op voor een van de heiligste rituelen, de ceremonie van de heilige mantel.

Dit was mijn eerste officiële heilige dag en mijn eerste bezoek aan het paviljoen waar de relikwieën werden bewaard. Alleen de hoogste leden van de paleishiërarchie mochten hier komen. Toen ik mijn dolk uit de geheime kast tussen mijn slaapkamer en mijn gebedsruimte haalde, dacht ik nog eens aan de voorrechten van mijn positie als zwarte oppereunuch: mijn luxueuze appartement; mijn staf van slaven; mijn ruime toelage; mijn invloed bij de sultan; en mijn leidende rol bij ceremonies zoals deze, die over een paar uur zou plaatsvinden. Ik had een hoge prijs betaald, maar vandaag leek dit het bijna waard. Terwijl een slavin mijn spiegel vasthield, knoopte ik mijn met bont afgezette mantel dicht en zette mijn kegelvormige tulband recht. Toen haalde ik diep adem en liep door de gang tussen het appartement van de zwarte oppereunuch en dat van de sultane walidé.

'Ik vraag me af hoe de mantel van de profeet eruit zal zien,' zei ik tegen Nakshidil.

Het weer was koel en ze droeg een lichtblauwe kaftan met een voering van marterbont. 'Heel mooi, denk ik,' zei ze, terwijl ze met haar hand over haar eigen donkere bont streek. 'Ik heb hem natuurlijk ook nog nooit gezien, maar mijn eigen jas zal er wel bij verbleken.'

Ik zette mijn tulband nog eens recht, verschikte de dolk aan mijn zij en begeleidde haar naar buiten. De prinsessen en de vrouwen van de hoogwaardigheidsbekleders hadden zich op de binnenplaats van de walidé verzameld, en met Nakshidil aan mijn zij en de anderen achter ons aan gingen de twintig vrouwen in een processie op weg. Door de tuinen liepen we naar de voorkant van de Vierde Hof, namen de smalle gang naar de Derde Hof en bereikten ten slotte het Paviljoen van de Heilige Mantel. Bij dat kleine gebouwtje, recht tegenover de schatkamer, werden we begroet door honderden janitsaren die er de wacht hielden.

Nakshidil raakte mijn arm aan. 'Kijk eens naar hun nieuwe Europese uniformen. Wat zien ze er mooi uit!' zei ze enthousiast toen we de treden van de veranda beklommen.

Ik vroeg me af of de janitsaren daar ook zo over dachten. Of hadden ze nog steeds bezwaar tegen de westerse stijl? We zouden nooit vergeten dat Selim van de troon was gestoten toen hij het leger bevel had gegeven Europese uniformen aan te trekken. Ik was blij dat grootvizier Alemdar achter de hervormingen stond, maar ik maakte me toch zorgen dat hij wat te hard ging. Bij mijn laatste bezoek aan de bazaar had ik heel wat kritiek onder de mensen gehoord.

Het paviljoen telde vier vertrekken. Ik nam Nakshidil mee naar de Kamer van de Leunstoel, waar ze ging zitten. Toen ze op haar gemak onder de luifel zat, vertrok ik weer. De vrouwen zouden nu binnenkomen om haar hand te kussen en aan haar voeten plaats te nemen in volgorde van rang. Ze moesten wachten tot de mannen de Kamer van de Mantel hadden bezocht, waarna de bewaarder van de mantel hen binnen zou roepen.

Haastig liep ik langs de ontvangstkamer en de rij hoge gasten naar de speciale ruimte waar de relikwieën werden bewaard. Hier lagen de persoonlijke bezittingen van de profeet Mohammed: twee gouden zwaarden, bezet met juwelen; een brief die hij op leer geschreven had; zijn persoonlijke zegel; zijn gebroken tand; zijn zwarte banier; zestig haren van zijn baard in juwelenkistjes; zijn voetafdruk in steen; en het belangrijkste van alles, de mantel die hij aan een van zijn volgelingen gegeven had.

Ik stapte naar binnen, snoof de lucht van de brandende wierook op en keek om me heen. Voor het eerst zag ik de beroemde tegelwanden, met pauwen zo blauw als de glinsterende Zee van Marmara. Boven de tegels hingen vergulde olielampen en diamanten hangers aan het koepelplafond, en aan de andere kant van de kamer zag ik de nieuwe fontein die Mahmoed net had geïnstalleerd. Voor de fontein stonden sultan Mahmoed en grootvizier Alemdar.

Vanachter een gordijn klonken teksten uit de koran die werden opgezegd terwijl wij met ons drieën plaatsnamen voor de zilveren overkapping die de heilige mantel beschermde. De sultan, in een roodsatijnen, met bont afgezette mantel en een tulband met een stralende pluim, stond in het midden. Rechts van hem stond de grootvizier met zijn hoge tulband, links de zwarte oppereunuch – ikzelf.

Met een fonkeling in zijn donkere ogen en zijn brede borst vooruit verklaarde sultan Mahmoed met zijn krachtige stem: 'In de naam van God, de Genadige en Barmhartige.' Daarmee pakte hij de sleutel, die hij als enige bezat, om de gouden kist met de mantel open te maken. Het deksel ging omhoog en hij haalde er een geborduurde satijnen bundel uit, die hij openvouwde. Daarin zat nog een geborduurde bocha, met daarin weer een derde. Wij keken toe terwijl hij rustig alles opensloeg tot hij bij de veertigste kwam, de bocha die de kostbare mantel bevatte.

Daar stonden we, alle drie prachtig uitgedost, wachtend om de mantel te zien die de profeet gedragen had. Ik hield mijn adem in toen de sultan hem eruit haalde en ons het kwetsbare kledingstuk toonde. Wat een teleurstelling! Eerlijk gezegd had ik gedacht dat het een mantel van goud- of zilverdraad zou zijn, maar het was een kleine, versleten jas van zwarte wol, met een rafelige beige voering. Het enige bijzondere waren de wijde mouwen. Toch werd dit als het allerheiligste voorwerp beschouwd, dus voelde ik mijn adem stokken, net als de anderen. De agha van het linnen, de bewaarder van deze ruimte, raakte de mantel aan met een klein lapje geborduurd linnen, dat door de sultan werd gekust. De grootvizier en ik deden hetzelfde.

Daarna kwamen de hoge gasten binnen: geestelijken, viziers en andere functionarissen, die allemaal bogen voor de sultan en met hun rechterhand over de grond veegden, hun hoofd optilden en hun hart en voorhoofd aanraakten. Iedereen kreeg vervolgens een geborduurd linnen doekje dat in aanraking was geweest met de mantel, drukte dat op zijn hoofd en stapte terug in de rij met de anderen van zijn rang.

Urenlang stonden we daar, terwijl de stroom van bezoekers

voorbijtrok, en hoewel ik probeerde me te concentreren, dwaalden mijn gedachten toch af door de eentonig opgedreunde teksten op de achtergrond. Ik dacht aan de heilige mantel en de geestelijken van de oelema, die misschien samenspanden met Aysha en de janitsaren. Wat voerde Aysha in haar schild? Ik had niet veel meer over haar gehoord sinds ze naar het Oude Paleis was gestuurd. Zou ze haar belofte van trouw aan de sultan wel nakomen? Of smeedde ze nog complotten achter onze rug?

De laatste van de mannen was aan de beurt geweest. Nu kwamen de vrouwen binnen, een voor een, kusten de jas van de sultan en het lapje geborduurd linnen dat de mantel had aangeraakt. Ze legden het op hun hoofd, stapten terug en bleven staan in een houding van eerbetoon, met hun armen voor hun borsten gevouwen. Ten slotte kwam de sultane walidé, kuste liefdevol de hand van de sultan en het symbolische stukje van de mantel, legde het zorgvuldig op haar hoofd en draaide zich om. Toen vertrok ze, aan het hoofd van de vrouwenstoet. De sultan vouwde de mantel weer in de bocha's, borg ze in de gouden kist en zette die terug onder de zilveren overkapping.

Toen we terugliepen naar de harem, keek ik nog eens scherp naar de falanx van janitsaren die de heilige relikwieën bewaakten. Het viel me op dat hun fysieke nabijheid tot de bezittingen van de profeet hun verbond met de oelema onderstreepte. Opeens herinnerde ik me Nakshidils Latijnse gebed: 'Moge de sultan veilig zijn voor boze janitsaren, veilig voor ruziënde viziers, veilig voor de fanatieke oelema.' Ik zuchtte diep, opgelucht dat alles goed was verlopen op mijn eerste officiële heilige dag.

22

Boem! Boem! Boem! Drie keer vuurden de kanonnen bij de poort van het Topkapi om het nieuws bekend te maken dat er een baby was geboren. Natuurlijk hadden we allemaal zeven salvo's willen horen, maar het bleef wachten op een zoon. *Boem! Boem! Boem!* Die dag werden de saluutschoten nog vijf keer herhaald. De vreugde was enorm. Er was al negentien jaar geen kind meer geboren in de koninklijke familie.

De opwinding was begonnen op dinsdag, precies negen maanden na de dag waarop Fatma naar Mahmoeds bed was ontboden. Toen ze de eerste weeën aankondigde en het water langs haar benen druppelde, waarschuwde ik de *ebe.* Zodra de vroedvrouw in Fatma's appartement was aangekomen, stelde ze vast dat het ernst was en dat de geboortestoel moest worden gehaald. Fatma hees haar dikke lichaam op de stoel met zijn hoge rug en armleuningen, en vouwde zich om de uitsnee aan de voorkant.

Bijna onmiddellijk kwam de sultane walidé binnen, in het gezelschap van enkele haremvrouwen, op hun hielen gevolgd door de paleisdwergen en de musici die voor het vertier moesten zorgen. Nakshidil stond erop dat ze naast de Turkse melodieën ook Händel en Bach zouden spelen, zodat de pasgeboren baby meteen kon kennismaken met beide culturen.

In het begin waren Fatma's weeën nog kort en ver uiteen. Terwijl ze op de harde stoel zat, probeerden de andere vrouwen, die met gekruiste benen op de grond en op de divans hadden plaatsgenomen, haar aandacht af te leiden met grappige verhalen. Ze lachte als ze de haremmeisjes nadeden of elkaar plaagden. Zodra er een wee kwam, hief ze haar hand op, zodat ze even stil waren. Na een tijdje nam de heftigheid toe en volgden de weeën elkaar sneller op. Elke keer zag ik Nakshidil een grimas maken, alsof ze met Fatma meevoelde. Een van de vrouwen waste Fatma's gezicht met een lapje gedrenkt in rozenwater en een ander masseerde haar rug, terwijl iedereen haar aanspoorde: 'Persen! Nog harder!'

Eindelijk keek de vroedvrouw omlaag en zei dat ze het hoofdje kon zien. Fatma gilde en perste nog eens. *'Allahu akbar!'* zeiden we allemaal. God is groot! Fatma perste weer. Wij prezen God. Nog een schreeuw, nog een inspanning, en... o, wonder, daar kwam de kostbare baby. Iedereen sprak het bismillah, de woorden waarmee elk gebed begint: 'Ik getuig dat ik geen andere god dan Allah zal aanbidden en dat Mohammed Zijn slaaf en Zijn profeet is.' De ebe waste het kind en sneed de navelstreng door. 'Moge haar stem welluidend zijn!' verklaarde ze, en ze besprenkelde het meisje met venkelzaad.

Terwijl Fatma door Nakshidil en een paar andere vrouwen naar het appartement van de sultane walidé werd gebracht, bleef de rest van ons bij de vroedvrouw om de baby te kleden. Zo snel als we konden wikkelden we het kleine lijfje in goudbrokaat, met een zijden ceintuur rond het middeltje van het kind. Met haar geschreeuw in onze oren tilden we haar gerimpelde hoofdje op en zetten haar een gouden muts op, waarop gouden munten, teentjes knoflook en blauwe glazen kralen waren genaaid. We bonden er nog een diamanten kwastje aan, en om het boze oog af te weren ook nog een blauwe doek waarop een paar regels uit de koran waren gestikt.

Toen het meisje voldoende was ingepakt kreeg ze een sluier voor van groene chiffon en legden we haar in de armen van de ebe. Begeleid door de muzikanten vertrok ik voor aan de kleine stoet naar Nakshidils appartement om de prachtige baby

aan Fatma te presenteren. Die lieve Fatma lag op een parelmoeren divan met een rode satijnen lappendeken, die met
smaragden en parels was bezet. Ze lachte van oor tot oor. Maar
niemand straalde meer dan de sultane walidé. 'Grootmoeder!'
fluisterde ze in mijn oor. 'Stel je voor, ik ben grootmoeder!
Moet je dat prachtige kind zien.' Ze zweeg een moment en ik
zag haar gezicht veranderen. 'Waar is Mahmoed?' vroeg ze. 'Dit
is zijn kind.'

'Hij zal morgen wel op de receptie komen,' antwoordde ik.

Ze schudde droevig haar hoofd. 'Als het een jongen was geweest, zou hij vandaag al zijn opwachting hebben gemaakt.'

'Ze mag blij zijn dat ze een meisje is,' zei ik. 'Dan heeft ze
alle voorrechten van een koninklijk kind – een ruime toelage
voor het leven, prachtige paleizen, genoeg personeel – zonder
alle gevaren die een prins onder ogen moet zien. Niemand zal
haar willen vermoorden om de troon te veroveren, of het
leven van haar moeder bedreigen.'

'Dat is waar,' beaamde Nakshidil. 'Een sultane heeft alle vrijheid, zonder de angsten. Ze kan zelfs haar eigen echtgenoot
kiezen.'

De volgende dag dreunden de kanonnen weer toen er een
stroom vrouwelijke gasten arriveerde om Fatma en de sultane
walidé geluk te wensen. De rij strekte zich uit door de gangen,
langs de trappen en over de binnenplaats. Prinsessen en de
echtgenotes van viziers, de oelema, paleisfunctionarissen en
andere vooraanstaande vrouwen kwamen hun goede wensen
overbrengen. Aan het eind van de dag schrok ik even toen ik
prinses Beyhan en het achterhoofd van een van de andere bezoeksters zag.

'Dat kan toch niet,' fluisterde ik tegen Nakshidil.

'Wat?' vroeg ze.

'Nee, dat is onmogelijk.'

'Waar heb je het over? Kun je wat duidelijker zijn, Tulp?'

'Hoeveel echtgenotes kennen we met rood haar?'

'Niemand, voor zover ik weet.'

'Nee, dat dacht ik ook.'

'Waarom vraag je het dan?'

'Omdat er een vrouw met rood haar aan komt.'

'Het zal wel de vrouw van een buitenlandse gezant zijn.'

'Of van een dode sultan.'

'Tulp! Hier word ik gek van. Wat bedoel je nou?'

'Welke vrouw met rood haar kennen we allebei?'

Ze zweeg een moment. 'Aysha, natuurlijk,' zei ze opeens. Toen slaakte ze een kreet, alsof ze schrok van haar eigen woorden. 'Wat doet Aysha hier?'

'Geen idee.'

'Nou,' zei ze zacht, 'probeer daar dan heel snel achter te komen.'

Ik gaf prinses Beyhan een teken dat ik haar wilde spreken. Even later meldde ik me weer bij Nakshidil. 'Op de een of andere manier heeft die Aysha de opperkamenierster van het Eski Saray ervan overtuigd dat ze toestemming zou hebben het Oude Paleis te verlaten om de geboorte van de baby te vieren. Vervolgens heeft ze haar oude vriendin Beyhan Sultan zo gek gekregen om haar mee te nemen.'

'Wat heeft ze dan gezegd?'

'Ze zei: "Ik ben de moeder van de enige Ottomaanse prins. Zo hoort dat. Als ik mijn gezicht niet laat zien, neemt de wereld daar aanstoot aan. Dan staat het rijk voor schut."'

Daar konden we weinig op zeggen, dus begroetten we haar en boden haar iets te drinken aan. Het laatste wat we wilden was een scène bij zo'n feestelijke gelegenheid. Het was laat in de middag en de meeste bezoeksters waren al vertrokken. 'Ik geef Aysha nog een paar minuten en dan breng ik haar naar de deur,' zei ik tegen de sultane walidé. Maar die kans kreeg ik niet.

Toen ik naar Aysha toe liep, kwam de opperkamenierster

binnen met haar zilveren staf in de hand. 'Allemaal opstaan voor de aankomst van Zijne Hoogste Majesteit, sultan Mahmoed,' kondigde Cevri aan. De vrouwen krabbelden overeind en we waren allemaal op de been toen de sultan binnenkwam, gevolgd door zijn zuster Hadice Sultan.

Normaal had ik bij hem moeten zijn, maar blijkbaar wilde hij ons verrassen, en verrast waren we zeker! Ik kon mijn ogen niet geloven, en ik was de enige niet. Ondanks de strenge stilteregels in zijn aanwezigheid waren er overal onderdrukte kreten te horen toen hij binnenkwam. De sultan was bijna onherkenbaar.

Toen, boven het geroezemoes uit, hoorde ik Aysha luidkeels fluisteren: 'Waar is zijn tulband? Wat heeft hij op zijn hoofd? Wat is dat in vredesnaam?'

Hij had inderdaad een merkwaardig hoofddeksel op. In plaats van zijn gebruikelijke tulband droeg sultan Mahmoed... de padisjah, Gods schaduw op aarde, de kalief, de leider van alle moslims... een rode fez!

Glimlachend liep de sultan de kamer door naar Fatma, die nog op de bank zat, en kuste de hand van de jonge moeder. Toen ze het kind omhooghield in haar armen drukte hij zijn lippen tegen het voorhoofd van de baby, zodat het kwastje van zijn fez haar wang kietelde.

Nakshidil, die naast Fatma stond, lachte blij. 'Gefeliciteerd, mijn leeuw,' zuchtte ze tevreden toen ze zijn hand en zijn mouw kuste.

De sultan bedankte hen allebei, draaide zich om en vertrok weer, de zaal geschokt achterlatend.

Zodra hij verdwenen was, rende Aysha naar Nakshidil toe. 'Wat stelt dit voor?' wilde ze weten. 'Hij lijkt wel een ongelovige, die zoon van jou! Je weet toch wat we zeggen: "De tulband is het bastion tussen geloof en ongeloof"?'

De sultane walidé glimlachte, draaide zich om en liet het

antwoord aan Hadice Sultan over. 'Het is alleen maar logisch dat de sultan bij zijn hervormingen van de Ottomanen ook de stijl van zijn hoofddracht verandert,' zei ze. 'Nieuwe kleren vanbuiten, nieuwe ideeën vanbinnen.'

'Het is schandalig, een kalief zonder tulband!' verklaarde Aysha. 'Het is godslastering!'

'Ik vond het wel leuk om hem zo modern te zien,' wierp ik tegen, hoewel ik niet helemaal zeker was van die fez. Wat zouden de religieuze leiders denken?

'Als hij zo doorgaat zit hij straks te bidden met de ongelovigen,' snauwde Aysha.

'Als jij zo doorgaat mag je straks bidden voor je leven,' zei Nakshidil. 'Hoe dúrf je zo over de sultan te spreken?' En ze beval twee eunuchen om de vrouw terug te brengen naar het Oude Paleis. Ik gaf de musici een teken om iets te spelen.

Later hoorde ik van Nakshidil dat ze al eerder met de sultan had gesproken. De fez was een geschenk van de ambassadeur van Tunis. 'Zoals Fatma's baby nieuw leven brengt in het paleis, zei hij, zo wilde hij ook vormgeven aan een nieuw idee.'

'Maar past dat wel bij de islam?' vroeg ik. 'Je weet wat de imams zeggen: "Twee gebeden mét de tulband zijn net zoveel waard als zeventig zonder."'

'Nu verbaas je me toch, Tulp,' zei ze. 'Wat een ouderwets gezegde. De ambassadeur zei tegen Mahmoed dat alle moslims in Tunis tegenwoordig een fez dragen. Die platte bovenkant moet ons herinneren aan het platte gebedskleedje, en het kwastje is de belofte van de hemel.'

'En wanneer heeft de gezant dit aan de sultan gegeven?'

'Vanochtend. Mahmoed vertelde me erover in de baden, maar ik had geen idee dat hij die fez bij de receptie zou opzetten,' zei Nakshidil. 'Wat een verrassing!'

Ja, zeg dat wel. En niet lang daarna hadden de janitsaren ook een verrassing voor ons.

23

Naarmate ik ouder word, lijken de jaren steeds korter te worden. De feestdagen op de kalender vliegen voorbij en komen zo snel weer terug dat het lijkt of de tijd is gekrompen. Het lijkt nog maar nauwelijks een jaar geleden sinds we ramadan vierden en Fatma naar de sultan stuurden, maar inmiddels heeft Fatma al een dochter gekregen en is het weer ramadan. Plotseling kwam het over ons heen, als een onverwachte stortbui.

Afgeleid als we waren door Fatma's baby, hadden we bijna geen erg in de vastendagen. Zoals altijd organiseerde ik 's avonds maaltijden en vertier voor gasten en bezoekers. Als de zon onder was en de vrouwen arriveerden, gingen we ons te buiten aan gerookte aubergines, zoetigheid en anijscake, terwijl de meisjes dansten, de dwergen grappen maakten en de vertellers hun verhalen voordroegen.

Halverwege de vastenmaand brak het moment weer aan voor het bezoek aan het Paviljoen van de Heilige Mantel. Met mijn met bont gevoerde mantel en mijn kegelvormige tulband leidde ik de stoet van sultane walidé Nakshidil, Fatma – die nu kadin was – de prinsessen en de echtgenotes van de viziers en de oelema, op weg naar het heiligdom. Maar op het moment dat we de tuin verlieten en uit het smalle gangetje de Derde Hof bereikten, zag ik dat er iets niet klopte. Zodra we het kleine paviljoen naderden, werd dat gevoel nog sterker. Nakshidil trok me aan mijn mouw. 'Kijk,' fluisterde ze. 'De Sekbans staan op wacht, niet de janitsaren.'

'Ik zie het,' mompelde ik terug. 'Alembar heeft dat blijkbaar veranderd. Hopelijk weet hij wat hij doet.' Bijna onbewust ging mijn hand naar de zilveren dolk aan mijn zij.

Net als het jaar daarvoor liet ik de sultane walidé binnen in de Kamer van de Leunstoel, waar de vrouwen hun opwachting bij haar maakten, en liep zelf naar de Kamer van de Heilige Mantel. Ik zag de heilige relikwieën en de zilveren overkapping. Toen viel mijn blik op de twee mannen die daar stonden. Ontsteld staarde ik naar de grootvizier, in zijn kaftan met de hoge tulband, met naast hem de sultan in zijn ceremoniële gewaad. Voor de tweede keer had Mahmoed zijn traditionele tulband vervangen door een fez met een kwastje. Ik kneep mijn lippen op elkaar om mijn verbazing te verbergen en kwam naast hem staan.

Volgens het inmiddels bekende ritueel opende de sultan de speciale gouden kist, vouwde de veertig bocha's open en hield de mantel van de profeet omhoog. We namen alle drie een lapje linnen, kusten het en legden het op ons hoofd. De hoge gasten werden binnengeroepen en allemaal hadden ze moeite hun verbazing te verbergen als ze over de drempel stapten en de fez van de sultan zagen. Maar niemand durfde iets te zeggen. In stilte voerden ze het heilige ritueel uit. Toen ze klaar waren mochten de vrouwen komen, en ook bij hen zag ik onderdrukte verbazing toen ze hun rituele plicht deden.

Na afloop van de ceremonie vouwde de sultan de mantel weer in de bocha's en legde ze terug in de gouden kist. Even later verliet de processie het paviljoen. Ik keek nog eens goed naar de Sekbans die op wacht stonden. Ik kende het temperament van de janitsaren en dankte Allah dat dit goed was afgelopen.

Zodra ik de sultane walidé bij haar appartement had afgeleverd, liep ik naar mijn eigen kamers terug en borg mijn dolk op. Het was tijd voor het middaggebed. Ik knielde op mijn kleedje en herhaalde Nakshidils woorden: 'Moge de sultan veilig zijn voor boze janitsaren, veilig voor ruziënde viziers, veilig voor de fanatieke oelema.' Ik slaakte een zucht. Toen hoorde ik het lawaai.

Ik keek om en probeerde mezelf wijs te maken dat het een menigte was die vluchtte voor een brand, of een kudde dieren die was losgebroken. Maar ik wist dat het geen kreten van angst waren, maar van woede. Het waren schreeuwende soldaten en mijn grootste nachtmerrie was werkelijkheid geworden. De janitsaren bestormden het Topkapi. Hoe dikwijls hadden we niet angstig over die mogelijkheid gesproken, en nu overkwam het ons dus toch!

Ik wist dat de janitsaren de bescherming van het Paviljoen van de Heilige Mantel als hun onvervreemdbare recht beschouwden. Later hoorde ik dat ze woedend hadden gereageerd zodra ze hoorden dat Alembar dat privilege had overgedragen op de Sekbans. Ze verlieten hun wachtlokalen rond de stad, verzamelden aanhangers en trokken in een grote groep naar het Topkapi op. Bij het paleis aangekomen, stormden ze langs de hellebaardiers naar de Eerste Hof, maar de wachters hadden de Sekbans al een teken gegeven, en de loyale soldaten verlieten hun post bij het Paviljoen van de Heilige Mantel en stormden op de rebellen af. Met Allahs hulp wisten ze hen te verdrijven.

Maar de volgende morgen vroeg waren de opstandelingen terug. Opnieuw hoorde ik het tumult vanuit mijn appartement, en deze keer kwamen er drie eunuchen binnenrennen met berichten. De janitsaren hadden zich weer langs de wachters van de Eerste Hof gevochten en nu ook de Tweede Hof bereikt, waar het gebouw van de staatsraad stond. Terwijl een deel van hen naar de diwan rende, op zoek naar grootvizier Alemdar, vielen anderen de keukens binnen. Daar vonden ze soepketels, en volgens hun traditie gooiden ze de bronzen ketels omver en begonnen er met lepels op te slaan om hun opstand aan te kondigen. Mijn kamers lagen aan de Vierde Hof, ver van de gevechten verwijderd, maar het lawaai was beangstigend.

'Waar is de sultan?' vroeg ik de eunuchen die me kwamen waarschuwen. Haastig verzekerden ze me dat Mahmoed in zijn keizerlijke kantoor aan de Tweede Hof was, beschermd door zijn Sekbans. Van daaruit commandeerde hij zijn troepen. 'En Nakshidil?'

'In haar appartement, met haar slavinnen,' antwoordde een van hen.

'Kom mee dan. We moeten ervoor zorgen dat ze veilig is.' Ik haalde mijn dolk uit de kast en verborg hem onder mijn mantel.

Ik ging op weg naar het appartement van de walidé, maar op het moment dat ik de binnenplaats op kwam, hoorde ik het gebulder van kanonnen, gevolgd door een zware explosie. 'Achter ons!' riep een van mijn eunuchen.

Ik draaide me om en zag rook en vuur opstijgen boven het arsenaal aan de Eerste Hof, waar wapens en kruit lagen opgeslagen. Een halfversufte Sekban rende op ons toe.

'Ga naar binnen en verberg je daar!' riep hij. 'De janitsaren zijn overal. Ze rennen van het ene gebouw naar het andere, van de schatkamer naar het hospitaal en zelfs naar de wasserij, op zoek naar belangrijke mensen.'

Ik gaf hem een teken om met me mee te gaan. 'Wie hebben ze al gevonden?' vroeg ik.

'Grootvizier Alembar,' antwoordde hij, terwijl hij met me meerende. 'Hij was in het arsenaal met een groepje Sekbans. Toen de janitsaren hem ontdekten, hebben ze hem naar buiten gesleurd en het gebouw aangevallen. Zijn mannen vuurden terug. Door dat vuurgevecht explodeerde het kruit in de opslagruimte. Iedereen in het kruitmagazijn is dood.'

Inmiddels had ik het appartement van de sultane walidé bereikt. Ik bonsde op de deur en riep mijn naam. Toen een ang-

stig slavinnetje opendeed, zag ik dat Nakshidil in de ontvangstkamer was. Ze zat te kaarten.

'Mijn god,' riep ik. 'Blijf daar niet zo zitten! Je moet je verstoppen.'

'Dat doe ik niet,' zei de walidé.

'Maar je leven is in gevaar. De janitsaren zijn overal.'

'Mijn leven is altijd in gevaar, waar ik ook ben. Ik weiger
weg te kruipen voor die bandieten.' En met die woorden
smeet ze haar kaarten neer. Een andere zwarte eunuch rende
de kamer binnen.

'Er is geen water meer in het paleis,' zei hij. 'We krijgen net
bericht van buiten dat de janitsaren de watertoevoer naar het
Topkapi hebben afgesneden. Duizenden oelema en studenten
stichten branden in de hele stad. Als je naar buiten kijkt, kun
je de vlammen zien.'

Ik liep naar het raam en opende het luik. Zoals de eunuch had
gezegd steeg er in de verte een dichte zwarte rook op boven de
gebouwen en schoten er vlammen omhoog als vertoornde
goden boven de zeven heuvels van de stad. Ik keek omlaag, zag
nog meer rook op het paleisterrein en hoorde het gebulder van
het kanonvuur op de Derde Hof. Ik draaide me weer naar de
kamer toe en zag dat er rook onder de deur door kringelde.

'Haal een stel natte handdoeken,' zei ik. De slavinnen konden het water gebruiken dat nog in de baden stond. Op de
achtergrond werd geschoten en in het appartement werd de
rook steeds dikker. Mijn ogen prikten en ik zag dat ook Nakshidil in haar tranende ogen wreef. We probeerden de natte
doeken tegen ons gezicht te houden, maar we kregen al snel
een droge mond en een branderige keel.

Een van de meisjes begon rochelend te hoesten. 'Ik moet
wat drinken!' riep ze, maar we hadden nauwelijks genoeg
water om de handdoeken nat te houden. Nakshidil kreeg ook
een hoestbui, en anderen volgden. Ik was bang dat we alle-

maal zouden stikken. Tussen het hoesten door riep Nakshidil dat we Fatma en de baby moesten zoeken.

Ik stuurde twee eunuchen erop uit. 'Ze moeten in Fatma's appartement zijn, of in de kinderkamer. Als je ze vindt, wikkel het kind dan in doeken en breng het naar mijn kamers,' zei ik, met instructies hoe ze de baby konden verbergen in mijn draaiende kast. 'Een van jullie blijft in mijn kamer en laat niemand in de buurt komen. De ander blijft bij Fatma in haar appartement. Ze wil natuurlijk met de baby mee, maar het is voor haar niet veilig in mijn kamers. De vijand zal nooit vermoeden dat het kind daar is, maar als ze de kadin vinden zullen ze hen allebei vermoorden.'

Op dat moment hoorde ik een geweldig tumult. Ik liep naar een ander raam. Minstens twaalf janitsaren stormden naar de binnenplaats van de sultane walidé. Ik opende de deur op een kier om te zien of er iemand in de buurt was, en werd bijna onder de voet gelopen door een eunuch.

'De sultan stuurt me,' hijgde hij, nauwelijks in staat een woord uit te brengen. 'Er is bericht gekomen dat Aysha achter de samenzwering zit. De janitsaren hebben haar vanochtend bevrijd uit het Eski Saray en ze is op weg hierheen.'

'Mooi zo,' zei ik handenwrijvend. 'Ik verheug me op haar komst.' Het geluid van rennende voetstappen overstemde de rest van mijn woorden en een paar minuten later meende ik een vrouwenstem te horen roepen: 'Dood aan Nakshidil!' Dat moest Aysha zijn. Het liefst was ik naar buiten gesprongen om haar eigenhandig te wurgen, maar ik moest de sultane walidé beschermen.

'Ga naar de gebedsruimte,' drong ik aan. 'Verberg je achter een stapel bidkleedjes.'

'Geen sprake van,' zei Nakshidil beslist, terwijl ze de natte doek van haar gezicht haalde. 'Ik blijf hier bij mijn meisjes.'

'Alsjeblieft, ik smeek het je! Probeer je daar te verbergen –

voorlopig, in elk geval.' Ik wilde de eunuchen al bevel geven om haar zonder plichtplegingen naar die kamer te dragen toen een van hen riep: 'Kijk eens uit het raam. De marine ligt aan de kade van het serail.'

Haastig liep ik erheen, maar voordat ik het luik had geopend, vloog de deur van het appartement open en stormden vijf van onze eigen soldaten naar binnen.

'Wat is er?' vroeg ik bezorgd. 'Wat doen jullie hier? Moeten jullie niet tegen de janitsaren vechten?'

'Geen angst,' zei de luitenant. 'Alles is onder controle. De rebellen zijn teruggeslagen. We voeren nu een tangbeweging uit, met de Sekbans aan de voorkant van het paleis en de marine aan de achterkant. De opstand is neergeslagen, maar het is een bloedbad daarbuiten. Overal liggen lijken en afgehouwen lichaamsdelen.'

'En Aysha?'

'We hebben een cadeautje voor u,' antwoordde hij, met een teken aan twee van zijn mannen. Ik moet bekennen dat het een triomfantelijk gevoel was toen ze Aysha binnenbrachten met ijzeren boeien om haar armen en benen, een prop in haar mond en een woeste uitdrukking op haar gezicht.

Ik trok de prop eruit en keek haar recht aan. 'Je weet zeker wel wat er gaat gebeuren?'

Ze spuwde op de grond. 'Ik ben de moeder van een prins,' gromde ze. 'Een prins die heel gauw weer sultan zal zijn.'

'Niet meer,' zei de officier. Hij draaide zich om naar mij en verklaarde: 'Mustafa is ontsnapt uit de Prinsenkooi. Onze mannen hebben hem aangetroffen bij de janitsaren.'

'Waar is hij nu?' vroeg ik.

'Op twee plaatsen. Zijn hoofd staat op een paal voor de raadszaal en zijn lichaam ligt in zee.'

'Dat zeg je alleen om mij te kwellen. Dat zouden jullie niet durven!' riep Aysha smalend.

'Je mag wel gaan kijken, als je wilt,' antwoordde de man.

'Mijn zoon is de echte sultan,' zei ze minachtend. 'Jullie hebben ons er één keer uit gegooid, maar nu is onze tijd gekomen en zal hij de troon weer opeisen. Wij weten wat goed is voor het volk. Mahmoed en zijn fez zijn een schande! En dat komt allemaal door Nakshidil. Zij heeft een ongelovige van hem gemaakt.'

'Je bent zelf een schande,' antwoordde Nakshidil rustig. 'Je doet alsof je om het volk geeft, maar je bent een hebzuchtige vrouw die alleen in haar eigen macht geïnteresseerd is. Je hebt gelijk: jullie tijd is gekomen, maar niet om de troon op te eisen.'

'Jij kunt me niets doen,' zei Aysha. 'Ik heb de janitsaren achter me.'

Een andere eunuch rende naar binnen. 'De sultan komt eraan,' zei hij. Ik keek naar de deur en zag een stoet eunuchen naderen, gevolgd door Mahmoed. De sultan had rode ogen en zijn kleren zaten onder het roet. Hij leek doodmoe en uitgeblust.

'Majesteit!' riep ik en ik kuste zijn mouw. 'U bent gespaard. Allah zij dank!'

'Ik mankeer niets,' zei hij met een gebarsten stem, 'maar ik heb slecht nieuws. Alemdar is dood. Ze hebben me zijn hoofd gebracht.'

'Ha!' riep Aysha triomfantelijk. 'Dat is geweldig.'

'En ik moet jou vertellen dat je zoon Mustafa ook dood is.'

'Nee, dat kan niet!' huilde ze. 'Ik zal hem wreken! Al zal het me de rest van mijn leven kosten.'

'Maar dat zal niet lang zijn,' zei Nakshidil, terwijl ze overeind kwam. Ze liep naar Aysha toe, kneep haar ogen tot spleetjes en priemde met haar wijsvinger naar de vrouw. 'Vanaf het eerste moment dat ik in de harem kwam, heb je complotten gesmeed tegen mij en mijn zoon. Ik kan onmogelijk al die wrede streken vergeten die je Mahmoed hebt geleverd. Of je gemene dreigementen. Of je pogingen om mij te vergiftigen. Of je vechtpartij met Perestu en je bevel om haar ter dood te brengen. Nee, jij hebt niet het recht jezelf een fatsoenlijk mens te noemen. Dat ben je niet. Je bent een afschuwelijk wezen en je verdient het einde dat daarbij past.'

Het was opeens doodstil in de kamer. De sultane walidé was zoveel jaar geduldig gebleven. Ze had Aysha's kwalijke praktijken zo lang genegeerd, in de hoop dat de vrouw haar gedrag zou veranderen. Maar nu was de volle waarheid eindelijk doorgedrongen. Ik draaide me om naar de marineofficier en bracht hem naar de deur.

'Hier,' zei ik, tastend in mijn kaftan. 'Neem deze dolk en gebruik die voor Aysha's hoofd. Naai de rest van haar lijf in een zak en gooi die in zee. Doe het vanavond, zodat we het kunnen zien.'

Die nacht, onder de sikkel van de maan, stond ik met Nakshidil bij het raam en zag de eunuchen een verzwaarde zak in een bootje tillen. Toen ze een klein eindje hadden geroeid, gooiden ze de zware zak overboord, in zee. Daarna keerden ze om en schoten een fakkel af, zoals ik had gevraagd. Ik legde mijn vingers tegen mijn lippen en blies een kus door het raam. 'Vaarwel, Aysha,' zei ik toen haar lichaam zich voegde bij de stapel lijken die al op de bodem van de Bosporus lagen.

Nakshidil pakte mijn arm. 'Het is een wrede dood, voor wie dan ook,' zei ze. 'Maar het hele rijk kan nu geruster ademhalen.'

De volgende morgen ging ik naar buiten om zelf poolshoogte te nemen. De hele omgeving lag bezaaid met lijken, afgerukte armen en benen, rottende stukken vlees, bedekt met vliegen. Ik stapte ertussendoor over de bebloede grond en liep naar de Derde Hof. Daar, op het ijzeren hek gespiest, vond ik Aysha's hoofd, grotendeels kaalgeschoren, maar met nog genoeg rode plukken om zeker te weten dat zij het was. Daarnaast prijkte het hoofd van Mustafa.

Bij zonsondergang, toen de kanonnen daverden, stuurde de sultan bericht dat hij naar ons toe zou komen voor een stille viering. Ik slaakte een zucht van verlichting dat de opstand was neergeslagen. Maar toen we ons gereedmaakten om Mahmoed te ontvangen, bekende Nakshidil dat haar angst nog steeds niet was weggenomen.

'Meer dan ooit ben ik me ervan bewust dat we een troonopvolger nodig hebben,' zei ze, terwijl ze met haar vuist een kussen wat opschudde. 'Stel je voor, wat God verhoede, dat Mahmoed zelf zou worden aangevallen. Dan is er niemand om het over te nemen. De militairen zouden de macht grijpen en het Ottomaanse rijk zou ophouden te bestaan.'

'Hij heeft bewezen dat hij vruchtbaar is,' zei ik. 'Stuur hem meer concubines, dan zal hij zeker voor een erfgenaam zorgen.'

'Ik hoop dat je gelijk hebt,' zei Nakshidil. Ze legde het kussen neer, keek om en glimlachte. Mahmoed stond in de deuropening, zijn brede gestalte gekleed in een donkerblauwe kaftan en met een fez op zijn knappe hoofd. Ze rende naar hem toe om zijn hand te kussen. 'Gefeliciteerd, mijn leeuw. Je hebt je een ware leider getoond.'

De sultan schudde droevig zijn hoofd en er klonk emotie in zijn stem toen hij antwoordde: 'Mijn lieve moeder, deze overwinning heeft een hoge prijs gevraagd. De binnenplaatsen liggen bezaaid met lijken en de bloembedden zijn veranderd in rode rivieren. Er is veel te veel bloed vergoten. Overal in het paleis hangt de stank van de dood.' Met die woorden liet hij zich op de fluwelen divan zakken.

'Je hebt gelijk, mijn zoon,' zei Nakshidil, die naast hem kwam zitten. 'Er zijn te veel tragedies geweest, te veel intriges, te veel haat, te veel bloedvergieten in het Topkapi. Misschien moeten we luisteren naar de woorden van de dichter Rumi:

"Het verleden is verdwenen. Alles wat gezegd is behoort daartoe. Nu is het tijd om over nieuwe dingen te spreken."'

'Amen,' mompelde ik.

De sultan legde zijn hand op die van Nakshidil. 'Laten we daar dan mee beginnen.'

24

In de gouden sloep van de sultane walidé voeren we vanaf het Topkapi een mijl naar het noorden, vlak bij Pera, om het nieuwe paleis te zien. Het Beshiktash stond op de Europese oever van de Bosporus, een schitterende combinatie van een westers ontwerp en oosterse details, compleet met betegelde fonteinen, marmeren baden, open binnenplaatsen en zuilengalerijen.

Het had drie jaar gekost om het paleis te bouwen. Het was een duidelijke breuk met het verleden en elk besluit had de sultans goedkeuring vereist. Eén kant van het grote gebouw lag aan zee; de andere zijden keken uit over weelderige tuinen met formeel aangelegde parken, bloemenlabyrinten en in model gesnoeide struiken.

Over nog een paar weken zou de hele huishouding van de sultan – de blanke en zwarte eunuchen, de pages, de prinsessen, de kameniersters, de concubines, de kadins en natuurlijk de sultane walidé en de sultan zelf – van het Topkapi naar het Beshiktash verhuizen. Maar op deze eerste dag van de lente had Nakshidil voorgesteld om een picknick te houden op het nieuwe terrein. Ik organiseerde de slavinnen en de eunuchen, bestelde het eten en regelde zelfs dat de nieuwe kapel klaarstond om ons te begroeten. Hij werd geleid door Donizetti Pasha, de Italiaanse musicus die een bezoek had gebracht aan Istanbul en op verzoek van de sultan was gebleven. Toen onze met satijn beklede boot bij de steiger aanlegde en de walidé aan land stapte, hoorden we de klanken van trompetten, trommels en bekkens.

De sultane walidé maakte niet veel uitstapjes meer. Ze was een paar maanden ziek geweest en sterk verzwakt. Maar de laatste paar dagen had ze weer iets van haar kracht herwonnen. Daarom wilde ze graag met haar kleindochter het nieuwe paleis bezoeken.

'Ik heb een besluit genomen,' zei Nakshidil. We stonden bij de kinderboerderij van het paleis, waar de kleine Perestu nootjes voerde aan de dieren.

'O ja?' vroeg ik, aarzelend wat ze bedoelde.

'Ik heb over mijn slavinnen nagedacht en besloten iets te doen aan hun situatie.'

'Wat dan?'

'Sommigen wonen hier al zoveel jaren. Ze werken hard en ze zijn loyaal. Het wordt tijd om hun hun vrijheid terug te geven.'

'Dat is heel edelmoedig van je, majesteit, maar waar moeten ze naartoe? Ze zijn eigenlijk net als de mooie dieren in deze vergulde kooi.'

'Wat bedoel je?'

'Deze zebra's, giraffen en gazellen zijn al zo lang verzorgd – goed gevoed en gekamd, in uitstekende conditie – dat ze grote moeite zouden hebben om zich te handhaven in de jungle.

'Maar ik wil ze ook niet de jungle in sturen om te overleven. Ze kunnen gewoon terug naar hun familie.'

'Dat is onmogelijk.' Ik rolde met mijn ogen en een van de apen deed me na. 'Terug naar hun familie? Dat gaat echt niet. Die meisjes hebben een bevoorrecht leven geleid, omringd door de grootste rijkdommen ter wereld. De harem is hun thuis geworden. Je denkt toch niet dat ze nog op een armoedige boerderij zouden kunnen leven?'

'Nee, dat zal wel niet. Maar denk je eens in hoe blij ze zouden zijn om hun familie terug te zien.'

'Daar ben ik niet zo zeker van. De kans is groot dat die families zich voor hen schamen.'

'Schamen,' herhaalde een papegaai.

Ik negeerde de vogel. 'Ze zouden denken dat de meisjes waren teruggestuurd omdat ze niet voldeden in het paleis.'

'Ze kunnen toch ook hier in Istanbul wonen?'

'Op zichzelf?' vroeg ik. 'Nee, dat denk ik niet. Als je hun hun vrijheid wilt geven moet je ze uithuwelijken. Er zijn genoeg pasja's die graag een paleisvrouw als echtgenote willen.'

'Je hebt gelijk, Tulp. Regel het maar zodra we terug zijn in het Topkapi. Dan zal ik het vanavond bekendmaken. Tien meisjes krijgen hun vrijheid terug.'

'Dat is geweldig,' zei ik. 'De rest zal natuurlijk wel jaloers zijn.'

'Ze hoeven nergens over in te zitten,' antwoordde Nakshidil droevig, en ze schudde haar hoofd. 'Vandaag voel ik me wat beter, maar door de ziekte ben ik meer over mijn leven gaan nadenken, of beter gezegd, over het einde daarvan. Als ik sterf, Tulp, en dat kan niet lang meer duren, wil ik al mijn meisjes hun vrijheid geven. Beloof me alsjeblieft dat je ervoor zult zorgen dat de meisjes die weg willen een goede echtgenoot zullen krijgen.'

'Dat beloof ik,' zei ik, zwaaiend naar de vriendelijke aap. Hij zwaaide terug met een brede grijns.

Ik zag dat Nakshidil moe was en stelde voor om ergens op het gras te gaan zitten. De eunuchen hadden een kleed en kussens klaargelegd. Ik riep het meisje en glimlachte toen ik naar haar keek. Vreemd genoeg was ze bijna het evenbeeld van Nakshidil, met de wipneus van haar vader en de pruillipjes van haar moeder. Ze danste naar de deken van haar grootmoeder toe en liet zich naast haar vallen.

'Ach, Perestu,' zei Nakshidil, en ze sloeg een arm om haar heen. 'Weet je wel waarom je zo heet?'

De kleuter keek vragend. Ze was drie jaar oud.

'Dat was de naam van mijn lieve vriendin. Ik wilde haar nagedachtenis levend houden in jou. Vriendschap is heel belangrijk,' zei ze, terwijl ze het kind een kneepje gaf. 'Als je ouder wordt, zul je merken dat er maar heel weinig mensen zijn op wie je echt kunt rekenen. Die moet je koesteren en je liefde geven.' Ze keek mij aan en glimlachte.

Het kind knikte. Ze begreep het niet helemaal, maar ze wist dat ze ja moest zeggen op de woorden van haar oma. Het volgende moment worstelde ze zich los en rende weg om met een van de zwarte eunuchen te spelen.

Nakshidil keek weer naar mij. 'Altijd als ik aan Perestu denk, besef ik hoe belangrijk het is dat er vrede heerst tussen de meisjes. Beloof me, Tulp, dat er geen nieuwe Aysha's zullen opstaan onder de concubines en kadins.'

Ik beloofde haar dat ik mijn best zou doen. Maar hoe kon je intriges in het paleis voorkomen? Steeds als er een nieuw meisje in de harem kwam, als een concubine door de sultan werd ontboden of als er een kind geboren werd, laaide de jaloezie hoog op en kwamen de boze plannetjes.

Kort na onze picknick bij het Beshiktash kreeg Mahmoed weer een dochter. We bleven hopen op een zoon. Hoewel Nakshidils gezondheid zwak bleef, maakte ze zo nu en dan nog een wandeling in de tuinen of ontving de vrouwen van hoge bezoekers, terwijl de paleismusici Mozart en Bach speelden – en composities van Selim. En ze kleedde zich nog net zo mooi als altijd, in haar eigen stijl, met andere manieren om haar sjaals te knopen of haar ceintuur te plooien. Ze wist kleuren en stoffen te gebruiken zoals een kunstenaar zijn palet en penselen hanteert.

Toen haar hart nog zwakker werd, verloor ze haar kracht en bleef in bed. De paleisarts probeerde zijn gebruikelijke behandelingen, maar tevergeefs. De Venetiaanse en de Griekse arts uit Pera werden opgeroepen, maar konden weinig doen. En zo sloeg ik haar gade, zwak en breekbaar, hoewel ze nog zo graag wilde praten en aan het leven wilde deelnemen. Ik zat bij haar bed in het paleis van Beshiktash terwijl zij gretig naar mijn roddels luisterde en zelf de problemen in de harem probeerde op te lossen. Soms praatten we over het verleden, de dagen met Selim, haar nicht Rose, de janitsaren en de oelema.

'Wat je ook doet, Tulp, zorg alsjeblieft dat niemand ooit het geloof kan gebruiken als een excuus om anderen te overheersen,' zei ze. Ze sprak nog maar in korte zinnetjes en haar ademhaling ging zwaar. 'Iedereen zou het recht moeten hebben om te bidden zoals hij wil.' Ze liet zich tegen de kussens zakken en sloot haar ogen. Toen ze me weer aankeek, gaf ik haar wat water. Ze nam een slokje, zette het glas neer en zag de stapel boeken op haar tafel.

'Ik heb geld opzijgezet zodat je boeken kunt kopen in de grote bazaar,' zei ze langzaam. 'Ik wil een bibliotheek nalaten met allemaal boeken uit het Westen. En iedereen in de harem die ze wil lezen, zal daar het recht toe hebben.'

Ik beloofde te doen wat ze vroeg. Ze wilde mij bij zich hebben en het minste wat ik kon doen was haar troosten, hoeveel pijn het me ook deed haar zo te moeten zien. Zij was de enige in de harem die me ooit liefde had gegeven, de enige die me als een volwaardig mens had behandeld. Ik vond het vreselijk om haar te zien lijden. Ik hield van haar met heel mijn hart.

In de loop van de maanden ging ze steeds verder achteruit. Op een avond toen haar zoon op bezoek was, vroeg ze hem om een katholieke priester. In zijn goedheid kon de sultan haar dat niet weigeren. Zoals u weet, eerwaarde, is ze helaas een paar uur daarna gestorven. Morgen zal ik de processie leiden om sultane walidé Nakshidil te begraven in haar turbe. En hoeveel verdriet me dat ook doet, ik weet dat niets haar bij me terug kan brengen.

'Ik hoop dat u het begrijpt, eerwaarde. Ze was een goede vrouw. Het incident met Aysha... daar neem ik de volle verantwoordelijkheid voor.'

De priester legde zijn arm om de eunuch. 'Wees niet bezorgd,' antwoordde hij. 'Je bent een goed mens, Tulp. En Nakshidil zijn al haar zonden vergeven.'

De zwarte oppereunuch stond op en trok zijn ferace aan. 'Dank u, eerwaarde,' zei hij. 'Ik zeg u vaarwel. En weet dat ik u altijd dankbaar zal zijn dat u me de gelegenheid hebt gegeven om mijn lieve vriendin zo te gedenken.'

Epiloog

In het voorjaar van 1830 klonken er zeven kanonschoten vanaf het paleis om de geboorte van een prins aan te kondigen: de tweede zoon van sultan Mahmoed en de tweede in de lijn van de Ottomaanse troonopvolging. De Turken liepen uit om de geboorte te vieren en vanuit alle uithoeken van het rijk kwamen duizenden gasten in Istanbul aan.

Te midden van het feestgedruis pakte pater Chrysostome een valies in met zijn soutanes, zijn rozenkransen en zijn crucifix, voordat hij het kamertje verliet waar hij dertig jaar had gewoond. De tas was zwaar en in de stad was het een drukte van belang. Op de keitjes van Pera botste de priester tegen iemand op.

'Excuseer, excuseer,' zei hij geschrokken, terwijl hij keek of hij de voorbijganger niet had bezeerd. De zwarte man klopte zijn wollen broek af en zijn blik ontmoette die van de priester.

'Pater Chrysostome, wat een genoegen u weer te zien!'

'Nee maar, Tulp! Wat een verrassing. Het genoegen ligt geheel bij mij.'

De eunuch, die zag dat de priester heel wat ouder was geworden en een breekbare indruk maakte, bood aan het valies te dragen. 'Waar gaat u heen?'

'Laat me je het vertellen bij een kop koffie,' stelde de jezuïet voor.

Ze zochten hun weg door de dichte menigte in het café, bestelden hun koffie en gingen zitten om de ruim tien jaar in te halen die waren verstreken sinds hun laatste ontmoeting.

Het rijk was in die tijd sterk veranderd. Griekenland was onafhankelijk, Egypte zou dat elk moment kunnen worden, maar Arabië was teruggewonnen en ook de provincies Wallachije en Moldavië waren weer in Turkse handen.

Het had jaren gekost, beaamden de mannen, maar Mahmoed had grote hervormingen doorgevoerd met de woorden van zijn moeder in gedachten. Het korps van de janitsaren was ontbonden, het leger was gemoderniseerd in westerse stijl, er waren technische hogescholen en medische faculteiten gevestigd, de macht van de geestelijkheid was beknot, er waren ambassadeurs in Europa geïnstalleerd en het belastingstelsel was gewijzigd. Er waren ook mislukkingen geweest, moesten de twee mannen erkennen, en zijn critici hadden hem 'de ongelovige sultan' genoemd, maar voor een groot deel van de Ottomaanse wereld hadden de veranderingen de kwaliteit van het leven verbeterd.

'Het lijdt geen twijfel dat Mahmoed de geschiedenis in zal gaan als een van de grote Ottomaanse keizers,' zei pater Chrysostome.

'Ze noemen hem de Grote Hervormer,' zei Tulp. Hij keek eens door het koffiehuis en knikte naar de mannen die daar zaten te lezen. 'Dankzij sultan Mahmoed hebben we nu onze eigen Turkse kranten. En ik moet zeggen,' voegde hij eraan toe, terwijl hij wat kruimels van zijn jasje veegde, 'dat de nieuwe kledingmode me ook wel bevalt.'

'Ja, je ziet er goed uit,' beaamde de priester, met een blik op Tulps korte overjas en zijn fez met kwastje. 'Maar hoe is het jou vergaan sinds we elkaar voor het laatst zagen?'

'Vertel me eerst over uzelf,' zei de eunuch. 'Waarom loopt u met een valies? Waar gaat u naartoe?'

'De dingen zijn veranderd, zoals je al zei. Je had het over de successen van de sultan. Zijn politiek van gelijkheid is zeker een succes voor ons allemaal. Ik zal nooit zijn woorden vergeten: "Moslims in de moskee, christenen in de kerk en joden in de synagoge, maar verder zijn er geen verschillen tussen hen. Mijn affectie en rechtvaardigheidsgevoel voor hen is sterk. Ze zijn inderdaad allemaal mijn kinderen.'"

'Dat waren gedurfde woorden voor een sultan.'

'Zeker. Maar je sprak ook over zijn mislukkingen. Wat voor de één een mislukking is, mijn vriend, kan voor de ander een succes zijn. Mijn familie komt van de Morea. Toen Griekenland zich dit jaar onafhankelijk verklaarde van de Ottomanen, besloot ik terug te gaan. Dus vertrek ik nu naar de Peloponnesos, om mijn laatste jaren thuis te slijten. Maar hoe staat het met jou? Hoe is het leven in het paleis?'

De eunuch antwoordde dat hij niet langer in het paleis woonde. Na de dood van de sultane walidé had hij zijn vrijheid herkregen.

'En ben je tevreden?' vroeg de priester.

'Ach, eerwaarde,' glimlachte de eunuch, 'ik moet toegeven dat ik in het begin wel angstig was, omdat ik nooit op mezelf had gewoond. Maar nu gaat het heel goed.'

'En wat is het verschil?'

'Ik heb u ooit gezegd dat wij niet altijd zijn wat we lijken. Ik heb geluk gehad. Ik heb altijd kunnen genieten van de bloemen, ook al kon ik zelf geen vrucht voortbrengen.' Hij zweeg een minuut. 'Ik ging niet alleen naar de bazaar om boeken te kopen,' zei hij met een glimlach.

'En nu?'

'Nu ben ik een gelukkig getrouwd man.'

'En wie is de gelukkige dame?' vroeg de stomverbaasde priester.

'U weet nog dat Nakshidil erop stond dat haar slavinnen hun vrijheid zouden krijgen. Ik ben getrouwd met een van de haremmeisjes.'

'Ik wens je het allerbeste, Tulp.'

'Insgelijks, eerwaarde.'

De twee mannen omhelsden elkaar. Toen pater Chrysostome wilde vertrekken, hielp Tulp hem het café uit en zette hem
in een passerende koets. Hij knikte even met zijn rode fez, stak
zijn hand op en liep in de richting van het paleis. Toen hij over
de keitjes wandelde, slaakte hij een diepe zucht. Had Nakshidil maar bij hem kunnen zijn om de geboorte te vieren van
haar tweede kleinzoon, prins Abdul Aziz.

Dankbetuiging

Ik ben dank verschuldigd aan de volgende auteurs: Aksit, Atasoy, Blanche, Bruce, Chase, Coco, Croutier, Davey, Davis, Du Theil, Erickson, Freely, Goodwin, Hanum, Hobhouse, Kinross, Kinzer, Krody, Levy, Lewis, Mansel, McCarthy, Melling, Montagu, Morton, Mossiker, Pardoe, Penzer, Pierce, Schama, Shaw, Thackeray, Ulucay, Wheatcroft en White.

Mijn grote dank gaat naar Talman Halmat, Ertogrul Osman en Zenob Osman, die niet alleen de Turkse charme belichaamden, maar mij ook in contact brachten met enkelen van de boeiendste geleerden, schrijvers en historici in Turkije. Dilek Pamir bood me hartelijk haar gastvrijheid en beantwoordde tientallen vragen over Nakshidil.

Professor Nurhan Atasoy bracht haar enthousiasme op me over; Gungor Dilmen liet me de harem van het Topkapi zien zoals niemand anders dat had gekund; Murat Bardakci liet Selim III tot leven komen, kookte de heerlijkste Turkse gerechten en stelde me voor aan de professoren Yildiz Gultekin en Fikret Sarkaoglu, die documenten in het archief van het Topkapi voor me naplozen; de professoren Hakan Erdem en Edhem Eldem motiveerden me om door te gaan, zelfs als ik er geen gat meer in zag; Harry Ojalvo liet me kennismaken met de wereld van de kira's.

Mijn bijzondere dank ook aan Lenny Golay, die me het idee aan de hand deed voor dit boek en daarna met grote zorg het manuscript las. En aan mijn agente Linda Chester, voor haar niet-aflatende steun, haar gulheid en haar vriendschap. Lorna

Owen las het manuscript aandachtig en was altijd bereid te helpen. Helen Armstrong hielp me met haar kennis van muziek. Patricia Friedman leerde me Turkse dansen. Elizabeth Atkins schetste me een beeld van het achttiende-eeuwse Frankrijk. Liza Nelligan gaf me belangrijke adviezen. Bernard Kalbs enthousiasme dreef me voort bij mijn Turkse avonturen.

Nan Talese, de gedroomde redacteur voor iedere schrijver, wachtte geduldig op een biografie en moedigde me toen aan dit boek te schrijven als roman, onder haar ferme maar zachtaardige begeleiding.

John Wallach, wijlen mijn man, was zoals immer mijn partner op reis en in het leven, zonder te klagen en altijd vol begrip.

BP 01/05
VE 11/06
Beuk 06/08
KA 05 / 2009
VE 10 / 2015